KB100837

이흰

윤슬 님과 함께 행복하게 쓴 글이
여러분께도 즐거운 글이 되었으면 합니다.

IN. MORS SOLA
blog https://blog.naver.com/leehuin5
mail leehuin5@naver.com

〈맹수에게 잡아먹혔다〉 출간작
〈악당의 미학〉
〈황제의 멍멍이〉
〈베이비 폭군〉
〈악당 가족이 독립을 반대한다〉

황태자의
약혼녀

* 이 책은 ㈜디앤씨미디어가 저작권자와의 계약에 따라 발행한 것으로 저작권법의
  보호를 받는 저작물입니다. 본서의 내용을 무단 전재 및 무단 복제하는 것을 금합
  니다.
* 작가와의 협의에 의해 인지는 생략합니다.

황태자의
약혼녀

The Crown prince's Fiancee

윤슬·이흰 장편소설

4

The Crown prince's Fiancee

The Crown prince's Fiancee

Chapter 40. **나 좀 봐줘(2)**

Chapter 40. 나 좀 봐줘(2)

줄곧 적막했던 포인세티아 궁이 돌연 소란스러워졌다. 그 원인은 궁의 주인인 황태자의 부재였다.

외출 후 날이 저문 후에도 아드리안이 황궁으로 귀환하지 않았다.

보고를 받은 디아노는 눈가를 찌푸렸다.

"흑영은?"

"흑영까지 따돌리고 사라지셨다고 합니다."

디아노는 한숨을 내쉬며 닦고 있던 검을 내려놓았다.

아드리안이 무슨 생각으로 잠적한 건지 대충 짐작할 수 있었다.

'아티 님을 만나러 가셨다가 실패하셨겠지.'

흑영을 따돌린 것은 혹시라도 자신이 아드리안의 위치를 추적하여 계획을 그르칠까 봐 그런 것일 터.

'굳이 안 그러셔도 아티 님과 관련되면 아주 단순해지시니 짐작이 어렵지는 않은데.'

그 불같은 성격상 만나는 것을 포기하지는 않았을 테니 아드리안이 세울 만한 계획은 단 하나뿐이었다.

"잠입……."

디아노의 예상대로 그 시각, 아드리안은 오비에도 가문의 정원에 숨어들었다.

"허술하군."

오비에도의 경비 체계를 비웃으며 아드리안은 여유롭게 저택 방향으로 접근했다.

어릴 적부터 오비에도 저택을 들락날락한 아드리안에게 저택 구조는 아주 익숙했다.

"테르니 그 자식이랑 어릴 때부터 알았다는 사실이 도움이 될 줄이야."

물론 지금은 절교 직전이긴 하지만.

아드리안은 순찰을 도는 병사들의 눈을 피해 은밀히 저택 안으로 숨어들었다.

일단 저택에 들어오긴 했지만 문제는 지금부터였다.

'아티가 어느 방에 있을지 모른단 거겠지.'

명문가답게 오비에도 저택의 규모는 상당히 컸다. 그에 따라 당연히 방의 개수도 많았다. 침실을 하나하나 다 뒤질 수도 없는 노릇이었다.

"후작 부인의 침실 바로 옆이려나."

아드리안은 가능성이 가장 높은 곳으로 그곳을 꼽았다.

테르니의 옆방은 아예 고려하지도 않았다.

"후작 부인이 생각이 있다면 최대한 멀리 떨어트려 놨겠지."

놀랍게도 그 예상은 적중했다. 아드리안이 첫 번째로 고른 방이 바로 아티가 머물고 있는 침실이었다.

문을 열자마자 희미하게 맡아지는 익숙한 향기에 아드리안은 바라던 목적지에 제대로 도착했음을 깨달았다.

'⋯⋯조용하군.'

희미한 기척만이 느껴지는 침실 안은 적요했다. 캄캄한 사위로 상당히 넓은 침실 내부가 어렴풋이 보였다.

오로지 아티만을 위한 침실인지 여기저기 세심하게 신경 쓴 것이 보였다.

아드리안은 침대로 다가갔다. 살짝 솟아 있는 인영이 보였다. 요 며칠 동안 보지 못해 애달팠던 아티였다.

"⋯⋯아티."

낮게 잠긴 음성. 아드리안의 손끝이 잠든 아티의 뺨을 스쳤다.

간지럽지도 않은지 아티는 색색 숨을 내쉬며 깊게 잠들어 있었다. 아드리안은 얕은 한숨을 내뱉었다.

"잘 자네."

이유를 묻고 말겠노라 다짐했던 열기는 한순간에 사그라졌다.

'파혼 결정을 내린 아티의 잘못이 아니라 그런 결정을 할 수밖에 없도록 만든 내 잘못이겠지.'

아드리안은 침대맡에 걸터앉아 곤히 잠든 아티의 예쁜

얼굴을 하염없이 바라보았다.

"……아무리 봐도 안 질리네."

마음고생이 심했는지 전에 봤을 때보다 얼굴이 훨씬 야위었다.

괴롭게 만들고 싶지 않았는데, 그러지 못한 스스로가 원망스러웠다.

얼굴을 보며 하고 싶은 이야기가 많았지만 깊게 잠든 아티를 깨우고 싶지 않았다.

결국 아드리안은 다음을 기약하며 아티의 침실을 빠져나갔다.

✦ ♛ ✦

햇살이 드리우는 아침, 눈을 뜬 아티는 오늘 아침이 뭔가 평소와 다르다고 느꼈다.

졸린 눈을 비비며 몸을 일으킨 아티는 침대 아래에 무언가 떨어져 있는 것을 발견했다.

"이건……."

그것을 주워 든 아티의 두 눈이 커졌다. 그녀는 황급히 주위를 살폈지만 아무도 없었다.

"……아드리안?"

침대 아래에 떨어져 있던 그것은, 아티가 아드리안에게 직접 수놓아 주었던 손수건이었다.

아티는 손수건을 세게 쥐었다.

'아드리안이 왔다 갔어. ……어째서?'

그녀는 헛된 기대를 품지 않았다.

가질 수 없는 것을 욕심냈다가는 나중에 그것이 자신의 것이 아님을 깨달았을 때 회복할 수 없을 정도의 상처를 주니까.

"나는 내 주제를 알아."

다짐하듯 중얼거렸다. 우연히 비밀을 들었다는 이유만으로 대리 약혼녀 행세를 하게 된 시녀.

어쩌다 계약 갱신이라는 이름하에 3년의 기간이 주어졌으나 그것도 이제 끝이었다.

영원한 비밀이란 없듯 결국 모든 것을 들켜 버렸으니까. 그래서 파혼을 결심하는 건 그렇게 어렵지 않았다.

"언젠가 이런 날이 올 줄 알았잖아."

어째서 아드리안이 이곳에 들렀는지는 알 수 없지만 좋은 의미가 아니라는 것은 어렵지 않게 예상할 수 있었다.

말없이 손수건을 내려다보고 있을 때, 문이 열렸다.

"아티~!"

발랄하게 등장한 테르니가 아티를 얼싸안고 방방 뛰었다.

"왜 이렇게 기분이 좋아요?"

"흐흐. 그건 말이야……. 비밀이야!"

"네?"

인생을 통틀어 아드리안에게 가장 센 한 방을 먹였다는 생각에 기분이 좋았지만, 테르니는 설명해 주지 않았다.

대신 아티의 팔짱을 끼며 활기차게 밖으로 끌고 갔다.

"밥이나 먹으러 가자! 오늘 맛있는 거 나온다고 그랬어!"

"네, 네."

테르니의 엄청난 기세에 아티는 걱정을 잠시 잊었다.

✦ ♕ ✦

그날 저녁.

"또 어제처럼 몰래 숨어드시려는 겁니까, 전하!"

"시끄러워. 조용히 해. 비켜."

"전하!"

아드리안은 자신을 붙잡으려는 디아노를 걷어차고 포인세티아 궁을 나왔다.

근신 명령 따위는 이미 무시한 지 오래.

'불만이면 감금이라도 하시든지.'

한창 반항할 나이인 아드리안은 배 째라 상태였다.

황후의 명령에 계속 근신만 했다가는 인생에서 가장 소중한 걸 잃을 판이었다.

"그나저나 손수건은 대체 어디로 간 거지?"

아드리안은 손수건을 늘 품에 챙기고 다녔다. 분명 어제까지만 해도 있었는데 어느샌가 사라져 버리고 말았다.

'일단 아티 보고 와서 생각하자.'

오비에도가에 도착한 아드리안은 어제 했던 그대로 저택에 숨어들었다.

역시나 그 누구도 아드리안을 발견하지 못했다.

'이렇게 허술한 곳에 내 아티를 두기 불안한데.'

그는 익숙하게 아티의 침실에 들어섰다.

문이 열리고 닫히는 소리도 나지 않을 정도로 정교한 은신이었다.

'잠들었군.'

어제보다 일찍 왔지만 침실은 마찬가지로 캄캄했다.

'이렇게 계속 대화는커녕 잠든 얼굴만 보고 가다가 파혼당하게 생겼는데.'

약간 절망적이었다.

아드리안은 아티에게 무슨 말을 해야 할지도 제대로 생각하지 않은 상태였다. 하고 싶은 말이 너무 많아서.

"오늘도 잘 자네."

차라리 울고 있는 것보다는 낫다고 생각하며 아드리안은 잠든 아티의 얼굴을 내려다보았다.

달빛이 내려앉은 아티의 얼굴이 너무 예뻐서, 아드리안은 홀릴 것만 같다고 생각했다.

다소 멍하게 아티를 바라보던 아드리안은 문득 창문이 열려 있다는 사실을 깨달았다.

걷힌 이불 아래 아티의 슈미즈 드레스는 아주 얇았다.

'왜 창문은 열어 둔 거야? 몸도 약하면서.'

얼마 전 앓았다고 들어 아드리안의 염려는 더했다. 그가 작게 혀를 차며 뒤돈 순간이었다.

"……!"

가녀린 손끝이 아드리안의 옷자락을 스쳤다.

급히 고개를 돌린 아드리안은 어둠 탓에 평소보다 더 깊어 보이는 푸른 눈동자를 마주했다.

"……아티."

"왜 왔으면서 그냥 가세요?"

"네가 자고 있으니까."

아티는 천천히 몸을 일으켰다. 사실 처음부터 잠든 게 아니었다. 다시 올 거라고 생각했으니까.

"이거. 두고 가셨어요."

아티가 건넨 것을 무심코 받은 아드리안은 침음을 흘렸다. 이게 이곳에 떨어졌을 줄이야.

침대에서 내려와 아드리안의 앞에 선 아티가 그를 조심스럽게 올려다보았다.

"제게 하실 말씀이라도 있으세요?"

순간 말문이 막혔다. 머릿속이 새하얘져서 무슨 말을 해야 할지 알 수 없었다.

'내가 왜 왔더라.'

아드리안은 겨우 자신이 오비에도가에 온 목적을 떠올렸다.

"파혼…… 소식을 들어서."

"그렇군요."

파혼이라는 단어를 입 밖으로 꺼내는 것만으로 힘겹고 절망스러운 자신과 달리 아티는 담담해 보였다.

그 태도에 아드리안은 순간 울컥했다.

"아티, 넌 아무렇지도 않아?"

"……네?"

"그렇게 나와 파혼이 하고 싶은 거냐고."

잠깐 아랫입술을 깨문 아티는 고개를 끄덕였다.

"당연한 말씀을 하시네요, 전하."

"……하."

아드리안은 실소를 내뱉었다. 아티의 말 한마디 한마디가 날카로운 비수가 되어 아드리안의 심장을 찔렀다.

이 여자는 자신이 제게 지금 무슨 짓을 저지르는 줄은 알고 있을까?

'말로도 사람을 죽일 수 있다는 말을 전에는 믿지 않았는데. 이젠 알겠군.'

심장이 나락까지 떨어져 내리는 이 기분은, 절대 알고 싶지 않은 감정이었다.

머뭇거리던 아티가 결심한 듯 입을 열었다.

"거짓 약혼은 이제 끝내야 해요. 그게 맞아요, 전하."

"네가 왜 그걸 결정하는데?"

"그건…… 저도 이 일의 당사자니까."

무자비하게 끝내자고 말하는 아티를 보던 아드리안은 마음이 수천 갈래로 찢어지는 듯했다.

확고한 결심을 내뱉는 아티의 말에 그는 아무런 대답을 할 수가 없었다.

그에 더해 아티는 슬픈 표정으로 아드리안을 올려다보았다.

"더 이상 버틸 수가 없어요."

"내 약혼녀로 지내는 동안이 그렇게 괴로웠나?"

아드리안은 아티를 믿었다.

그가 아티와 함께하는 시간이 무엇보다 소중한 시간이었던 만큼 아티에게도 단 한 자락 행복했던 순간이 있었으리라고.

하지만.

"……네."

"…….."

끝까지 아티는 매정했다. 단 한 톨의 여지도 남겨 두지 않은 채 그와 함께한 시간을 쓰레기통에 처박았다.

아티는 차마 아드리안의 얼굴을 보지 못했다.

아드리안은 장차 황제가 될 사람이었다. 그런 사람의 곁에 감히 자신이 함께할 수는 없었다.

고작 몰락 가문 출신의 시녀는 황태자비의 자리에 어울리지 않으니까.

처음에는 그저 살아남아야겠다는 생각밖에 없었다. 더이상 죽음을 걱정하지 않아도 된다는 안도감이 들었을 때, 그때는 이미 늦은 후였다.

아티라는 신분으로 만난 사람들은 모두 너무 좋은 사람들뿐이었다. 게다가 아드리안은 약혼녀로서 자신을 원했다.

'그래서 계속 착각했어.'

언제까지고 이 시간이 계속될 거라는 허황된 꿈. 하지만 이 계약 약혼에는 끝이 있었다.

아티엔느로서 지내는 동안 아드리안과 함께하고 싶다는 생각에 괴로웠다.

즐거운 한편으로도 그런 생각이 불쑥불쑥 들어 중압감에

시달렸다.

이대로 더 아티엔느로 있다가는 정말로 욕심이 나서 되지도 않는 고집을 부릴 테니까, 이쯤 돼서 끝내는 게 맞았다.

"그럼…… 이야기는 이제 끝났으니까―."

아티가 말을 채 끝내기도 전에 아드리안이 입을 열었다.

"아니. 난 이 약혼 못 끝내. 파혼할 생각은 추호도 없다."

"……어째서요?"

아티는 이미 답을 알고 있었다.

'역시 황제가 되기 전까지 옆에 있을 사람이 필요해서일까?'

가브리엘은 아직 아티가 마리에 공주의 시녀였다는 사실을 알지 못했다. 그러니 그녀는 아드리안에게 쓸모 있는 패일 터.

아티는 순간 심한 자기혐오를 느꼈다. 그런 형태로라도 아드리안의 옆에 있고 싶다고 생각하는 자신이 싫었다.

'안 돼. 마음 강하게 먹어야 해. 깔끔하게 떨어져 나가기로 했잖아.'

그렇게 약해지려는 마음을 다잡을 찰나―.

"네가 내 곁에 있었으면 하니까."

아드리안의 한마디가 아티의 마음을 뒤흔들었다. 순간 자신을 흔드는 아드리안이 미웠다.

멈칫한 아티가 잠시 숨을 고른 후 아드리안을 올려다보았다.

"왜요?"

"정말 그 이유를 모르겠어?"

“…….”

아티는 시선을 피했다. 무슨 말이든 들어 버리면 더 이상 돌이킬 수 없을 것만 같았다.

아드리안 또한 포기할 생각이 없었다. 그는 아티에게 한 발짝 다가갔다.

짙게 드리우는 그림자에 아티는 입술을 아프게 깨물었다.

“고개 들어 봐.”

“…….”

“나 좀 봐 줘.”

아드리안의 음성이 애절하게 떨리는 것 같다면 단지 착각일까. 아티는 천천히 고개를 들었다.

망설임이라고는 없는 붉은 눈동자가 오로지 그녀만을 담고 있었다.

“난 이제 네가 아니면 누구도 옆에 둘 수 없으니까.”

“…….”

“좋아한다는 의미야.”

직접적으로 표현하지 않으면 아티는 둔해서 알아듣지 못할 것이다. 그간의 경험으로 아드리안이 깨달은 바였다.

역시나 오해할까 봐 덧붙인 말에 아티의 두 눈이 휘둥그레졌다. 믿지 못하는 기색이었다.

아드리안은 친절히 한 번 더 말해 주었다.

“좋아한다고. 그러니까 파혼은 절대 안 돼.”

아티의 사고가 급속도로 느려졌다. 그녀는 돌아가지 않는 머리를 힘들게 굴려 겨우 생각했다.

'말도 안 돼. 아드리안이 날 좋아한다고……?'

난데없는 입맞춤도, 가끔씩 보여 주는 다정한 모습도 모두 제게만 하는 행동들이었지만 당연히 약혼녀라 그런 것이라 여겼다.

착각하고 싶을 때마다 아티는 스스로의 입장을 생각하며 마음을 고쳐먹었다.

분명 자의식 과잉일 거라고. 그랬는데.

정말 아드리안이 그녀를 좋아한다고 고백했다. 심장이 미친 듯이 뛰기 시작했다. 단순히 좋아서가 아니었다.

"안 돼요."

다시 고개를 푹 숙인 아티가 고개를 저었다. 여지없는 거절에 아드리안의 입매가 딱딱하게 굳었다.

거절당할지도 모른다는 가능성은 늘 염두에 두고 있었으나 눈앞에서 바로 거절당하자 충격은 상당했다.

"……아티."

"전하께서는 그러시면 안 돼요."

아티의 목소리가 가늘게 떨렸다.

다른 누구라면 모를까 아드리안은 황태자였다. 모든 말과 행동에 의무와 책임이 뒤따르는 중대한 자리.

황제와 황후, 그리고 마리에까지 모든 내막을 알았으니 이제 아티는 돌아갈 수가 없었다.

자신을 믿고 마음을 내주었던 사람들을 배신한 것과 다름없었다. 도무지 염치가 없지 않은가.

아드리안은 고개를 푹 숙인 아티를 가만히 바라보았다.

'이렇게까지 괴로워할 정도로 내가 그렇게 싫은 건가.'

역시 첫 단추를 잘못 끼웠다. 할 수만 있다면 시간을 되돌려 아티를 처음 만났던 때로 돌아가고 싶었다.

그랬다면 지금 자신을 바라보는 아티의 시선이 달라질 수도 있을 텐데.

'하. 전부 부질없는 후회지…….'

아드리안의 고개가 힘없이 떨어졌다. 그는 주먹을 꽉 쥐었다. 아티의 마음을 돌리려면 대체 뭘 어떻게 해야 할지 알 수 없었다.

아니. 돌릴 수 없다고 해도 그는 물러설 수 없었다.

"네가 하라는 대로 다 할게."

"네……?"

당황하며 고개를 든 아티는 깜짝 놀랐다. 아드리안이 붉어진 눈시울로 자신을 바라보고 있었다.

그 모습에 또 한 번 당황했다. 줄곧 오만하기만 했던 아드리안에게서 한 번도 보지 못한 표정이었다.

금방이라도 눈물을 흘릴 것 같은 아드리안이라니.

또다시 한 발짝 다가온 아드리안이 아티의 한쪽 팔을 조심스럽게 붙잡았다.

"무릎을 꿇으라면 꿇을게."

"……."

"여기서 뛰어내리라면 뛰어내릴게."

"저, 전하."

"네가 하라는 건 뭐든 다 할 테니까."

기어코 아드리안의 눈에서 눈물이 뚝, 떨어졌다.

"……그러니까 제발 파혼하자고는 하지 마."

아드리안이 아티의 앞에 힘없이 무릎을 꿇었다.

그는 아티의 손을 쥐고 그것이 생명줄이라도 되는 듯 매달렸다.

매달리는 것 말고는 더 이상 할 수 있는 게 없었다. 울며 붙잡아서라도 아티가 떠나지 않았으면 했다.

이제는, 아티가 없는 삶 같은 거 상상도 할 수 없게 되었으니까.

그의 삶은 아티가 존재해야만 비로소 삶이라 불릴 수 있었다. 그러니 절대로 놓칠 수 없었다.

아티는 진심으로 자신에게 애걸하는 남자의 모습에 두 눈을 꾹 감았다.

'나 혼자만의 감정인 줄 알았어.'

하지만 아드리안의 마음도 아티와 같았다.

그녀를 위해서라면 무엇이든 할 수 있다는 고백에 아티의 눈가가 붉어졌다.

인생에서 누군가를 더 마음에 깊게 새길 수 있으리라곤 생각해 본 적 없었는데.

"일어, 나요……."

울먹이는 아티의 음성에 아드리안이 깜짝 놀라 고개를 들었다.

그는 눈물만 뚝뚝 흘리는 아티를 보며 당황하여 몸을 일으켰다.

"아티."

"저도. 저도 사실…… 좋아해요."

"……."

"저도 아드리안 좋아해요. 정말로."

하염없이 쏟아지는 눈물을 닦으며 고개를 들자 멍한 눈으로 자신을 응시하는 아드리안이 있었다.

아드리안은 귀를 의심했다.

'꿈인가.'

그래. 이렇게 달콤한 상황이 현실일 리 없었다.

이런 꿈을 꾸었다 깨어나 실망한 적이 한두 번이 아니었으니 더 이상 속지 않았다.

아티는 굳어 있는 아드리안을 보며 어쩔 줄을 몰랐다. 그렇게 아드리안의 눈치를 보고 있을 때였다.

스르릉―.

돌연 아드리안이 검을 뽑아 들었다.

"뭐, 뭐 하는 거예요?!"

"분명 꿈일 테니까. 일단 깨어나려고."

그러고선 한 치의 망설임도 없이 자신의 팔을 향해 검을 휘두르려 했다.

깜짝 놀란 아티가 기겁하며 허리를 부둥켜안자 아드리안의 동작이 멈췄다.

"꿈 아니에요!"

"꿈이 아니라고?"

아드리안은 천천히 고개를 숙였다. 자신을 껴안고 있는

아티의 존재감이 생생하게 느껴졌다.

쨍그랑—.

떨어진 검이 바닥을 굴렀다. 요란한 소음이 지나자 남은 것은 고요한 침묵뿐이었다.

숨 막히는 어색함에 아티가 슬그머니 멀어지려 했지만, 그럴 수 없었다.

아드리안의 단단한 팔이 아티를 감싸 안았기 때문에. 밀어내면 떨어질 정도의 힘이었지만, 아티는 그러지 않았다.

"……아티."

"네?"

"한 번만 더 말해 줘."

"시, 싫어요."

붉게 달아오른 뺨을 감추려 고개를 푹 숙이니 자연스럽게 아드리안의 품에 깊게 안기게 되었다.

비록 원하는 말은 듣지 못했지만 아드리안은 무엇보다 만족스러웠다. 아티가 자신의 품 안에 있으니까.

"내가 더 좋아해."

앞으로 해결해야 할 일이 제법 많지만 지금은 그것만으로도 충분했다.

Chapter 41. 파혼을 요청합니다

Chapter 41. 파혼을 요청합니다

"마님. 황궁으로부터의 서신입니다."

"거기 두렴."

황궁에서 온 서신을 곧바로 보지 않는 건 상당히 큰 무례였지만 카밀라는 신경 쓰지 않았다.

황궁에서 내려온 명령은 그뿐만이 아니었다.

오비에도에 내려진 출입 금지령이 풀리고 요제프 후작은 다시 황궁으로 출근했다. 휴가를 내기 위해서였다.

마담 루시도 해야 할 일이 있다며 황궁으로 돌아갔다.

카밀라는 할 일을 다 마치고 느긋하게 서신을 펼쳐 보았다.

"생각보다 늦게 왔네."

파혼 요청으로 황궁이 발칵 뒤집혔다는 소식은 들었다. 서신을 읽은 카밀라는 가만히 고개를 들었다.

"내일 입궁할 준비를 해야겠구나."

"네, 마님."

황후의 부름에 카밀라가 싱긋 미소 지었다.

✦ 👑 ✦

황궁 출입 금지가 풀린 이후, 오랜만에 모습을 드러내는 오비에도 후작 부인의 등장에 황궁에선 잠시 소란이 일었다.

소란의 주인공인 카밀라는 타인의 시선에도 아랑곳하지 않고 여유롭게 마차에서 내렸다.

"오래 걸리지는 않을 듯하니 황궁 앞에서 대기하고 있거라."

"예? 예……."

무릇 황족을 독대한다면 최소 두세 시간의 기다림이 필수이기에 많은 시간을 허비하거늘, 카밀라는 오래 걸리지 않는다고 했다.

그녀는 의아해하는 마부를 지나쳐 그레이스 궁에 발을 들였다.

"이쪽으로……."

시종장인 앨버트가 직접 나와 카밀라를 맞이했다.

평소와는 다른 극진한 분위기를 눈치챘으나, 카밀라는 짐짓 모르는 척 걸음을 옮겼다.

"어서 와요, 후작 부인."

응접실에 들어서자 기다리고 있던 황후가 카밀라에게 인사했다.

"아르칸젤로의 축복이 함께하시길. 황후 폐하를 뵙습니다."

"그대에게도 아르칸젤로의 축복이 함께하길. 어서 앉으세요."

두 사람은 마주 보고 앉았다. 어색한 분위기가 흘렀다.

카밀라는 루드밀라 황후의 아가씨 적부터 친한 사이였으며 입궁 후에는 말벗이 될 정도로 아주 친밀했지만, 오늘 둘 사이에는 해결되지 못한 갈등이 남아 있었다.

"모두들 나가 있거라."

"예, 폐하."

시녀들이 모두 나가고 응접실에는 황후와 카밀라 둘만 남았다.

"카밀라. 이렇게 마주 앉아 차를 마시는 게 얼마 만인지 모르겠어."

황후의 음성은 전에 없이 다정했다. 카밀라는 미소를 지으며 찻잔을 내려놓았다.

"황후 폐하께서 다시 불러 주셔서 얼마나 영광인지 모르겠습니다."

웃고 있지만 많은 의미를 함축한 말이었다. 순간 황후는 할 말을 잃었지만 금세 미소를 머금었다.

"오비에도 가문의 출입 금지 명령은…… 내가 잘못 생각한 거였어, 카밀라. 그땐 분노로 이성을 잃어서 말이야. 사람이라면 누구나 다 그렇잖아?"

어렵사리 건넨 황후의 한마디는 자신의 잘못을 인정하는 말이었다.

그럼에도 카밀라는 그저 덤덤히 고개를 끄덕일 뿐이었다.

"그렇군요. 잘 알아들었습니다, 폐하."

웃기는 했지만 카밀라는 여전히 냉랭했다.

황후는 초조해졌다. 이러다 정말로 파혼을 할까 봐 염려되었다.

"카밀라. 우리가 참 친한 사이였잖아. 그렇지?"

"황후 폐하께서 그리 말씀해 주시니 영광입니다."

"그래서 말인데, 내 얼굴을 봐서라도 파혼을 철회해 주면 안 되겠어?"

시선을 내리까는 카밀라를 보며 황후가 조심스럽게 말을 덧붙였다.

"다시 생각해 보니 일을 이렇게까지 키울 건 아닌 것 같아. 내가 서운하게 한 게 있다면 너무 섭섭하게 생각하지 말고, 응?"

"아니요, 폐하께서 충분히 노하실 만한 이유였다고 생각하니 괘념치 마시지요."

그런 카밀라의 말에 황후의 표정이 아주 약간 풀어졌다.

"일단 아티를 황궁으로 다시 보내는 건 어떤가? 갑자기 파혼은⋯⋯ 너무 과한 처사가 아닌가 싶어."

황실의 일이란 무릇 한 번 결정한 사안을 되돌릴 수 없는 법이었다.

이렇게 파혼을 하게 되면 아드리안이 어떻게 나올지 알수 없었다.

카밀라가 가벼운 한숨을 내쉬었다. 안타까운 어조로 그녀가 말을 꺼냈다.

"폐하의 오랜 친우로서 당연히 폐하의 청을 들어 드려야 겠지요."

황후의 표정이 밝아졌다. 하지만 카밀라의 말은 끝난 게 아니었다.

"하나 저는 오늘 황후 폐하의 말벗이 아닌 오비에도의 안주인이자 한 아이의 어머니로서 입궁한 것입니다. 황후 폐하께서 제 여식을 어여삐 봐 주신 것에는 감사드리나, 더 이상 불민한 자식을 황실의 일원으로 보내는 것은 가신 된 자로서 못할 짓이라 여겼습니다."

"그건……."

"아티는 황태자비 자리를 감당할 수 없는 아이입니다. 부디 청을 거둬 주십시오."

"카밀라……!"

황후가 절박하게 카밀라의 손을 부여잡았다. 카밀라가 미소 지으며 조심스럽게 그 손을 빼내었다.

"폐하께서 보여 주신 배려를 저희 오비에도는 잊지 않을 것입니다."

"카밀라, 모자란 건 가르치면 되는 일이야. 그리고 아티 는 전혀 모자람 없는 아이였어. 다신 그럴 일 없을 테니, 우선 다시 아티를 황궁으로 보내는 게……."

애원하는 황후의 말에 카밀라가 우아하게 고개를 가로저 었다.

"은혜를 받은 오비에도가 더 이상 아펜니노에 누를 끼칠 수는 없지요. 부디 명을 거둬 주십시오."

자리에서 일어난 카밀라가 무릎을 꿇고 앉았다.

"더 이상 하문하실 말이 없으시면 이만 돌아가겠습니다. 아직 자식을 제대로 키우지 못한 죄를 치르지 못하여, 이만 근신하려 합니다."

"카밀라……!"

카밀라가 예를 표하며 응접실을 빠져나갔다. 황후는 안타까운 눈으로 그 뒷모습을 쓸쓸히 바라보았다.

✦ ♛ ✦

"오늘 카밀라가 다녀갔다면서요?"

황궁으로 복귀한 마담 루시는 오랜만에 황후와 마주 보았다.

비록 한때 화가 나서 마담 루시에게 징계를 내렸지만, 루드밀라 황후의 마음을 누구보다 잘 알아주는 것은 마담 루시밖에 없었다.

"틀렸어, 루시. 카밀라가 단단히 화가 났어."

"호호호, 카밀라의 성정은 누구보다 제가 잘 알고 있죠."

"어쩌지? 이대로 정말 파혼해 버리면 아드리안이 가만히 있지 않을 텐데 말이야."

마담 루시가 슬쩍 황후를 바라보았다.

"폐하, 화는 많이 풀리셨나요?"

루드밀라 황후가 흐릿하게 웃었다.

"그게 말이지……."

며칠 전 베로니카와 로넨이 돌아가기 전에 찾아왔던 일이 떠올랐다.

로넨은 전부 자기 잘못이라며 아티를 용서해 달라고 무릎을 꿇고 빌었다.

타국의 황태자가 해서는 안 될 일이었지만 베로니카는 말리지 않았다.

"우리 아들도 인성 교육을 좀 해야겠어."

도대체 무엇 때문에 그런 것인지 정확한 이유는 알 수 없었지만, 루드밀라는 대략 베로니카가 아드리안을 보고 깨달은 바가 있겠거니 했다.

황후가 깊은 한숨을 내쉬었다.

"다들 그렇게 자기 잘못이라며 그 아이를 두둔하니 더 이상 화내고 있기도 뭐하지 않은가?"

"호호호. 정말 아티 님의 잘못은 아드리안 전하에게 '잘못 걸린 죄'밖에 없으니까요."

막 겁에 질린 채로 자신에게 왔던 아티와의 첫 만남을 떠올리며 마담 루시가 호호호 웃었다.

"그리고 폐하의 바람과는 조금 다르지만 이것도 꽤나 훌륭한 로맨스 아니겠어요?"

마담 루시의 말에 황후가 떨떠름하게 고개를 끄덕였다.

"그럼 이제부터 내가 어떻게 해야 할까?"

"아티 님의 마음을 풀어 주어야죠."

"아티의 마음을?"

마담 루시가 크게 고개를 끄덕였다.

"선물을 보내세요! 왕창! 정성을 보이시란 말이에요!"

황후는 큰 깨달음을 얻었다.

오비에도의 가족들과 오붓한 티타임을 즐기던 때였다. 집사가 나타나 내게 고개를 숙였다.

"아티엔느 아가씨께 선물이 도착했습니다."

"저한테요?"

집사의 보고에 나는 두 눈을 동그랗게 떴다.

"예. 황가에서 하사하신 선물입니다. 어떻게 할까요?"

황가에서? 아드리안이 보낸 건가?

고개를 갸웃하며 가족들을 돌아보자 그들은 어쩐지 떨떠름한 얼굴을 하고 있었다.

"제가 가서 볼게요."

찻잔을 내려놓고 자리에서 일어났다. 직접 확인하는 편이 좋을 것 같았다.

층계참을 내려가 홀로 들어서자 넓은 장소를 가득 채운 선물 상자가 눈에 들어왔다.

"이게 다……."

"예. 이게 전부 아티엔느 아가씨에게 하사하신 선물입니다."

"아……."

나는 탄식을 금치 못했다. 언젠가 아드리안이 이런 식으로 선물을 무더기로 보낸 적이 있는데, 그보다 더 많았다.

"이쪽은 황후 폐하께서 보내신 하사품이고, 이쪽은 황제 폐하께서 보내신 패물들입니다."

심지어 한 명이 아닌 황제와 황후 두 사람이 보낸 선물이었다.

내 뒤를 따라 홀로 내려온 나머지 가족들 또한 선물을 보며 두 눈을 크게 떴다.

"세상에. 이건 황후 폐하께서 아끼시는 10대 명장 중 한 명 장인 아서의 걸작 시리즈가 아니니?"

부와 명성에는 뒤지지 않는 카밀라가 그렇게 말할 정도면 정말 대단한 물건이겠지?

나도 한 번쯤 들어 본 적이 있는 명장이었다.

선물들 사이를 기웃거리며 구경하던 테르니도 촐랑대며 패물 하나를 들고 왔다.

"엄마, 아빠, 아티! 이거 좀 봐. 이거 황가 보물 아니야?"

"이건…… 황가 대대로 내려오는 용의 뼈로 만들었다던 보물이구나."

요제프 후작은 감히 손도 대기 싫다는 듯 한 걸음 물러났다.

대충 훑어봐도 범상치 않은 선물들만 있는 것 같아 함부로 열어 볼 수가 없었다.

나머지 가족들 또한 석연치 않은 얼굴로 선물을 바라보았다.

"역시 황족답다고 해야 할지. 뭐든 값비싸고 진귀한 것을 하사하면 마음을 돌릴 거라고 생각하시는 모양이구나."

카밀라의 신랄한 평에 나는 어색한 미소를 지었다. 요제프 후작은 창백한 얼굴로 선물들을 훑어보았다.

"황제 폐하와 황후 폐하의 하사품을 거절하는 건 결례라지만…… 참 거절하고 싶은 양이구나."

"아드리안이 부모님을 보고 배웠나 봐. 그치, 아티?"

그 와중에 테르니는 발랄했다. 나는 볼을 긁적였다.

고작 파혼한다는 이유로 선물을 이렇게까지 주면서 나를 데리고 가려는 이유를 알 수 없었다.

무슨 이유가 됐든 내가 그들을 속인 건 변하지 않는 사실인데.

"제가 이 선물을 거절하게 되면…… 곤란해지실까요?"

내 질문에 요제프 후작이 단호하게 고개를 저었다.

"우리 생각은 하지 말아라, 아티. 네가 하고 싶은 대로 하면 돼."

그렇게 말하긴 했지만 곤란하긴 할 것이다. 하지만 나는 물건으로 마음의 빚을 지고 싶지 않았다.

잠시 후 나는 결단을 내렸다.

"죄송하지만 전부 거절할게요. 감사하지만 너무 과분한 선물이라고 전해 드리세요."

그들의 과분한 관심이 부담스러웠다. 또다시 그들을 실망시킬까 두려워 도저히 받을 수 없었다.

"네 뜻대로 처리하마, 아티. 너는 아무것도 걱정하지 않아도 돼."

요제프 후작은 내 머리를 다정하게 쓰다듬었다. 카밀라도 웃으며 내 뺨을 쓰다듬었다.

"그래. 고작 이 정도로 내 딸을 데려가려 하다니, 황가의 씀씀이가 너무 작지 않니?"

"맞아!"

테르니도 동조하며 반대편 뺨을 쓰다듬었다.

졸지에 삼면이 쓰다듬을 당한 나는 어색하게 눈치를 살피다 그냥 웃어 버렸다.

✦ ♛ ✦

그렇게 선물을 돌려보냄으로써 모든 게 끝나나 싶었지만, 아니었다.

"아티엔느 아가씨. 황가에서 선물이 왔습니다."

다음 날, 아티의 앞으로 선물이 또 도착했다. 심지어 처음 보낸 것보다 엄청난 양이었다.

"거절해 주세요."

선물을 거절하고 나니 이제 사람이 말썽을 피웠다.

파혼 소식을 들은 마리에가 아티를 만날 거라며 난리를 피우다가 돌아간 것이다.

아티는 모든 소동이 끝난 후에야 그 소식을 들었다.

아드리안과 서로의 마음을 확인하긴 했지만, 아티는 아직 황궁으로 돌아갈 자신이 없었다.

서릿발처럼 차갑던 음성, 온기라고는 없는 냉담한 눈동자가 떠오를 때마다 죄스러움에 도무지 벗어날 수가 없었다.

'사실 갑자기 선물을 보내시는 이유도 모르겠어…….'

결코 용서라고는 하지 않을 것처럼 매섭게 아티를 몰아 세웠던 황후였다. 그런데 파혼 요청을 하자마자 갑자기 태도가 바뀌었다.

그 이유가 무엇인지 알 수 없어서 아티의 하루하루는 그저 불안하기만 했다.

덕분에 몸은 편했지만 마음이 계속 불편했다.

아티는 자신을 걱정하는 가족들의 권유로 일찍 잠자리에 들었다. 감기 기운이 있던 탓이었다.

눈을 감은 채 아티는 온갖 걱정에 잠겨 들었다.

'계속 이런 상태로 있을 수는 없어.'

시간이 지나면 황제와 황후의 선물 공세도 잦아들 테지만, 그게 해결 방법이 될 순 없었다.

앞으로 어떻게 하면 좋을지 생각하던 아티는 스르륵 잠이 들었다.

세상모르고 잠든 아티의 침실에 불청객이 찾아왔다. 도무지 참지 못하고 또다시 숨어든 아드리안이었다.

'나도 별수 없었다고. 보고 싶어서 미치겠는데, 어쩌란 말이야?'

구차한 자기변명을 하며 아드리안은 침대로 다가갔다.

이 시간이면 아직 깨어 있을 거라고 생각해서 일부러 일찍 왔건만 아티는 잠든 상태였다.

"빨리 황궁으로 데려오고 싶은데, 쉽지 않군."

가장 큰 걸림돌은 역시 황후였다. 최근 행보로 보아 아티에게 용서를 구하는 듯했다.

하지만 아드리안 역시 아티가 모후를 쉽게 용서해선 안 된다고 생각했다.

'아티는 그런 취급을 받을 사람이 아니니까.'

아드리안은 침대 가장자리에 앉아 달빛 아래 하얗게 빛나는 아티의 얼굴을 가만히 응시했다.

'어떻게 바라만 봐도 좋을 수가 있지?'

그는 새삼 신기해졌다. 다른 인간들은 보고만 있으면 짜증이 일어서 다 치워 버리고 싶은데, 아티만은 달랐다.

언제나 제 앞에 놓고 두고두고 보고 싶었다.

"……두고만 볼 자신은 없지만."

열 탓인지 발갛게 뺨을 물들인 아티가 미간을 살포시 찌푸리며 몸을 뒤척였다.

아드리안은 숨을 죽였다. 다행히 아티가 깨어나지는 않았다. 그는 안도하며 다시 잠든 아티를 감상했다.

"왜 이렇게 예쁘지?"

안 예쁜 곳이 없었다. 차분한 은발도, 반듯한 이마도, 곧게 솟은 자그마한 코도, 붉은 입술도.

분명 이 얼굴에 그 어떤 감흥도 없던 때가 있었을 텐데, 그 시절은 떠오르지도 않았다.

아마 그때의 자신은 두 눈이 어떻게 된 게 틀림없었다. 눈뜬장님과 마찬가지였다. 이렇게 예쁜 아티를 두고 아무 생각도 들지 않았다니.

그런 감상에 취해 있던 아드리안은 무심코 아티의 보드라운 뺨을 건드렸다.

고작 스쳤을 뿐인데도 희미한 열기가 느껴졌다. 자신의 약혼녀는 왜 이렇게 약한 걸까.

왠지 모를 답답함에 미간을 좁힐 때였다.

"으음……."

미약한 손짓이었는데, 아티가 또다시 뒤척거렸다.

아드리안은 다시 숨을 멈추었으나 그 노력이 무색하게도 아티가 서서히 눈을 떴다.

"……."

아티는 두 눈을 몽롱하게 깜빡였다. 잠과 열에 들떠 아직 꿈결에 취한 상태였다.

잠시 부스럭대던 아티가 상체를 일으켜 앉았다. 그러고는 또 두 눈만 깜빡였다.

'이런 모습은 또 처음인데.'

비몽사몽간에 큰 눈을 깜빡거리는 모습이 꼭 깨물고 싶을 정도로 귀여웠다.

아드리안은 웃음을 참으며 아티를 불렀다.

"아티?"

옆에서 들려온 음성에 아티가 천천히 고개를 돌렸다.

흐린 눈빛으로 보아 아직 잠에서 덜 깬 게 분명했다.

'잡아먹어 버리고 싶다.'

아드리안은 강렬한 충동을 억누르며 아티의 뺨에 손을 뻗었다.

그러자 아티가 눈을 살짝 감으며 그 손에 얼굴을 기댔다.

"……!"

생각지도 못한 반응에 아드리안은 약간 찡해졌다.

자신을 믿는다는 듯 내맡기는 아티의 행동에 상당한 감동이 밀려들었다.

'너무 귀엽잖아.'

아드리안은 조금 더 용기를 내어 보았다.

"이리 와, 아티."

아티를 향해 양팔을 뻗자 아티는 멍하게 그를 바라보았다. 아드리안은 긴장했다.

'실패인가?'

하지만 그것도 잠시 이불을 걷은 아티가 아드리안의 품에 폭삭 안겼다.

놀란 나머지 아드리안은 일순 얼어붙었다. 아티가 먼저 안기는 건 전혀 기대하지도 않았다.

아무리 잠결이라도 아티가 먼저 다가와 주었다는 사실에 아드리안은 기분이 좋아졌다. 그런 한편으로 너무 좋아서 가슴이 아팠다.

아드리안의 위에 앉은 아티는 그의 목에 팔을 느슨하게 건 채 다시 꾸벅꾸벅 잠이 들었다.

그는 조심스럽게 아티의 머리를 자신의 가슴에 기대게 했다. 물씬 풍기는 아티의 향기에 머리가 어지러웠다.

이 순간이 영원했으면 하는 바람과 아티가 빨리 깨어났으면 하는 바람이 아드리안의 내면에서 강하게 충돌했다.

그렇게 가여운 한 남자가 스스로와 싸움을 벌이고 있을 때, 아티는 서서히 잠에서 깨어났다.

'꿈에 아드리안이 나왔는데…….'

아드리안이 자신을 향해 팔을 벌려서 먼저 안기는 꿈이었다. 그의 품이 넓고 단단해서 기분이 좋았다.

마치 지금처럼…….

'……응?!'

아티는 두 눈이 휘둥그레졌다. 자신은 지금 아드리안의 무릎에 앉아 그를 꼭 껴안고 있었다.

'꾸, 꿈 아니었어?'

죽고 싶을 만큼 창피함이 몰려왔다. 하지만 이미 벌어진 일.

아드리안의 품에 안긴 채 꾸벅꾸벅 졸았던 일이 없었던 일이 되지는 않았다.

"아, 아드리안……."

작은 목소리로 그의 이름을 불렀지만 아무 답이 들려오지 않았다.

용기 내어 시선을 들어 올린 아티는 자신을 바라보는 붉은 눈동자를 마주했다.

아드리안은 작게 웃으며 아티의 이마에 입을 맞추었다.

"잘 잤나 보군."

"아니, 어……."

그렇지 않아도 발갛던 아티의 얼굴이 새빨갛게 달아올랐다. 차마 못 볼 꼴을 보여 주었다는 생각에 어디로 숨고만 싶었다.

그 모습을 귀엽다는 듯 바라보는 아드리안 때문에 더 부끄러웠다. 아티가 투정 부리듯 말했다.

"왔으면 깨우면 되잖아요…….."

"굳이 깨우지 않아도 일어날 때까지 기다리면 되니까."

대체 왜지? 정말이지 신개념 시간 낭비가 아닐 수 없다고 아티는 생각했다.

하지만 아드리안의 기분이 좋아 보여 그냥 입을 닫았다.

그러다 문득 지난번 고백 이후로 처음 아드리안을 만난다는 사실을 상기했다. 그러자 또 부끄러워졌다.

'그래. 이 가슴! 넓고 단단하고 완벽한 이 품이 문제야!'

아티는 일단 아드리안에게서 벗어나기로 마음먹었다. 무릎에서 내려가려 아드리안의 가슴을 밀었는데.

"어……?!"

아드리안이 그대로 밀려 침대로 풀썩 넘어졌다. 당연히 그에게 안겨 있던 아티도 그 위로 함께 넘어졌다.

"……!!"

졸지에 아티가 아드리안을 덮치는 모양새가 되었다.

"내 약혼녀가 이렇게 적극적일 줄은 몰랐는데."

웃으며 말하는 아드리안의 모습에 아티는 입을 불만스레 다물었다. 놀림당했다는 확신이 들었다.

"왜 그렇게 쉽게 넘어가는 거예요?"

"그런 적 없어."

내가 말을 말지.

아티는 작게 한숨을 내쉬며 침대를 짚고 다시 일어서려

했다. 하지만 아드리안이 자신을 끌어당겨 안는 바람에 실패하고 말았다.

"저, 일어날 건데……."

"잠깐만 이러고 있자. 보고 싶어서 죽는 줄 알았단 말이야."

어쩐지 지친 듯한 아드리안의 음성에 아티는 마음이 약해졌다.

'그래. 나 때문에 아드리안도 곤란할 테니까…….'

그래서 아티는 아드리안이 바라는 대로 그의 품에 안겨 있었다.

그 허락에 아드리안의 큰 손이 아티의 머리를 가만가만 쓰다듬었다.

노곤한 그들 위로 어스름한 새벽빛이 어리기 시작했다. 아드리안이 입을 열었다.

"아티."

"네?"

"너는 내가……."

아드리안은 뒷말을 삼켰다. 도무지 용기가 나지 않았다.

지난번 고백의 대답을 들었지만 사실 아직도 실감이 나지 않았다.

아티가 자신의 품에 안겨 있는 지금까지도.

너도 나처럼 내가 못 견디게 보고 싶지는 않았냐고 묻고 싶지만, 그럴 수 없었다.

고개를 들어 아드리안의 얼굴을 빤히 바라보던 아티가 입을 열었다.

"보고 싶었어요."

"……어?"

"저도 보고 싶었어요."

고개를 숙이자 자신을 응시하는 아티가 보였다. 아티가 그를 향해 배시시 웃었다.

욱신. 아드리안은 심장이 아팠다.

주체할 수 없는 감정에 아드리안의 고운 미간이 찌푸려졌다.

'왜 이렇게 귀엽고 예쁘고 사랑스럽고 깜찍한 거지?!'

세상에 이런 생물이 존재하다니. 신이 있다면 그 작자가 실수한 게 분명했다.

"……미치겠네."

아드리안은 깊은 한숨을 내쉬며 아티를 꼭 껴안았다.

요동치는 제 감정도 몰라준 채 바르작거리는 아티가 얼마나 야속한지 몰랐다.

✦ ♛ ✦

오비에도 가문의 저택으로 향하는 미카엘의 기분은 실로 착잡했다.

알아서는 안 되는 비밀을 알아 버렸다.

"라라가 가짜 약혼녀였다니……."

그 사실을 알아낸 건 거의 기적과도 같았다. 아티의 갑작스러운 출궁에 의아함을 느낀 미카엘이 조사 끝에 사실에

도달했으니까.

사실 황태자의 약혼녀인 아티엔느는 비올라라는 이름의 시녀였고, 그 사실이 밝혀져 황궁에서 쫓겨났다는 충격적인 사건의 말로.

대외적인 출궁의 명분은 친정 방문으로 되어 있었다.

'내게 알려 주었던 라라라는 이름은 애칭이었던 건가.'

새삼스러운 깨달음이 일었다. 어째서 자신에게 황태자의 약혼녀라는 사실을 알리기 주저했던 걸까.

미카엘은 미약한 희망을 걸어 보고 싶다는 부질없는 생각을 아주 조금 했다.

저 멀리 오비에도가의 드높은 철문이 보였다. 말에서 내린 미카엘이 다가가자 경비병이 물었다.

"어떻게 오셨습니까?"

"네벨 가문의 미카엘 루스 네벨이다. 레이디 아티엔느와 만나고자 하는데, 연락을 넣어 줄 수 있겠나."

경비병들이 서로 시선을 교환했다. 황가 사람들의 출입을 엄격히 금하라는 명령은 있었으나 그 외의 사람에 대해서는 언질이 없었다.

방문을 거절하기에는 미카엘이라는 방문객의 외모가 너무 눈부셨기 때문에 감히 그럴 수 없었다.

"잠깐만 기다려 주시겠습니까?"

미카엘이 고개를 끄덕이자 경비병 한 명이 저택 쪽으로 사라졌다.

얼마 지나지 않아 경비병이 돌아왔다.

"들이시라는 말씀이 있었습니다. 실례지만 신분 확인을 위해 신분 패를 보여 주시겠습니까?"

"여기 있네."

"확인되었습니다."

미카엘은 손쉽게 오비에도 가문의 정문을 통과했다.

앞서 다녀간 아드리안과 마리에가 모두 퇴짜를 맞고 돌아갔다는 사실을 추호도 모르는 미카엘로선 아무 감흥이 없었다.

정원을 가로지른 미카엘은 곧바로 응접실로 안내되었다.

"아티엔느 아가씨. 손님께서 오셨습니다."

"네."

문 너머에서 자그마한 음성이 들려왔다. 이윽고 문이 열렸다.

열린 창으로 불어온 바람에 아티의 은색 머리칼이 하늘거리며 나부꼈다. 머리칼을 넘기며 그녀가 고개를 돌렸다.

눈이 마주쳤다.

'아.'

한두 번 시선을 마주한 게 아닌데도 미카엘은 어쩐지 이 상황이 낯설게 느껴졌다.

푸른 눈동자에 담긴 자신을 볼 때면, 스스로가 타인이 된 것만 같은 기분에 휩싸였다.

바로 지금처럼.

"오랜만이에요, 미카엘 님!"

환하게 웃으며 인사하는 아티에게 미카엘 또한 화답했다.

"네, 라라. 몸이 아프다고 들었는데, 괜찮으십니까?"

"이제 괜찮아졌어요. 앗, 어서 앉으세요."

아티의 권유에 미카엘은 그녀의 맞은편에 앉았다. 아티는 차를 따른 찻잔을 미카엘의 앞에 밀어 주었다.

"감사합니다, 라라."

"아니에요. 그나저나 여기까진 어쩐 일이세요?"

"라라를 만나러 왔습니다. 많이 편찮으시다고 들었거든요. 황궁에서는 만날 수 없으니 직접 찾아올 수밖에요."

"아……."

찰나의 순간 아티의 표정이 흐려졌다.

재빠르게 밝은 웃음으로 표정을 덮었지만 미카엘은 그 순간을 포착했다.

모든 비밀을 알고 있는 그는 이제 아티의 행동 하나하나의 이유를 짐작할 수 있었다.

'전하의 진짜 약혼녀가 아니니까.'

그동안 황태자와 했었던 모든 것들이 연기라는 생각이 들자 왠지 모를 안도가 들었다.

비록 아티를 바라보는 황태자의 눈빛은 진심이었으나, 그의 마음은 미카엘의 관심 밖이었다.

그는 그저 '라라'가 궁금했다.

'누구인지, 어떤 사람인지.'

미카엘에게 있어 라라는 따사로운 봄날이었다.

찌는 여름도, 서늘한 가을도, 혹한의 겨울도 봄이 오길 바라며 이겨 내듯 미카엘은 라라를 만나는 시간만을 기다렸다.

부정부패와 비리를 밥 먹듯 저지르는 친부와 천진하게 악랄한 성정의 여동생 사이에서 미카엘은 중간을 지키려고 부단히 노력해 왔다.

하지만 아무리 노력해도 결국 자신도 그들과 동족이라는 사실에 자기혐오에 휩싸이기 일쑤였다.

자신에게 호의를 내비치는 이들도 결국 네벨이라는 이름에 이끌려 드는 부나방 같은 존재였다.

'하지만 라라만은 있는 그대로의 나를 바라봐 주었지.'

아티는 달랐다. 아티의 웃음과 다정한 말은 오로지 '미카엘'이라는 사람에게 향한 것이었다.

처음이었다. 그렇게 바라보는 사람은.

아티가 자신을 대단한 사람이라고 말할 때마다, 정말로 그런 사람이 된 것 같아 그 순간만큼은 자기혐오를 느끼지 않았다.

아티의 앞에서만은 미카엘은 착한 사람일 수 있었다.

하지만 몸을 돌려 정원을 빠져나가 시야에서 아티가 사라지면, 발끝부터 눅진히 적셔 오는 음울한 혐오에 다시금 시달렸다.

미카엘은 그 감정의 정체를 알고 있었다.

지금까지는 충정이라는 이름하에 감추어 두었으나, 진말을 알게 된 이상 더는 숨길 수가 없었다.

"라라."

"네, 미카엘 님."

아티가 다정하게 웃으며 답했다. 미카엘은 그 얼굴을 길게 눈에 담았다.

"……연모합니다."

무거운 말이 바람결에 흩날리는 나뭇잎처럼 사소하게 흘러나왔다.

"……."

아티의 표정에서 미소가 사라졌다. 예상했던 반응이라 미카엘은 크게 상처받지 않았다.

"처음 라라와 눈을 마주친 그날부터 줄곧 라라가 어떤 사람인지 궁금했습니다."

미카엘의 고백을 남몰래 훔쳐보던 아티가 달아나던 그때부터 그는 푸른 눈동자의 소녀를 마음에 품었다.

난생처음 느끼는 풋사랑이었다.

별거 아닌 것이라 치부했던 그 감정이 깊어 무르익기까지는 오랜 시간이 필요치 않았다.

깨닫고 보니 사랑하고 있었다.

"언젠가 라라가 제게 물어본 적 있습니다. 어째서 늘 정원에 있는 것이냐고."

그때 뭐라고 대답했는지는 기억나지 않았다. 다만 진실은 똑똑히 기억했다.

"오로지 라라를 만나기 위해 그곳을 서성인 겁니다. 다른 이유는 없습니다."

비로소 미카엘은 감춰 왔던 감정의 일부를 아티에게 보여 주었다. 태연하고 싶었지만, 쉽지 않았다. 심장이 미친 듯이 뛰었다.

"사실…… 저는 미카엘 님의 감정을 알고 있었을지도 몰라요."

아티가 조심스럽게 말문을 떼었다. 갑작스러운 미카엘의 고백에 당황하지 않았다면 거짓말이다.

하지만 가끔 보여 주는 미카엘의 친절 속에서 심상치 않은 감정을 읽은 적이 있었다.

착각일 거라고 웃으며 넘겼지만, 아니었다. 그렇게 믿고 싶었던 걸지도 모른다.

아티에게 미카엘은 각박한 황궁 속에서 자신의 이야기를 들어 주는 친구였으니까. 아티는 정말로 미카엘을 잃고 싶지 않았다.

하지만 고백을 들어 버린 이상 돌이킬 수 없었다. 아티는 슬프게 표정을 일그러뜨렸다.

"하지만……. 죄송해요. 미카엘 님. 저는…… 미카엘 님의 마음을 받아들일 수가 없어요."

조심스럽지만 명백한 거절에 미카엘은 잠깐 숨을 멈추었다. 예상은 했지만, 상상했던 것보다 더 아팠다.

늘 거절만 해 왔던 자신이기에 그 충격이 더 컸다.

사람들은 모두 어떤 용기로 고백을 하는 것일까. 단 한 번의 거절에도 이렇게 조각날 것처럼 고통스러운데.

"제가 기다려도, 가망은 없는 겁니까?"

"……."

"이 마음이 라라에게 방해가 될까요?"

구차하게 매달리고 싶지 않았지만 속절없었다. 미카엘

또한 이런 자신이 낯설었다.

흐린 얼굴로 미카엘을 바라보던 아티가 작게 고개를 저었다.

"미카엘 님의 마음에 대해서는 제가 어떤 말씀도 드릴 수 없어요. 하지만 저는 늘 거절할 수밖에 없을 거예요."

"라라가 전하의 약혼녀이기 때문입니까?"

이미 진실을 아는 미카엘이었기에 반쯤은 떠보는 심정으로 내뱉은 물음이었다.

"맞아요. 하지만 전하의 약혼녀이기 이전에 그분을 사랑하니까, 미카엘의 마음을 받을 수 없어요."

단호한 대답에 미카엘이 품고 있던 미약한 기대마저 바스라졌다.

'전하는 몰라도 라라는…… 진심이 아닐지도 모른다고 생각했는데.'

인정할 수밖에 없었다. 눈이 멀지 않고서야 어떻게 모를 수 있겠는가.

미카엘이 그녀에게 진심인 것처럼, 아티도 황태자에게 진심이었다. 미카엘은 침음을 삼켰다.

고백은 끝났다. 허무하고 잔인하게.

하지만 미카엘은 아티를 걱정했다.

"전하께서는 비정하신 분입니다. 무엇이든 제 기준에 충족되지 않으면 칼같이 자르시죠. 라라가 감당하기 버거울 겁니다."

아드리안을 가까이에서 지켜본 미카엘로선 그 잔혹한 성

정을 익히 알고 있었다.

아티가 곁에 있고 난 뒤로 분위기가 달라지긴 했으나, 그는 사람이 바뀔 수는 없다고 생각했다.

하지만 그 걱정이 무색하게도 아티는 대수롭지 않다는 듯 고개를 저었다.

"저는 괜찮아요."

"……."

"감당할 수 없었다면 시작하지도 않았을 테니까."

"……제 생각보다 라라는 더 강한 분이었군요."

미카엘은 아티를 향해 미소 지었다. 정말이지 사랑하지 않을 수 없는 사람이 아닌가.

'절대 이 마음을 버리지 못하겠지.'

그런 확신 같은 예감이 들었다.

✦ ♕ ✦

귀가한 미카엘은 지친 몸을 이끌고 제 방으로 향했다. 문을 열자 그곳에는 불청객이 있었다.

"어딜 다녀오시는 거예요?"

어쩐지 심통 난 얼굴의 가브리엘이었다. 미카엘은 코트를 벗으며 대수롭지 않게 대답했다.

"오비에도 저택."

"……오라버니가 거길 왜 가요?"

깜짝 놀란 가브리엘이 의자에서 벌떡 일어났다. 미카엘

은 한숨을 내쉬며 가브리엘을 응시했다.

"아티엔느 양을 만나러."

"그러니까, 오라버니가 아티엔느 양을 왜 만나냐고요!"

잔뜩 흥분한 가브리엘의 얼굴이 새빨갛게 달아올랐다.

오비에도에 갔다는 말을 들었을 때부터 불길한 예감이 들었건만, 그저 예감이 아니었다니. 가브리엘은 도무지 믿을 수가 없었다.

가브리엘은 자신의 오라버니가 아티엔느와 친하게 지내는 게 싫었다. 오라버니만은 오로지 자신만의 오라버니였으니까.

하지만 미카엘은 필요 이상으로 아티엔느에게 신경을 썼다.

"그 여자한테 무슨 볼일이 있었는데요!"

"무슨 말버릇이냐, 가브리엘. 그분을 그리 무례하게 칭하지 마라."

"하!"

가브리엘은 씩씩대며 미카엘을 노려보았다. 자신을 질책하며 아티엔느를 감싸는 미카엘을 도무지 이해할 수가 없었다.

'친동생은 나잖아! 그런데 왜 아티 양을 감싸?!'

끈덕지게 미카엘을 노려보던 가브리엘은, 문득 불쾌한 예감에 사로잡혔다.

'아냐. 아니야. 그럴 리가 없어.'

생각과 다르게 입이 제멋대로 움직였다.

"……설마 아티 양을 좋아하기라도 하는 거예요?"

"……."

"왜 대답이 없어요? 아니죠?"

하지만 미카엘은 끝까지 대답이 없었다. 가브리엘의 얼굴이 새하얗게 질렸다.

'말도 안 돼! 누굴 좋아한다고?!'

비명이라도 내지르고 싶은 심정이었다. 가브리엘은 미카엘의 팔을 붙들었다.

"오라버니 미치셨어요?! 제가 그 사람을 얼마나 끔찍하게 여기는지 오라버니는 다 알잖아요! 어떻게, 어떻게 저한테 이러실 수 있냐구요!"

흥분한 가브리엘이 미카엘의 팔을 미친 듯 흔들며 행패를 부렸다.

가만히 참아 주던 미카엘은 결국 단호하게 가브리엘의 팔을 떼어 내었다.

"네 개인적 사감에 나를 엮지 마라, 가브리엘."

"오라버니가 제게 이러실 순 없어요! 전 오라버니의 친동생이잖아요!"

상처받은 얼굴로 부들부들 떨며 미카엘을 올려다본 가브리엘은 이내 그를 밀쳐 버리고 침실을 달려 나갔다.

'어째서 오라버니마저 그 여자를……!'

처음에는 황태자의 약혼녀라는 자리를 빼앗겼다. 다음으로는 황후 폐하의 관심.

그런데 이제는 엄하긴 하지만 오로지 자신의 편이라고 여겼던 오라버니마저 빼앗기고 말았다.

"흐윽, 흐으윽……."

눈물이 쉼 없이 흘러내렸다. 제 방으로 돌아온 가브리엘은 베개에 얼굴을 묻고 하염없이 울었다.

✦ ♔ ✦

가브리엘이 문을 걸어 잠그고 하루 종일 울기만 했다는 소식이 금방 네벨 재상에게 전해졌다.

"황후 폐하의 출입 금지 명령 때문이 아닐까요."

보좌관의 추측에 재상은 '흠.' 하며 고민에 빠졌다.

'그건 며칠 전의 일인데, 왜 갑자기 지금 운단 말인가.'

변덕스러운 딸이니 급작스럽게 우울해졌다고 생각하면 말이 안 되는 건 아니지만 뭔가 이상했다.

분명 다른 일이 있는 게 틀림없었다.

"가브리엘이 식사는 했고?"

"예. 잠깐 나오셔서 식사를 하신 후에 다시 들어가셔서 우셨다고 합니다."

"흠. 그럼 됐다."

그 와중에 식사는 거르지 않았다니 재상은 크게 안심되었다. 화를 내고 우는 것도 기운이 있어야 하는 것이니까.

가브리엘에 대해서는 걱정을 거둔 재상은 최근 황궁 분위기에 대해 상기했다.

그 또한 황궁 내에 떠도는 소문들에 대해 들은 바가 있었다.

'전부 아티엔느에 대한 소문이었지.'

대부분 근거 없는 뜬소문이라 생각하긴 했지만 그중에서도 진실이 섞여 있을 것이다. 대개 소문이란 그런 것이니까.

"예비 황태자비에 대한 소문 수집은 어떻게 되었지?"

"예. 여기에 있습니다."

보좌관이 건넨 서류를 받아 든 재상은 빠르게 내용을 훑어 내렸다.

'어쨌든 그 아이가 오비에도 가문으로 돌아간 것은 사실이지. 어째서 돌아갔는가에 대한 소문이 무성할 뿐.'

그 부분에 대한 조사가 필요할 듯했다. 재상은 황궁 곳곳에 은밀히 심어 놓은 사람들을 이용해 정보를 수집했다.

그렇게 며칠 후. 재상이 알아낸 사실은 실로 충격적인 것이었다.

"그게…… 사실이냐?!"

"예. 틀림없는 사실입니다."

재상은 흥분을 가라앉혔다. 하지만 도무지 진정할 수가 없었다.

'정말로, 그 아이가 오비에도 후작가의 딸이 아니었다니!'

추측했던 것이 전부 사실이었던 것이다!

이전에는 죽어라 파도 나오지 않던 아티엔느에 관한 정보를 지금 알아낸 데에는 운이 조금 작용했다.

'위르겐 헬머가 엮여 있을 줄이야.'

재상은 헬머를 찾아낸 이후 그의 일거수일투족을 속속들이 감시했다.

그에게 붙여 놓은 감시인이 위르겐 헬머의 자택에 아티

엔느와 테르니, 그리고 기사 에센이 들렀다 갔다는 사실을 알려 온 것이다.

조사 방향을 틀어 보니 전혀 뜻밖의 사실을 알아낼 수 있었다.

아티엔느는 오비에도 가문 사람이 아니며 헬머가 들여보낸 시녀였다. 비올라 빌바오라는 이름의.

"흠. 이제 어찌한다……."

누군가의 목을 쥘 수도 있는 엄청난 비밀을 알아 버렸지만, 제대로 이용하기 위해서는 철저한 계획이 필요했다.

가장 큰 걸림돌은 역시―.

'위르겐 헬머인가.'

아티엔느를 제거해 달라는 가브리엘의 부탁을 들어주려 했건만 그녀가 사실 헬머가 보살피는 빌바오 가문의 딸일 줄이야.

이 사실을 헬머가 알게 된다면 자신의 뜻대로 움직이지 않을 것이다.

고민하던 재상은 고개를 들었다.

"위르겐 헬머를 불러와."

"이번엔 또 무슨 일이지?"

재상의 호출에 불려온 헬머가 물었다.

마치 자신을 수하 부리듯 하는 재상의 태도가 마음에 들지 않았다.

"우리 사이에 용건이랄 게 있겠나. 얼굴이나 보고 차나 한잔할 겸 불렀지."

재상이 껄껄 웃자 헬머는 인상을 찌푸렸다.

'뭐라는 것인가, 저 미친 종자가.'

상종하고 싶지 않았다. 그는 벌떡 일어나 곧장 문으로 향했다. 그때였다.

"비올라 빌바오."

우뚝. 헬머의 발걸음이 멈추었다. 그는 험악한 표정으로 뒤를 돌아보았다.

재상이 독사처럼 빙그레 웃었다.

"황궁에 시녀로 들어가 있다지? 그 아이에 대해 긴히 나눠야 할 이야기가 있어서 말이야."

헬머는 이를 악물었다.

'라라만은 지켜 준다는 말에 저자의 제안을 수락했건만, 이미 마수를 뻗친 건가.'

더 빨리 라라를 만나 빼돌렸어야 했지만 이미 늦었다. 라라의 안위를 생각하며 헬머는 도로 돌아가 앉았다.

"아무래도 자네와 나의 거래 조건을 변경해야 할 듯해서."

"대체 어쩌자는 말이지?"

"최근 들어 알게 된 사실이 있거든. 내 딸이 싫어한다던 그 영애 말이네. 오비에도 가문의 레이디. 그 아이가 사실 자네가 보살핀다던 비올라라지 뭔가."

"……뭐?!"

헬머는 깜짝 놀라며 되물었다. 라라가 레이디 오비에도라니. 시녀로 들어간 아이가 어째서 후작가의 레이디가 되어 있단 말인가.

"그래서 상황이 좀 복잡하게 되었어. 묵인하기로 한 대상이 제거해야 할 대상이라니. 헬머, 자네도 내가 그 아이를 해치기를 바라지 않지?"

"닥쳐! 라라에게 손끝 하나라도 댔다간……!"

"잠깐, 잠깐. 진정하게. 그 아이를 해친다는 뜻이 아니야. 오히려 그 반대지."

재상이 씨익 웃었다.

"거래 조건을 좀 바꾸자는 말이지. 자네도 좋고, 나도 좋은 방향으로 말이야."

"……뭘 어쩌자고?"

"내용은 전과 같다네. 내가 그 아이를 황태자의 약혼녀 자리에서 끌어내리면, 자네가 그 아이를 데리고 가는 거야."

"그래서 당신이 얻는 이득이 뭐지?"

"겸사겸사. 위르겐 헬머라는 장인을 얻고, 내 딸도 원하는 바를 이루고."

좋은 게 좋은 거라는 듯 사람 좋은 미소를 짓는 재상을 보는 헬머의 기분은 씁쓸했다.

'이러나저러나 농락당하는 상황은 같군.'

하루라도 빨리 라라를 만나야 한다는 생각이 들었다.

"흐으음."

종이의 산에 파묻힌 테르니는 벌러덩 뒤로 누웠다. 내리 글자만 읽었지만 좀처럼 걸리는 게 없었다.

"아무래도 이상하단 말이야."

지난번에 구 빌바오령에 보냈던 정보원이 조사한 정보가 계속 마음에 걸렸다.

"아티가 죽었다니? 멀쩡히 살아만 있구만!"

생각할수록 어이가 없었다. 마음 같아선 직접 구 빌바오 령에 가고 싶었으나 그럴 수가 없어 애석했다.

"휴우. 조금만 덜 유능할걸."

서류 위를 뒹굴뒹굴 구르며 자료들을 훑어보고 있는 테르니에게 손님이 찾아왔다.

"도련님. 저택 밖에 황태자 전하께서 와 계십니다."

"또? 가라 그래~! 아티는 못 보여 줘!"

테르니는 아드리안과 아티를 만나게 해 줄 생각이 추호도 없었다.

"저어, 테르니 도련님을 호출하셨습니다."

"나?"

"예."

고개를 갸웃한 테르니는 결국 저택 밖으로 향했다. 대문 너머 아드리안의 모습이 보였다.

"오랜만!"

발랄한 테르니의 인사에 아드리안은 인상을 찌푸렸다.

'저 자식이 기분이 좋으면 짜증이 난단 말이야.'

괜히 한 번 걷어차 주려다 말았다. 그보다는 더 중요한 용건이 있었다.

'아티가 어떻게 지내는지 알아 둬야 하니까.'

당사자에게 물어선 소용이 없으니 에센과 테르니에게 묻는 게 가장 좋았다.

"에센은?"

"아티랑 있을걸?"

"넌?"

"나? 아티가 시킨 심부름!"

테르니는 어쩌다 들고 온 서류를 아드리안에게 들어 보였다.

"내놔."

휙. 아드리안은 테르니가 미처 말릴 새도 없이 서류를 빼앗아 들었다.

"저거, 저거. 황태자 아니었으면 소매치기였을 거야."

테르니가 혀를 끌끌 차며 고개를 저었다. 그러거나 말거나 아드리안은 테르니의 서류를 읽어 내렸다.

"빌바오?"

"아아. 아티가 빌바오 가문에 대해서 알아봐 달래."

"자기 가문을 어째서?"

"나도 그건 모르겠단 말이지⋯⋯."

어쩐지 이상했다. 아티에게 무슨 비밀이 있는 게 틀림없었다.

'비밀이라.'

아드리안은 과거 사냥 대회 때의 기억을 끄집어냈다.

"그러고 보니 아티에게 트라우마가 있는 것 같았는데."

"어, 트라우마?"

"과거에 무슨 일이 있는 듯했다. 악몽을 꾸더군."

"어, 악몽? 아티 아플 때 나도 들은 것 같은데……."

의미심장한 두 사람의 시선이 마주쳤다. 아드리안은 곧바로 테르니의 뒷덜미를 붙잡았다.

"야, 야! 놔! 나도 발이 있는 사람이야!"

테르니의 말을 묵살한 아드리안은 조용히 이야기할 수 있는 장소로 녀석을 끌고 갔다.

죽어도 오비에도 저택은 안 된다는 테르니의 의견을 반영해 그들이 도착한 곳은 아르벨로아 가문이었다.

갑작스러운 방문에 아르벨로아의 총집사가 당혹스러워하며 그들을 맞았다.

"주, 주인님은 지금 안 계십니다만……."

"걔 우리 집에 있어~!"

"예?"

그들은 당황한 총집사를 지나쳐 아르벨로아 저택의 빈방을 차지하고 앉았다.

어릴 때부터 자주 보아 이들의 어처구니없는 행각에 익숙해진 총집사는 그러려니 하기로 했다.

'주인님도 한숨 한 번 내쉬고 마시겠지.'

"차를 준비하라고 이르겠습니다."

"아니, 차는 됐고 사람들을 물렀으면 하는데."

"예. 알겠습니다."

아드리안의 말에 총집사는 고개를 조아린 후 응접실을 나갔다.

달칵. 문이 닫히자마자 아드리안이 테르니에게 득달같이 물었다.

"그것 말고 알아낸 건 또 뭐야?"

"성격도 급하긴."

"빨리 말해."

"악몽을 꾸면서 부모님을 계속 찾더라고. 돌아가셨다고 들었으니까 그리울 수는 있는데, 뭔가 이상했어. 엄청 슬프게 찾는 거 있지?"

아드리안이 보았던 것과 같았다.

악몽을 꾸고 난 후에 갑자기 빌바오 가문에 대해서 조사해 달라고 했다고?

"그리고?"

"그게, 진짜 이상한데……. 옛날 빌바오령에 사람을 보내 봤거든? 그런데 비올라 빌바오가 5년 전에 사망했다는 거야. 어이없지, 아티는 멀쩡하게 살아 있는데."

"……."

"내 감이 뭔가 있을 거라고 말한단 말이지. 그런데 도통 모르겠어."

석연치 않은 것을 느낀 건 아드리안도 마찬가지였다.

"그 자료, 아티도 봤을 거 아냐. 뭐라고 했는데?"

"아, 아티. 충격받은 것 같더니 헬머 아저씨를 만나야 한다면서 우리를 막 끌고 갔어. 헬머 아저씨, 알지? 전에 에센이랑 둘이 갔다고 들었는데!"

"아, 그 인간."

알다마다. 아드리안에게 생전 듣도 보도 못한 폭언을 퍼부어 대는 바람에 아티와 꼭 결혼하고야 말겠다는 결심을 하게 한 장본인이었다.

"그런데 집에 없어서 못 만나고 돌아왔어. 그게 끝이야."

밑천이 다 털렸다는 듯 테르니가 양손을 털레털레 털었다. 아드리안은 눈을 길게 감았다 떴다.

"어째서 헬머라는 사람을 만나려 한 거지?"

"엉? 그건 몰라. 아티가 안 알려 줬거든!"

유리된 단서들. 무언가 잡힐 듯 말 듯 안개 같았다. 아드리안은 미간을 좁혔다.

"헬머라는 사람에 대해 조사해 봐."

"이것저것 조사하고 있긴 한데 장인 위르겐에 대해 알려진 게 없어. 기본적인 조사에선 딱히 문제가 없기도 하고."

하지만 테르니는 본능적인 직감으로 헬머에게 무언가 있다고 느꼈다.

10년 전쯤에 갑자기 잠적한 희대의 장인이라니, 상당히 수상하지 않은가. 거기다 아티를 어릴 적부터 돌봤다고 했다.

"잘 좀 조사해 봐."

아드리안의 말에 테르니가 툴툴거렸다.

"넌 내가 얼마나 유능한지 좀 알 필요가 있어. 이것들 알아내는 것도 얼마나 대단한 건지 알아?"

"알 게 뭐야."

여전히 싹퉁머리라고는 없는 아드리안을 보던 테르니가 한숨을 내쉬며 고개를 절레절레 저었다.

"답 없는 인성 같으니라고."

"죽고 싶냐?"

아드리안이 살벌하게 노려보았지만 테르니는 전혀 신경 쓰지 않고 이후 조사 방향에 대해서나 생각했다.

'위르겐 헬머에 대해서 더 열심히, 최선을 다해서 조사해 봐야겠어!'

✦ ♛ ✦

다음 날도, 다다음 날도 테르니는 위르겐 헬머의 뒷조사에 매달렸다. 하지만 아무리 문서와 기록을 뒤져 봐도 진척이 없었다.

"어째서지?"

누군가 일부러 기록을 지운 것처럼 위르겐 헬머에 대한 부분만 깔끔하게 말소되어 있었다.

테르니는 턱을 괴고 고민에 빠졌다.

'이럴 땐?'

"정면 돌파지!"

순식간에 외출할 채비를 끝마친 테르니가 집무실을 뛰쳐나왔다.

"어? 어디 가세요?"

"아, 아티! 나 잠깐 나가려고!"

"어딜 가시는데요?"

"엉? 어……."

테르니는 어물쩍 아티의 시선을 피했다. 헬머는 아티가 가장 믿고 따르는 사람이었다.

그런 사람을 뒷조사한다고 하면 아티가 자신을 싫어할 게 분명했다.

테르니는 아티에게 미움받고 싶지 않았다.

"뭐 살 게 있어서……?"

"그렇구나. 조심히 다녀오세요!"

다행히 아티는 아무 의심도 하지 않고 테르니를 보내 주었다.

'돌아갈 때 디저트라도 사 가야지!'

룰루랄라 콧노래를 부르며 테르니는 위르겐 헬머의 집이 있는 랭트리 구역에 접어들었다.

"분명 이쯤이었는데."

골목골목을 지나던 테르니는 드디어 헬머의 집을 찾아냈다. 허물어져 가는 폐가 같은 집.

"저기다!"

테르니는 당장 집으로 달려가려 했다. 하지만.

멈칫─. 테르니는 자리에 우뚝 섰다.

헬머의 집 앞에 헬머가 있었다. 그리고 그 옆에 있는 낯익은 얼굴의 사내도.

'네벨 재상의 보좌관이잖아……?'

테르니는 골목에 몸을 숨긴 채 그들을 지켜보았다.

헬머와 재상의 보좌관이 어떤 대화를 나누었다. 거리가 멀어 들리지 않는 게 애석했다.

잠시 후 그들은 마차를 타고 테르니를 지나쳐 사라졌다. 그 모습을 본 테르니의 표정이 싸늘하게 굳었다.

"……왜?"

봐선 안 될 걸 보고 말았다. 헬머가 재상과 아는 사이라니. 이 사실을 아티가 알게 된다면…….

"확실해질 때까지는 비밀로 하자."

괜히 말을 꺼냈다가 아티가 상처받으면 안 되니까.

어쨌든 새로운 사실을 알게 되었으니 조사 방향도 달라지게 될 터. 헬머와 재상의 관계를 중점으로 파 볼 생각이었다.

"간만에 출근 안 한다고 좋아했더니, 이게 뭐람."

집으로 돌아가는 테르니의 뒷모습은 쓸쓸했다.

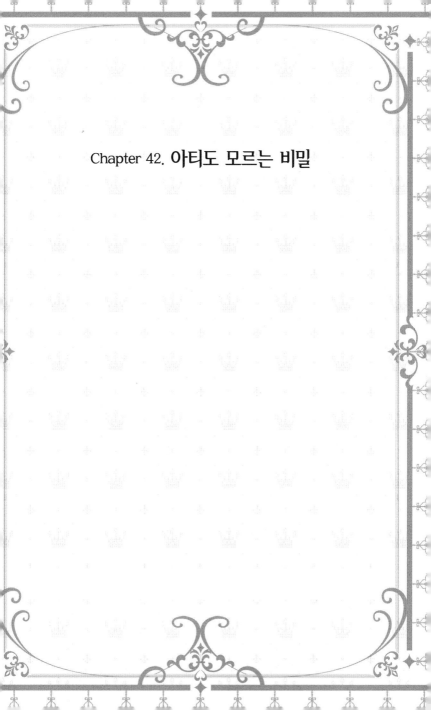

Chapter 42. **아티도 모르는 비밀**

Chapter 42. 아티도 모르는 비밀

며칠 후 아드리안과 테르니는 또 아르벨로아 저택에서 만남을 가졌다.

총집사는 포기한 듯 조용히 자리를 비켜 주었다. 아드리안은 곧바로 본론으로 들어갔다.

"뭐 알아낸 거 있어?"

"음……. 일단 대외적으로 알려진 건 옛날에 사교계를 휩쓴 엄청난 장인이라는 거. 10년 전쯤에 잠적을 탔대."

"계기는."

"음, 음……. 그건 몰라. 아! 그리고 또 어떤 가문에 소속된 장인이라고 했어. 그건 아직 안 봤는데. 아, 여기 있다!"

서류들을 뒤적거리던 테르니가 한 서류를 꺼내 들었다.

"네가 만나자고 해서 급하게 챙겨 나온다고 나도 아직 못 봤어. 읽어 줄게."

테르니는 위에서부터 서류를 줄줄 읽어 내려갔다. 쓸데 없는 정보들만 걸려 나오고, 잠시 후.

"……위르겐 헬머는 엘라디스토 가문 소속의 장인이었 다……?"

테르니의 두 눈이 휘둥그레졌다.

"……엘라디스토?!"

엘라디스토가 왜 여기서 나와?

"그 가문, 재상이 가지고 있던 기밀 서류의 그 가문 맞지?"

아드리안의 질문에 테르니는 고개를 끄덕였다.

"그때 뭔가 이상하다고 생각했는데, 이게 이렇게 연관되 네. 신기하다!"

"이리 줘 봐."

테르니에게서 서류를 건네받은 아드리안은 빠르게 글을 읽어 내렸다.

장인 위르겐이 십 년 전까지 엘라디스토 가문에서 일했 다는 내용이었다. 아드리안은 미간을 좁혔다.

"야."

"왜?"

"그럼 아티는 언제부터 장인 위르겐이랑 지낸 건데? 어 릴 때부터 보살폈다고 했잖아."

"그냥 어릴 적이라는 것밖에 모르는데. 나중에 내가 물 어볼게."

아드리안은 지금껏 나온 정보들을 떠올렸다.

트라우마를 가진 채 악몽을 꾸는 아티.

이미 죽었다는 빌바오 가문의 여식.

어릴 때부터 아티를 보살폈다는 위르겐 헬머.

마지막으로 헬머와 재상의 관계와, 그 사이에 엮인 엘라 디스토 가문.

"혹시……."

아드리안의 표정이 어두워졌다. 한 가지 추측이 뇌리를 스쳤지만 애써 지웠다.

지금 드는 이 추측이 사실이어서는 안 된다.

'그게 사실이라면.'

아티가 위험해질 테니까.

✦ ♛ ✦

이제 오비에도 저택에서 지내는 것에 완전히 익숙해졌다. 모두 가족들이 아티가 편하게 지낼 수 있도록 배려해 준 덕분이었다.

'사용인들도 다 친절하고 나한테 잘해 줬지.'

정말로 이곳이 집이라는 생각이 들었다. 언제고 돌아올 수 있는 그런 집.

카밀라와 산책을 하고 침실로 올라온 아티는 창가에 앉아 창밖을 보며 혼자만의 평화로운 사색을 즐기고 있었다.

똑똑―.

"네, 들어오세요."

"아티 아가씨. 손님이 오셨습니다."

"손님?"

누구지? 아티가 고개를 갸웃하자 시종이 빙그레 웃었다.

"예. 레이디 베네데토께서 방문하셨습니다."

아카시아!

"일단 응접실로 모셨습니다."

시종의 말에 아티는 서둘러 응접실로 내려갔다.

황성을 나오면서 슬픈 점이 여러 가지가 있었지만, 그중에 아카시아를 만나지 못한다는 것도 있었다.

'내가 외출하면 에셴 님에다 어쩌면 오라버니까지 움직여야 하니까.'

그런 민폐를 끼칠 수는 없어서 그동안 꾹 참고 있었는데, 아카시아가 직접 만나러 오다니.

아티는 감격에 겨운 상태로 응접실에 도착했다.

문을 열자 소파에 앉아서 얌전히 기다리고 있는 아카시아가 보였다.

"아티 언니!"

"아카시아!"

두 사람은 감격의 상봉을 했다.

얼마 못 만나는 동안 키가 조금 더 자란 아카시아를 보며 아티는 슬퍼했다.

"내가 안 보는 동안 커 버리면 어떻게 해, 아카시아!"

"으앙. 미안해요, 언니. 다음부터는 아티 언니 허락 맡고 클게요!"

한참 동안이나 눈물의 인사를 나눈 아티와 아카시아는

오비에도가 하녀의 헛기침에 겨우 이성을 되찾았다.

두 사람이 마주 보고 앉자 아카시아가 배시시 웃었다.

"왜 그래, 아카시아?"

"제가 아티 언니를 위한 선물을 준비했어요!"

"……선물!"

선물이 뭔지도 듣지 않았지만 아티는 벌써부터 감동했다.

자신을 위해 선물을 준비하다니, 역시 아카시아는 정말 세상에서 제일 깜찍하고 귀엽고 사랑스러운 아이인 게 틀림없었다.

"그런데 저는 그 선물을 아티 언니만 봤으면 좋겠어요."

아티는 고개를 갸웃했다. 대체 선물이 뭔데 사람들을 물리라고 하는 걸까?

어쨌든 그녀는 아카시아가 바라는 대로 사람들을 모두 내보냈다.

그런데 아카시아가 데리고 온 시녀 중 한 명은 나가지 않았다.

특이하게도 베일로 얼굴을 가린 시녀였다.

'……뭐지?'

아카시아에게 정신이 팔려 있던 터라 시녀의 존재를 지금 알아챘다.

아티가 시녀를 빤히 쳐다보자 시녀가 흠칫, 몸을 떨었다. 그 수상한 행동에 아티의 두 눈이 가늘어졌다.

얼굴을 가린 탓에 눈은 보이지 않았다.

베일 아래로 내려오는 은색 머리카락, 그리고 어쩐지 익숙한 느낌.

설마.

"……마리에?"

"아티……."

가늘게 떨리는 음성이 들려왔다.

틀림없는 마리에의 목소리였다. 잠시 후, 시녀가 베일을 벗었다.

아티의 두 눈이 휘둥그레졌다.

"그럼 전 나가 있을게요!"

두 사람을 번갈아 보던 아카시아가 도도도 달려 나갔다. 마리에는 고개를 푹 숙였다.

'얼굴을 볼 낯이 없어.'

아티가 남긴 편지를 읽고 그녀가 전부터 자신에게 사실을 말하려고 했었다는 걸 알고 난 후 분노가 봄눈 녹듯이 녹아 버렸다.

그리고 그 후, 마리에는 또 다른 죄책감에 휩싸였다.

친구를 믿지 못했다는 죄책감에.

그 와중에 아티의 파혼 소식을 듣고 오비에도 저택을 여러 차례 방문했지만 아티는 결코 만날 수 없었다.

카밀라가 황가의 인간은 절대로 들여보내지 말라고 신신당부를 했기 때문이다.

'이러다 영영 아티를 잃게 되면 어떡하지?'

절망한 마리에게 도움의 손길을 내민 천사가 있었으니, 바로 아카시아였다.

아카시아는 자기라면 들어갈 수 있을 거라며 마리에에게 시녀로 변장하라고 권했다.

그렇게 드디어 아티를 만났지만, 입이 떨어지지 않았다.

'분명 할 말이 엄청 많았는데, 무슨 말을 해야 할지 모르겠어.'

조심스럽게 고개를 든 마리에는 자신을 보고 있던 아티와 눈이 마주쳤다.

하지만 그것도 잠시, 아티가 먼저 눈을 피해 버렸다.

쿵.

마리에의 심장이 떨어졌다. 아티가 자신을 피했다는 사실은 그 무엇보다 큰 충격이었다.

'정말로 아티가 더는 나랑 친구 안 한다고 하면, 어떡하지?'

그런 생각을 하자마자 눈시울이 붉어졌다. 마리에는 이제 아티가 없는 삶이란 상상할 수가 없었다.

"아티. 미안해."

눈물이 뚝뚝 떨어졌다.

"아무리 화가 나서 눈에 보이는 게 없었어도, 네 이야기 들으려 하지도 않고 몰아세운 거 다 내 잘못이야."

"……."

"혼자 배신당했다고 생각한 것도 내가 너무 내 입장만 생각했어. 그래도 우리가 함께한 시간이 있는데 말이라도 들어 볼걸……."

아티를 매정하게 쳐 낸 그때가 너무 후회스러웠다. 자신을 바라보던 아티의 눈동자가 도무지 잊히지 않았다.

결국 아카시아의 말이 맞았다.

"내가 잘못했어. 미안해, 아티……."

하염없이 눈물이 쏟아졌다. 마리에는 두 손에 얼굴을 묻고 울음을 터트렸다.

차마 고개를 들 수 없었다. 두려웠다.

아티가 자신을 버릴까 봐. 더 이상 친구 안 하겠다고 할까 봐.

하지만 마리에가 할 수 있는 건 자신의 진심을 전하고 용서를 비는 것밖에 없었다.

전해지든, 전해지지 않든.

그때였다. 자신을 향해 다가오는 발소리가 들렸다.

"……마리에."

울음이 묻어 있는 목소리. 마리에는 천천히 고개를 들었다.

울고 있는 아티가 있었다.

"내가 더 미안해, 마리에. 너한테 계속 말하려고 했는데, 용기가 없어서 미뤘었어……."

"아티, 네가 왜 미안해. 넌 잘못한 거 없어."

"아냐, 내가 너를 속인 거잖아. 고의가 아니었다고 해도 난 널 속였어. 그러니까 네가 화를 내는 건 당연해."

아티는 눈물로 얼룩진 얼굴을 닦을 생각도 하지 않고 연신 사과했다.

눈물만 뚝뚝 흘리며 흐느끼는 모습에 마리에는 무릎을 꿇고 앉아 울던 아티를 떠올렸다.

'그때 내가 아티를 변호했어야 했는데.'

그런데도 도리어 자신이 잘못했다며 사과하는 아티를 어떻게 해야 할까.

아티는 정말 좋은 사람이었다. 황실에서 절대로 찾아볼 수 없는 좋은 사람.

알게 모르게 아티를 통해 마리에는 많은 위로를 받고 있었던 것이다.

이 여리고 착한 아이를 제멋대로 오해하다니, 마리에는 그런 자신이 너무 싫었다.

"네가 무슨 힘이 있었겠어. 다 오빠 잘못이지."

"하지만……."

"하지만 같은 건 없어!"

마리에는 아티가 자책하지 않으면 좋겠다고 생각했다. 그녀는 다시 한번 진심을 담아 사과했다.

"내가 미안해."

"마리에……."

아티가 고개를 들어 마리에의 얼굴을 보았다. 눈물이 그렁그렁한 눈동자가 자신을 보고 있었다.

"정말…… 이제 나를 용서해 주는 거야?"

조심스러운 아티의 질문에 마리에는 또다시 왈칵 울음을 터트리고 말았다.

"그건 내가 해야 할 말이잖아, 이 바보야."

마리에는 손수건을 꺼내 아티의 눈물을 닦아 주었다. 하지만 닦아도 닦아도 계속 눈물이 흘렀다.

결국 마리에는 눈물을 닦아 주는 걸 포기했다. 대신 아티를 꼭 껴안았다.

"용서를 빌어야 할 건 나라고."

"그렇게 말해 줘서 고마워. 나는…… 마리에와 다시 이렇게 대화할 수 있다는 것만으로 기뻐."

아티도 마리에를 마주 안았다. 마리에는 토닥토닥 아티의 등을 두드렸다.

"그동안 많이 힘들었지? 나도 많이 힘들었어. 앞으로는 무슨 일 있어도 네 말부터 들을게. 아티는 하나밖에 없는 내 진정한 친구니까."

"내가 네 시녀였다고 해도 상관없어……?"

"네가 누구든 아무 상관 없어. 그래도 넌 내 친구니까."

만나지 못했던 동안 쌓여 있었던 두 사람의 오해가 말끔히 사라졌다.

두 사람은 그렇게 한참을 부둥켜안고 울었다.

달칵. 조심스럽게 문을 열고 들어온 아카시아는 당황했다. 언니들이 서럽게 울고 있었다.

"언니들. 왜 울어요?"

언니들이 울고 있는 걸 보니 아카시아도 눈물이 나왔다.

"언니들. 울지 말아요!"

아카시아까지 울음바다에 합세하자 아티와 마리에는 당황할 수밖에 없었다.

마리에가 나서서 아카시아를 달랬다.

"아카시아, 울지 마. 뚝!"

하지만 아카시아는 고개를 도리도리 젓더니 손수건을 꺼

내 마리에의 얼굴을 닦았다.

"마리에 언니도 뚝!"

"으응. 알았어……."

"아티 언니도 뚝 해요!"

"아, 안 울게."

문득 이 상황이 우습게 느껴진 마리에와 아티가 동시에 웃음을 터트렸다.

아카시아는 어리둥절한 채로 훌쩍였다.

"울다가 웃으면 안 된다고 그랬는데!"

✦ ♛ ✦

우리 셋은 두 눈이 팅팅 부은 상태로 티타임을 가졌다.

"그래서 왜 파혼하겠다고 한 거야?"

마리에의 질문에 나는 찻잔을 내려놓았다. 이런 질문을 받을 거라 미처 예상하지 못했다.

"황후 폐하께서 내게 실망하셨으니…… 더 이상 전하의 약혼녀로 남을 수 없다고 생각했어."

내 진짜 신분은 몰락한 가문인 빌바오 가문의 여식이었다. 황태자비가 되기에는 한참 못 미치는 신분.

거기다 황족을 속이는 중죄까지 저질렀으니 용서를 받을 수 있을 거라는 생각을 하지 않았다.

"하지만 모후께선 아티가 돌아오길 바라셔."

"……."

"아마 후회하고 계실걸?"

황후가 어머니를 불러 파혼에 관해 대화했다는 것은 전해 들었다. 하지만…….

"나한테는 너무 버거운 자리야."

"아니. 너 말고는 할 사람 없어."

"응?"

"너 아니면 누가 오빠를 감당해?"

새삼 생각하는 거지만, 그 말 참 많이 듣는다. 나는 곰곰이 생각한 끝에 한 사람의 이름을 입에 담았다.

"……가브리엘?"

"그건…… 오빠가 걔를 감당 못 하겠지."

우리는 숙연해졌다. 내 옆에서 과자를 아삭아삭 먹고 있던 아카시아가 고개를 갸웃했다.

"네벨 영애가 왜요?"

마리에가 웃으며 아카시아의 머리를 쓰다듬었다.

"너는 아직 몰라도 된단다, 아가야."

"아카시아 아가 아닌데……."

"우쭈쭈, 그래쩌?"

"힝."

아카시아가 시무룩해지자 나는 웃으며 마리에를 말렸다.

"그만해, 마리에. 아카시아 울겠다."

"힝. 아티 언니!"

"그래, 그래."

귀여운 아카시아를 끝으로 그날의 티타임이 끝났다.

눈이 팅팅 부었지만 마리에와의 오해를 풀 수 있어서 값진 시간이었다.

비록 무거운 고민거리를 완전히 지우지는 못했지만.

✦ ♛ ✦

저녁 식사 시간. 시간에 맞춰 내려오니 이미 아티를 제외한 가족들이 다 앉아 있었다.

요제프 후작이 온화하게 웃으며 아티를 맞았다.

"아티. 오늘은 아버지 옆에 앉지 않으런?"

"네, 그럴게요."

아티가 요제프 후작의 옆자리에 앉자 그가 흐뭇하게 웃었다. 그런 부녀를 지켜보던 테르니가 불퉁하게 소리쳤다.

"아티 옆자리는 내 건데!"

"테르니. 아티 좀 못살게 굴지 말고 가만히 내버려 둘 수 없겠니?"

카밀라의 핀잔에 테르니가 빙그레 웃으며 입을 열었다.

"흐으음. 하지만 아티가 나를 너무 좋아하니까 그건 안 돼요, 엄마!"

"⋯⋯?"

아티는 갑자기 봉변을 당하고 말았다.

카밀라는 대화도 하기 싫다는 듯 한숨을 내쉬며 고개를 돌려 버렸다.

잠시 후, 음식이 나오면서 식사가 시작되었다. 분위기는 아주 화기애애했다.

"아티. 살이 많이 빠진 것 같구나. 많이 먹어야 건강해진단다."

"네, 어머니. 많이 먹을게요."

"짜거나 싱겁진 않고? 불편한 게 있으면 말하려무나."

"괜찮아요, 아버지. 딱 좋아요."

카밀라와 요제프는 연신 아티를 챙기기에 여념이 없었다. 그런 가족들을 흐뭇하게 지켜보던 테르니가 제 접시에 있던 채소를 아티의 접시에 덜어 주었다.

"아티, 채소도 많이 먹어야 무럭무럭 크지!"

"테르니. 네가 먹기 싫다고 아티한테 주면 어떡하니?"

카밀라가 한마디 하자 테르니는 모르는 척 딴청을 피웠다.

여느 때와 다름없는 오비에도 가문의 식사 시간이었다. 식사가 모두 끝나고 디저트가 나올 때, 아티가 머뭇거리며 입을 열었다.

"저…… 부모님께 드릴 말씀이 있어요."

중요한 이야기를 앞둔 아티의 손이 긴장으로 축축해졌다. 너무 염치없는 부탁을 드리는 것 같아 벌써부터 겁이 났다.

'화를 내셔도 어쩔 수 없겠지…….'

요제프가 웃으며 아티를 바라보았다.

"무슨 말일까? 어려워 말고 말해 보렴, 아티."

"약혼 파기에 대해서 다시 생각해 보려고 해요."

가족들의 두 눈이 커졌다. 그들은 아티가 먼저 약혼 파기에 대해 거론할 거라고 전혀 예상하지 못했다.

그 반응에 아티는 초조하게 가족들의 눈치를 보았다.

'이랬다저랬다 하는 애로 볼지도 몰라.'

파혼에 대해 먼저 의견을 구한 것은 카밀라지만 결국 아티도 동의한 사항이었다.

자신을 신경 써 준 가족들에 대한 도리가 아니라고 생각했기 때문에 아티는 더 죄스러워졌다.

"신경 쓰게 해 드려서 죄송해요……."

"아티."

카밀라가 부드러운 목소리로 아티를 불렀다. 아티는 짐짓 긴장하며 그녀를 마주 보았다.

"우리가 바라는 건 언제나 네 행복이란다. 너를 위한 선택에 그렇게 주눅들 필요 없어."

요제프 후작도 거들었다.

"그래. 약혼 파기에 대해 먼저 이야기를 꺼낸 것도 모두 너를 위한 선택이었지. 아티 네가 그걸 없던 일로 하고 싶다면 우리는 당연히 너를 지지할 거란다."

"하지만 오비에도의 입장이 곤란해지지는 않을까요?"

카밀라가 픽 웃으며 아티의 머리를 다정하게 쓰다듬었다.

"그것이 뭐가 대수겠니. 오비에도의 하나밖에 없는 딸이 그러고 싶다는데."

자신을 위한 선택을 하라는 부모님의 따뜻한 말에 아티는 또다시 감동을 받고 말았다.

'아마 평생 동안 나는 이 은혜를 갚지 못할 거야.'

무조건적인 따뜻한 배려와 애정을 어떻게 갚을 수 있을까.

그렇게 가족 모두가 이해하고 넘어가는 듯했으나, 엄청난 복병이 남아 있었다.

쾅! 디저트를 먹다 말고 갑자기 테르니가 테이블을 내리치며 외쳤다.

"난 반대야!"

"……?"

"반대야! 반대라고! 안 돼! 아티 넌 내 평생 내 동생으로 살아!"

모두가 어처구니없다는 듯 바라보았으나 테르니는 신경도 쓰지 않고 온갖 떼를 다 썼다.

이러다 바닥에라도 데굴데굴 구를 기세였다.

"안 돼애애! 아티는 평생! 여기! 이 집에서 나랑 같이! 오순도순 재미있게 살 거라고! 황궁 가지 마!"

"오라버니……?"

"아티! 내가 헬머 아저씨 다음으로 좋다고 했잖아. 이렇게 배신 때리기야? 미워!!"

"……."

아티는 조용히 시선을 피했다. 카밀라가 이해한다는 듯 아티의 어깨를 토닥였다.

"아티. 저 진상은 그냥 무시하렴."

"그래. 사랑하는 아들이지만 이럴 땐 정말…… 뭐라고 해야 할지 모르겠구나. 네가 이해해 주지 않겠니?"

카밀라와 요제프가 차례로 아티에게 양해를 구했다. 아

티는 어색하게 웃으며 고개를 끄덕였다.

"이젠 익숙해서 괜찮아요."

"뭐, 테르니가 하는 말은 전혀 귀담아듣지 말거라. 아티, 네가 원하는 대로 하렴. 알았지?"

"네, ……언제나 감사해요."

진심을 담아 인사하자 카밀라가 고개를 저었다.

"이렇게 예쁜 딸이 우리한테 와 줘서, 우리가 더 고맙지. 그렇지 않나요, 나의 종달새?"

"그렇소, 나의 태양."

오늘도 오비에도 가족들은 화기애애했다.

"죽어도 못 보내~!"

단, 혼자 진상을 부리는 테르니만 제외하고.

✦ ♛ ✦

마리에가 돌아가기 전에 비밀이라며 귀띔해 주고 간 말이 하나 있었다.

"절대로 먼저 돌아오겠다고 하지 마. 그러면 자연스럽게 돌아올 기회가 생길 거야, 알았지?"

당시에는 이게 무슨 말인지 도통 이해할 수 없었던 아티는 오늘 아침을 맞이하며 마리에의 말을 이해했다.

오늘 아침, 오비에도 저택은 엄청난 인물의 방문을 맞이했다.

그건 바로 루드밀라 황후였다.

"아르칸젤로의 축복이 함께하시기를."

카밀라와 요제프는 물론이고 테르니와 아티까지 모두 예를 차리며 몸을 낮추었다.

루드밀라 황후가 자애롭게 미소 지었다.

"모두들 오랜만에 보는군요."

서신과 선물만 잔뜩 보내던 황후가 안달을 내다가 결국 움직인 것이었다.

"오랜만에 뵙습니다, 폐하. 오신다는 연락을 받고 준비했으나 미흡하게 맞아서 송구할 따름입니다."

"호호. 요제프 후작, 미흡할 게 뭐 있다고. 아주 만족스럽답니다."

"한데 옆에 계신 분은……."

요제프 후작과 카밀라의 시선이 루드밀라 황후 뒤에서 수행을 하고 있는 시종 차림의 남자에게 향했다.

"내 시종장인 앨버트이지 않나?"

"아, 앨버트…… 이시군요."

요제프 후작과 눈이 마주친 앨버트(?)가 빙긋 웃었다. 요제프 후작은 울 것 같은 기분이었다.

'황제 폐하, 대체 뭘 하고 계신 겁니까!'

황제가 직접 온 것도 모자라 황후의 수행원인 척하고 있는 걸 보며 요제프 후작은 아찔해졌다.

황후가 싱긋 웃으며 말했다.

"그러고 보니, 폐하께서 요제프 후작의 휴가가 너무 길어진다며 적적해하시더군요. 속히 복귀해서 폐하의 근심을 덜어 드리도록 하세요."

황후의 말에 요제프 후작의 고개가 절로 숙여졌다.

"예, 폐하."

요제프 후작과 앨버트(?)는 내버려 두고 황후의 시선이 카밀라에게 향했다.

정확히는 카밀라 뒤에 있는 아티에게 시선이 꽂혀 있었다. 카밀라가 황후를 향해 말했다.

"폐하, 위층에 자리를 준비해 두었으니 그쪽으로 가시지요."

"어머, 그럴까?"

"테르니도 갈래."

"호호. 테르니는 아버님을 도와드려야지."

카밀라의 살기 어린 눈빛에 테르니가 울상을 지으며 요제프 후작에게로 갔다.

카밀라가 황후에게 미소 지었다.

"폐하께서 직접 오시다니, 더할 나위 없는 영광이에요."

"카밀라가 하도 오지 않아서 내가 오랜만에 왔지."

"어머나, 폐하께서 황궁에 용건 없이 출입하지 말라는 명령을 내리셔서 자중한 것뿐인걸요."

"그런 명령을 신경 쓰다니, 카밀라. 우리 사이가 그렇게 삭막했나?"

"후후후."

카밀라는 답하는 대신 묘한 미소를 지었다. 루드밀라 황후가 미안한 표정을 지었다.

"자, 이쪽으로 오세요."

황후와 아티, 카밀라 후작 부인만이 2층으로 올라갔다.

황후는 아티와 거리가 가까워지자 바로 살갑게 아티에게 말을 걸었다.

"정말 오랜만에 보는구나, 아티야. 얼굴이 많이 해쓱해졌네. 아픈 것은 괜찮아졌니?"

아티가 어색하게 고개를 끄덕이자 황후가 쩔쩔맸다.

"몸 건강이 최고란다, 내가 보낸 보약은 먹었니?"

"폐하의 배려는 감사하오나 아티 몸이 보약도 버티지 못할 정도로 약해져서 보관해 두고 있습니다."

카밀라의 말에 아티가 눈을 마주치지 못하고 시선을 내렸다.

"아니, 괜찮단다. 그럴 수 있지."

"몸이 나아지면 챙겨 먹겠습니다."

"그땐 더 좋은 약을 보내 주마."

황후의 말에 아티가 차분하게 고개를 끄덕였다. 그리고 이어지는 말은 없었다.

카밀라는 아무 말도 하지 않았다.

아티는 꺼낼 말이 없었고 황후는 죽음 같은 침묵에 무어라 말을 꺼내야 할지 알 수 없었다.

쩔쩔매는 황후를 즐겁게 지켜보던 카밀라가 슬쩍 말문을 열었다.

"그나저나, 새로운 앨버트는 어쩌다가 함께하신 건지……."

"내가 가야 한다니까 따라오고 싶어 하더라고. 새아가를 보고 싶다며, 아주 무난한 방법이었지?"

"네, 그러네요."

황제가 직접 행차하면 여러 가지 말이 돌 테니 정말 적당한 위장이었다.

또다시 침묵이 도래했다.

이번에는 카밀라도 구제해 주지 않았다.

결국 황후가 용기를 내어 아티에게 조심스럽게 말을 붙였다.

"아티, 아직도 내게 화가 많이 났니?"

황후의 조심스러운 질문에 아티가 두 눈을 동그랗게 떴다.

"화가 났다니요, 당치도 않습니다. 폐하. 말씀을 거둬 주세요."

"아니, 우리 사이에 뭐 어떠니. 내가 정말 미안하단다. 그때 아무리 화가 났어도 그러는 게 아니었는데."

"……."

예의상 미안하다는 말을 해야 했지만 아티는 차마 입이 벌어지지 않았다. 그때 황후는 정말 다른 사람이 된 것만 같았다.

아티의 손이 작게 떨리자 황후의 표정이 어두워졌다.

카밀라가 이대로 대화를 끊어야 할까 고민했을 때였다.

"내가 어린 나이에 황궁에 입궁했을 때, 딱 너만 한 나이였단다. 나 역시 실수도 많이 하고 많은 일을 겪었지. 그래서 네가 내게 다가왔을 때 기뻤어. 그때의 나를 보는 듯했거든."

아티가 가만히 시선을 들었다. 황후가 크게 숨을 내쉬었다.

"나는 황궁의 허례허식이 싫었단다. 황궁에 있으면 모든 사람이 나를 가식으로 대하니까. 그것이 답답하고 싫었지. 그래서 더 네가 날 속였다고 생각했을 때 분노를 참을 수 없었단다."

이런 이야기를 누군가에게 해 본 적이 없었다. 황후는 그래서 솔직히 무서웠다.

"너를 그렇게 내쫓고, 황궁이 순식간에 조용해졌어. 있을 땐 몰랐는데 네가 사라지니 네 빈자리가 얼마나 컸는지 실감이 되더라. 그 넓고 외로운 곳을 사람이 사는 공간으로 바꾼 것이 바로 너였단다."

황후의 눈이 촉촉하게 젖어 들었다.

"이제 그만 황궁으로 돌아와 주면 안 되겠니?"

아티가 고개를 숙였다.

"제가 또 실망시켜 드릴까 봐 무서워요."

"사람은 누구나 실수를 한단다."

황후가 손을 뻗어 아티의 떨리는 손을 잡았다.

"나도 그렇지. 너를 내쫓았으니까."

루드밀라 황후가 아티의 손을 힘주어 잡았다.

"다시는 똑같은 실수를 반복하지 않으마."

파혼하겠다는 말을 철회하고 언젠가 황궁으로 다시 돌아가야 한다는 걸 알았지만, 아티는 계속 두려웠다.

하지만 황후의 말에 간신히 용기를 낼 수 있었다.

아티가 고개를 끄덕이자 비로소 황후가 환하게 웃었다.

"아티. 내게 바라는 것이 있느냐? 원한다면 무릎이라도 꿇으마."

"네?! 아니요, 폐하. 그러지 마세요."

"네 마음이 풀린다면 무릎 꿇는 게 대수더냐."

아티가 사색이 되어 고개를 가로저었다. 아드리안도 같은 말을 하더니 황후까지 이런 말을 할 줄은 몰랐다.

"조만간 너를 데리러 올 최상의 마차를 보내마. 역시 내가 이 세상에서 아드리안을 맡길 사람은 아티 너밖에 없구나."

아티가 고개를 끄덕였다. 황후가 조심스럽게 카밀라를 보았다.

카밀라가 반대하면 어쩌나 하는 걱정의 시선이었는데, 천하의 황후가 쩔쩔매는 모습을 보이자 카밀라도 화가 많이 풀렸다.

"저희도 준비해 두겠습니다."

카밀라의 허락에 황후가 환하게 미소 지었다.

"메리. 그것을."

"예, 폐하."

루드밀라 황후의 명령에 메리가 준비해 온 것을 두 사람에게 보였다.

"어머나, 이것은……."

카밀라가 두 눈을 크게 떴다. 아티도 놀랐다. 릴리 궁에 받은 그대로 보관해 두었던 엘레나의 목걸이였다.

흐뭇하게 미소 지은 루드밀라 황후가 직접 목걸이를 꺼냈다.

"자, 아티. 이리 오렴."

짓누르는 죄책감에 단 한 번도 걸치지 못했던 목걸이가 아티의 목에 걸렸다.

그것도 황후가 직접 걸어 준 목걸이였다.

"폐하……."

촉촉하게 젖은 눈으로 아티가 황후를 바라보았다. 황후가 안쓰러운 눈빛으로 아티의 뺨을 쓰다듬었다.

"원래 네 것이어서 내가 이런 말을 하는 건 조금 그렇지만, 다시 받아 주겠니?"

복받치는 감정 때문에 아티는 말을 하지 못하고 그저 고개를 끄덕였다.

"정말 미안했단다, 아가. 날 용서해 주어서 정말 고맙구나."

소리도 내지 못하고 우는 아티를 황후가 다정하게 안아 주었다.

◆ ♛ ◆

오랜만에 돌아온 릴리 궁은 떠나기 전과 별반 달라진 게 없었다. 침실 또한 내가 쓰던 그대로였다.

"오호호호. 생각보다 늦게 돌아왔네요."

마치 내가 돌아올 것을 알고 있었다는 듯한 마담 루시의 말에 어쩐지 소름이 돋았다.

가끔씩 마담 루시에게 미래를 볼 수 있는 능력이 있는 건 아닐까 하는 합리적 의심이 들곤 했다.

"오랜만에 온 기념으로 인테리어를 싹~! 바꿔야겠어요.

오호호! 아티 님께선 어떤 스타일이 좋으실까요?"

"굳이 그렇게까지 하지 않아도 될 것 같아요. 지금 인테리어도 좋은걸요."

"어머! 이제 황제 폐하와 황후 폐하께 인정받은 어엿한 예비 황태자비신데 당연히 그 정도 유지 보수는 해야지 않겠어요?"

"어, 음……."

"이건 황태자비라면 꼭 해야 하는 거라고요! 사실 이미 황후 폐하께 허락도 받았답니다~!"

굳이 그래야 하나 싶었지만 나를 응시하는 마담 루시의 시선이 너무 뜨거워서 결국 고개를 끄덕이고 말았다.

"그럼 마담 루시가 원하는 대로 해도 좋아요."

"그렇다면 아예 새로 궁을 지어 달라고 하는 건 어때요?"

"제발요…… 마담 루시……."

함부로 마음대로 하라고 허락했다가는 정말로 새로운 궁을 지을 기세였다.

"릴리 궁을 새로 꾸미는 걸로 충분해요."

"흐음, 아쉽지만 어쩔 수 없죠. 그런 건 차차 받으면 되는 거니까."

의미심장한 한마디를 남긴 마담 루시는 '오호호호.' 하며 카탈로그를 가지러 사라졌다.

"휴우."

하마터면 큰일 날 뻔했어. 나는 마담 루시의 뒷모습을 보며 가슴을 쓸어내렸다.

마담 루시가 떠나고 나니 침실에는 나 혼자였다.

어쩐지 낯설게 느껴지는 침대에 누워 가만히 천장을 바라보았다.

결심하고 돌아온 거지만, 사실 아직 실감 나지 않았다.

"진짜 약혼녀……."

모든 게 밝혀졌는데도 아티엔느로 남을 수 있다는 게 믿기지 않았다.

과연 내가 이 무거운 자리에 어울리는 사람일지 확신할 수 없었다.

그리고 무엇보다…….

'이게 사실 꿈이고, 깨어나면 아무것도 없을까 봐 무서워.'

지레 겁먹은 나는 깊은 한숨을 내쉬었다.

'그래도 내가 선택한 거니까 후회 안 해.'

내가 황태자비에 걸맞지 않다면 앞으로 더 어울리는 사람이 되도록 노력하면 된다.

내 옆에는 나를 도와주는 좋은 사람들이 아주 많으니까.

그때였다.

똑똑—.

마침 들려온 노크 소리에 몸을 반쯤 일으켰다.

"네, 들어오세요."

"뭐 하고 있었어?"

들어온 사람은 에셴이었다. 나는 침대에 걸터앉아 다가오는 에셴을 올려다보았다.

"그냥 쉬고 있었어요. 그런데 에셴 님, 내일부터 복귀라고 하지 않았어요?"

근신 명령이 해제되긴 했지만 정식 임무 복귀 날은 내일이었기에 에센이 나를 찾아온 게 의아했다.

내 말에 에센의 표정이 어두워졌다.

"이거 서운한데. ……꼭 호위하는 날이어야만 아티 너를 만날 수 있는 거야?"

"아, 아니. 그런 뜻은 아니에요!"

내가 당황하며 황급히 고개를 젓자 에센이 웃으며 어깨를 으쓱했다.

"농담이야. 아직 식사 안 했으면 같이 식사나 하자고."

"좋아요!"

혼자 먹기 싫어서 나중에 마리에와 만나서 먹을까 했는데 에센이 있어서 다행이었다.

우리는 저녁 식사를 위해 방을 나섰다.

하지만 문밖을 나서자마자 맞은편에서 오던 아드리안과 맞닥뜨렸다.

우리를 발견한 아드리안의 표정이 눈에 띄게 굳어졌다.

"……너."

너? 누굴 말하는 거지?

아드리안이 우리를 향해 빠르게 다가왔다. 그러고는 에센에게 물었다.

"네가 왜 여기 있어. 복귀는 내일이잖아?"

"이래 봬도 일 중독자라서. 표정 풀어. 월급 더 달라고는 안 했잖아."

아드리안이 에센을 노려보았다. 그 광경을 지켜보는 난 고개를 갸웃했다.

시키지도 않는데 일을 한다면, 칭찬할 일이 아닐까?

남 일처럼 두 남자의 팽팽한 기류를 흥미롭게 구경하던 나는, 나를 내려다보는 아드리안의 시선을 마주하고 당황했다.

아드리안은 뭔가 불만스러운 듯한 얼굴로 나를 응시했다.

"왜 그래요?"

"……아냐. 됐어."

그는 한숨을 내쉬더니 내게 한 발짝 다가왔다.

"어디 가는 길인데?"

"에센 님이랑 저녁 식사를 할까 해서요. 우리 둘 다 아직 이거든요."

"나도 같이 가지."

어? 시간이 늦어서 벌써 식사했을 거라고 생각했는데 아니었나?

"너 오늘 황제 폐하랑 이미……."

갑자기 아드리안이 에센의 입을 틀어막았다.

"읍! 으으읍!"

에센이 소리를 지르며 아드리안의 팔을 때렸다. 그는 아픈지 인상을 찌푸리며 힘주어 말했다.

"나도 먹어."

"으으읍!"

"나도 가도 되지?"

아드리안이 나를 내려다보며 물었다.

딱히 안 될 것도 없어서 고개를 끄덕이자 아드리안이 에센의 입을 막은 손을 떼어 내었다.

"……하여간 무식한 자식."

에센이 아드리안을 노려보았다. 아드리안은 에센에게 시선도 주지 않고 내게 손을 내밀었다.

마주 잡고 나서야 너무 자연스러웠다는 것을 깨달았다.

아드리안이 나를 내려다보며 웃자 어쩐지 얼굴이 달아오르는 것만 같았다.

"가자."

손을 잡은 힘이 강해졌다. 나는 고개를 끄덕이며 발맞춰 걸었다.

✦ ♛ ✦

에센은 앞서 걷는 아드리안과 아티를 보며 씁쓸하게 웃었다.

발그레 뺨을 물들인 채 아드리안을 올려다보는 아티는 정말 예뻤다.

'아티가 좋으면…… 됐어.'

제 마음이야 아프지만, 아티의 행복에 비할 바가 못 되었다. 참으면 그만이니까.

식당에 들어선 에센은 불행하게도 아티와 아드리안과 마주 앉고 말았다.

아드리안은 음식이 나오기도 전에 부지런하게 아티를 챙겨 댔다.

의자를 먼저 당겨 앉혀 주고 물도 따라 주고, 냅킨도 손수 챙겨 주었다.

에센은 턱을 괸 채 바쁜 아드리안을 가만히 구경했다.

"애쓴다……."

전에도 아드리안은 아티를 챙겼지만, 그때와 달라진 점이 있다면 지금은 아티가 의식한다는 것이었다.

아티는 아드리안의 행동 하나하나에 안절부절못하며 얼굴을 붉혔다.

그 모습이 사랑스러워서 에센은 미간을 좁혔다.

'젠장. 이 짓을 대체 언제까지 해야 하는 건지.'

그렇다고 아티의 곁에서 떨어지고 싶지 않다는 게 문제였다. 아티가 누굴 좋아하든 자신이 지켜 주고 싶었다.

에센이 먹는 둥 마는 둥 딴생각에 빠져 있자 아티가 물었다.

"에센 님. 입맛에 안 맞으세요?"

"아냐. 먹고 있어."

에센은 서둘러 고기 한 점을 입에 넣었다.

싱긋 웃은 아티가 눈가를 살짝 찌푸리며 자신을 챙겨 주기에 여념 없는 아드리안을 흘겨보았다.

"아드리안은 왜 안 드세요?"

"갑자기 입맛이 없어져서."

아까까지만 해도 같이 식사해야 한다며 우기던 사람의 태도가 갑자기 변하자 아티는 걱정스러워졌다.

'속이 안 좋은 걸까?'

그 시선을 느낀 아드리안은 황급히 고기를 입에 넣었다.

"맛있네."

겨우 고기 한 점으로는 아티의 표정이 풀리지 않았다.

"너무 배가 고파서, 계속 먹을 수 있을 것 같아."

"그래요?"

보란 듯 아드리안이 음식을 열심히 먹기 시작하자 아티의 표정이 살짝 밝아졌다.

더불어 아드리안은 약간 절망적이었다.

'……배불러.'

아드리안은 이미 황제와 저녁 식사를 한 이후였다. 하지만 아티와 같이 있고 싶어서 에센의 입을 막았다.

한두 점 더 먹는 것 정도야 어렵지 않지만 식사를 하는 건 무리였다.

하지만 자신이 먹으면 먹을수록 아티가 좋아하니 도무지 멈출 수가 없었다.

"아드리안, 정말 배가 많이 고프셨나 봐요."

"그렇지, 뭐."

"이것도 더 드세요!"

"그래."

모든 진실을 아는 에센은 웃겨서 죽을 맛이었다.

'가관이네.'

아드리안이 타인의 기분을 맞추려 배가 부른데도 꾸역꾸역 먹는 모습을 볼 줄이야.

에셴이 숨죽여 웃자 맞은편에 앉은 아드리안이 노려보는
게 느껴졌다.

'저 자식 때문에……'

에셴이 아티와 단둘이 식사한다고 나대지만 않았어도 벌
어지지 않았을 일.

"왜? 내 것도 먹고 싶어? 말을 하지. 자."

에셴이 싱글벙글 웃으며 아드리안의 접시에 제 음식을
덜어 주었다.

순간 아드리안이 쥐고 있던 포크가 휘어졌다.

'이런.'

아드리안은 아티가 못 본 사이 시종에게 새 포크로 바꿔
받았다.

시시각각 변하는 아드리안의 표정을 보며 신나 하던 에
셴은 그만 아티에게 딱 걸리고 말았다.

"에셴 님은 왜 안 드세요?"

"아, ……먹을게."

아티 앞에서는 에셴도 어쩔 수 없는 순한 양이었다.

✦ ♕ ✦

다시 돌아온 황궁 생활은 정말 편하고 즐거웠다.

더 이상 비밀이 밝혀질까 전전긍긍할 필요도, 아드리안
과의 관계를 걱정할 필요도 없었으니까.

황후와 황제도 전과는 비교할 수도 없을 정도로 잘해 주

었고, 마리에와도 재미있게 놀았다.

'약혼녀로서도 인정받았고, 아드리안이 나를 좋아한다고 도 했는데…… 뭐가 이렇게 허전하지?'

아티는 벤치에 앉아 한숨을 푹 내쉬었다.

"왜 그래?"

그녀를 호위하던 에센이 물었지만 아티는 웃으며 고개를 저었다.

'배부른 투정이야.'

그런 걸 걱정하기 전에 이미 가진 것들을 소중히 하는 게 좋다.

아티는 다시 한번 되뇌며 벤치에서 일어났다.

마침 맞은편에서 테르니가 손을 흔들며 달려오고 있었다.

"아티! 오라버니가 오셨다!"

"제발 그렇게 뛰지 좀 마세요. 넘어지면 어떡해요?"

"넘어지면? 아프지~!"

"에휴."

아티는 오늘도 티 없이 발랄한 테르니를 데리고 걸었다.

에센은 테르니와 상종하고 싶지 않다며 멀찍이 뒤에서 따라왔다.

"아드리안이 너 데리고 집무실로 오래."

"저를요? 왜요?"

"몰라?"

아티는 고개를 갸웃하며 걸음을 재촉했다.

집무실에 들어서자 아드리안이 한창 서류를 검토하고 있

었다.

디아노는 응접용 소파에 앉아 심각한 표정을 지은 채 검을 세심하게 닦고 있었다.

테르니가 아티의 귀에 속삭였다.

"언제 한번 저 검에 뭘 쏟아 보는 게 소원이야."

디아노가 화들짝 놀라며 테르니를 바라보았다.

"어떻게 그런 잔인한 말을……!"

"들렸어? 하하. 농담은 아니고, 진담이야!"

"저리 가!"

오늘도 행복한 그들을 뒤로하고 에센은 아티를 데리고 소파에 앉았다.

아티가 들어설 때부터 집중력이 박살 난 아드리안도 아티의 옆자리에 앉았다.

"아드리안. 저한테 무슨 할 말이라도 있어요?"

"내가?"

"네. 오라버니가 그렇게 말했어요."

아드리안은 대충 손에 집히는 걸 디아노와 옥신각신하는 테르니에게 집어 던졌다. 테르니는 운 좋게 물건을 피했다.

"우와. 아드리안이 나를 죽이려고 했어!"

"테르니. 너 왜 내 이름 팔아먹냐?"

"그냥~! 내가 가자고 하면 아티가 안 따라올지도 모르잖아!"

아티는 깜짝 놀랐다.

'어떻게 알았지?'

그녀가 테르니를 가끔 멀리하고 싶어 한다는 것을 알지

못한다면 절대 할 수 없는 생각이었다.

'의외로 자기 객관화가 뛰어나네.'

아티가 테르니에 대해 냉정한 평가를 하고 있을 때 테르니가 그녀를 보며 웃었다.

"무슨 생각 해?"

"아무것도 아니에요."

"흐음. 아닌 것 같은데? 뭐, 아무튼 오늘 이렇게 부른 건 아티 너한테 물어볼 게 있어서야."

"그게 뭔데요?"

"자."

테르니가 서류 뭉치를 아티에게 건넸다. 척 봐도 어마어마한 양이었다.

"다 볼 필욘 없고 앞에 열 페이지 정도가 내가 정리해 둔 거야. 일단 봐 봐~!"

아티는 팔랑팔랑 종이를 넘겼다. 앞부분은 아티가 부탁했던 빌바오 가문에 대한 이야기였다.

그 내용은 전과 다를 바 없었다.

'비올라 빌바오는 사망했다.'

그리고 한 페이지를 넘긴 아티는 고개를 갸웃했다.

"……엘라디스토?"

일전에 테르니와 데이트를 하던 날 조사하고 있던 가문이라는 이야기를 들은 기억이 있었다.

"갑자기 엘라디스토 가문 자료는 왜요?"

"보다가 빌바오 가문과 관련된 것 같아서 한번 넣어 봤어. 일단 읽어 봐!"

테르니의 종용이 이상했지만 아티는 잠자코 서류를 넘겼다.

엘라디스토 가문. 반역죄로 10년 전 멸문당했다. 가주였던 제스토 백작은 1남 1녀를 두었다.

'첫째가 나랑 나이가 같네.'

반역죄를 저지른 백작은 도주 끝에 검거당해 공개 처형을 당했고, 나머지 가족들도 모두 죽었다.

대충 가문이 소유한 영지나 재정 상황에 대한 페이지를 훑어보던 아티는 고개를 갸웃했다.

"오라버니. 이거 저랑 상관없는 것 같……."

아티는 말을 채 끝내지 못했다. 마지막 페이지에 그녀의 시선을 사로잡는 무언가가 있었기 때문에.

뿔이 솟은 사슴과 가장자리를 타고 올라온 덩굴나무 문장.

엘라디스토 가문의 문장이었다.

아티는 두 눈도 깜빡이지 못하고 문장을 응시했다. 도무지 눈길이 떨어지지 않았다.

'어디선가 본 적이 있는데…….'

이런 기시감이 처음은 아니었다.

예전에 테르니에게 처음으로 '엘라디스토'라는 가문명을 들었을 때에도 비슷한 기시감을 느꼈다.

"아…….."

아티는 눈가를 찌푸렸다. 안개가 낀 것처럼 흐린 머릿속으로 무언가 떠오를 듯 말 듯 했다.

미친 듯이 달린 것처럼 갑자기 심장이 빠르게 뛰기 시작했다.

두근, 두근―.

'이거, 어디에 붙어 있었는지 기억나.'

아티의 손이 가늘게 떨렸다.

'그래. 저택의 홀 한가운데에 언제나 이 문장이 있었어…….'

계단을 올라 저택에 들어서면 드높은 천장을 장식하고 있던 찬란한 그 문장.

언제나 자부심을 가지고 올바르게 행동해야 한다며 다정하게 당부하던 목소리도 함께 떠올랐다.

"당신도 참, 아직 어린 애한테 그게 무슨 말이에요?"

"아니, 난 그냥……."

당부하는 아빠에게 핀잔을 주던…… 엄마.

한 번 떠오른 기억은 둑이 무너져 범람하는 물살처럼 손쓸 틈도 없이 밀려들었다.

조각나 파편 같은 기억들이 기습처럼 아티의 기억 틈을 비집고 들어왔다.

부모님 사이에서 양손을 잡고 서쪽 해안에 나들이를 갔던 그날, 남동생은 집에 가고 싶다며 유난히 칭얼거렸다.

그때 보았던 찬란하게 부서지는 파도의 물결이 떠올랐다.

'대체 뭐야, 이 기억들은.'

아티는 혼란스러웠다. 자신이 알고 있던 기억과 들어맞는 게 없었기 때문에.

바다가 보이는 영지에 살았던 적은 없었다. 저 문장은 빌바오 가문의 문장이 아니었다.

무엇이 진실인 줄도 모르는 상황에서 기존의 기억과 떠오른 기억이 뒤엉켜 혼재되었다.

여섯 살, 부모님께 새하얗고 예쁜 피아노를 선물 받았던 기억. 꽃이 만발한 저택의 화원에서 강아지와 뛰어놀던 기억. 남동생과 하나 남은 디저트를 서로 먹겠다며 다투던 기억.

그리고 화마에 휩싸여 불타오르던 아름답던 저택의 모습도 떠올랐다.

눈앞이 잠깐 점멸했다.

"……아티?"

심상치 않음을 느낀 아드리안이 그녀를 작게 흔들었지만, 아티의 기억은 멈출 줄을 몰랐다.

'안 돼.'

아주 순조롭게도 아티가 결코 떠올리기 싫었던 머릿속 가장 안쪽까지 숨겨 놓았던 기억의 상자마저 열렸다.

순식간에 눈앞이 핏빛으로 물들었다.

"죽여라!"

"반역자를 처단해!"

야유하고 환호하는 군중들이 전방을 향해 돌팔매질을 했다. 단두대에 목을 내놓고 있는, 아빠.

"반역을 주동한 것으로 드러난 사건의 주모자 제스토 오웬 엘라디스토 백작을 참형에 처한다."

사형 집행관의 차가운 음성이 똑똑히 기억났다.

꿈속에서 들었던 '빌바오'라는 성은 결국 아티가 자신을 보호하기 위해 덧씌운 거짓된 방파제에 불과했다.

목이 잘렸다. 피가 튀었다. 흘러내린 피가 웅덩이를 이룬다. 그 핏물이 자신을 타고 스멀스멀 기어오른다.

"아."

줄곧 도망치려고 묻어 두었던 끔찍한 과거의 편린을 그만 마주하고 말았다.

아무런 준비도 하지 못한 채.

바로 옆에서 성난 군중의 음성이 웅웅대며 들려오는 것만 같은 착각에 아티는 귀를 틀어막았다. 하지만 소용없는 몸짓이었다.

죽여. 처단해. 깔깔거리는 웃음. 못 볼 것을 봤다는 듯 내지르는 비명.

"안 돼, 싫어……."

아무것도 하지 못하고 무력했던 어린 그 시절로 돌아간 것만 같았다.

머리가 깨질 듯이 아팠다. 금방이라도 죽을 것만 같은 통증이 아티를 덮쳤다.

"흑, 흐윽……."

두 눈을 질끈 감고 온몸을 웅크려 봐도 고통이 사라지지 않았다.

계속해서 기억이 되풀이되었다. 성난 군중과 마침내 처형당한…….

"아티!"

아드리안이 아티의 어깨를 붙잡으며 이름을 외쳤지만 아티는 과거에서 헤어 나오지 못했다.

헝겊 인형처럼 힘없이 흔들리며 생각했다.

'그건 역시 꿈이 아니었구나.'

그동안 아무 의미 없는 꿈이라고 생각했던 장면들은 모두 자신의 기억이었다.

그렇다면 기존의 기억은 모두 가짜 기억인가? 그럼 다시금 떠오른 이 기억만이 진짜인 것인가?

'……그럼 난 누구지?'

가짜 기억을 안고 지금껏 살아온 '비올라 빌바오'는 과연 누구일까.

순식간에 삶이 송두리째 부정당했다.

"아티!"

절박하게도 들리는 음성이 혼란한 틈새로 끼어들었다. 아티는 저도 모르게 입술을 깨물었다.

아름답던 저택, 자랑스러운 가문에 이어 사랑하던 가족까지 모두 잃은 마지막 엘라디스토의 아이가 선택한 것은 망각하는 것이었다.

'그럼 더 이상 괴롭지 않을 테니까.'

모든 것을 지워 버린 어린 비올라는 그렇게 빈민가인 페코스를 떠돌며 살았다.

이름도, 고향도 알지 못했다. 굶어 죽을 위기에 처하고, 누군가의 한 줌 호의로 목숨을 건지기도 하며 살아온 그녀는 '어이'나 '이봐'로 불렸다.

아이는 끈질긴 목숨을 부지하기 위해 결국 도박장에서 자신이 할 수 있는 일을 찾아냈다.

'그러다 헬머 아저씨를 만났지.'

우연히 도박장에 들른 헬머 아저씨를 만난 것은 기적이었다.

마치 못 볼 것을 봤다는 듯 희게 질린 헬머 아저씨의 표정은 도무지 잊을 수 없었다.

"라라……?"

"누구세요? 저를 아세요?"

"라라. 아이고, 라라! 살아 있었구나!"

그 이후로 아이는 자신의 이름이 '어이'나 '이봐'가 아니라 '비올라'라는 사실을 알게 되었다.

그것만으로도 충분히 만족스러웠지만 헬머 아저씨는 소녀를 내버려 두지 않았다.

도박장 구석에서 웅크려 자던 아이는 자신의 방을 갖게 되었다.

상대방의 패를 슬쩍 일러 주고 받던 한 푼 동전으로 사 먹던 차갑고 딱딱한 빵이 아닌 따뜻한 수프와 부드러운 빵을 먹게 되었다.

'너무 행복해.'

영원히 이 꿈이 깨지 않았으면 좋겠다. 간절히 바라는 어린 비올라에게 헬머 아저씨가 말했다.

"네 이름은 비올라 빌바오다. 따라 해 봐. 비올라 빌바오."

"비올라 빌바오?"

"그래. 넌 빌바오 가문의 맏딸이었다. 불행히도 몰락하고 말았지만…… . 그래, 빌바오지. 암."

"비올라 빌바오…… ."

사실 이름 같은 건 아무래도 상관없었다.

더 이상 추위와 더위에 시달리지 않을 수 있다는 것만으로 이미 행복했다.

헬머 아저씨는 종종 비올라에게 옛날이야기를 들려주었다. 구 비올라령이 얼마나 좋은 곳이었는지, 어쩌다 몰락하게 되었는지, 자신이 어떤 아이였는지.

비올라는 귀담아들은 그 말을 제 기억의 양분 삼아 쑥쑥 자라났다.

아무것도 없던 공허한 장소에 뿌려진 씨앗은 점점 자라 아름다운 정원을 가꾸었다.

창조된 과거의 기억 속 소녀는 가난하지만 행복한 빌바오 가문의 행복한 딸이었다.

그렇게 그녀는 '비올라 빌바오'가 되었다.

'……하지만.'

그것은 모두 거짓이었다. 헬머 아저씨가 만들어 준.

"아티. 정신 차려! 아티!"

"아티. 괜찮아?"

어둡게 가라앉은 시선으로 고개를 들자 자신을 걱정하는 사람들의 얼굴이 보였다.

'이 사람들은 알고 있을까.'

겁이 났다. 진실을 인정하게 되면 또다시 차가운 거리로 내몰릴까 봐. 가진 것 없이 떠돌던 그 시절을 반복하게 될까 봐.

아드리안의 곁에 남아 있기 위해선 진실을 부정해야만 했다. 그래야만 당당한 황태자비일 수 있을 테니까.

'영원히 거짓된 이름으로 살아야 하겠지.'

까마득한 낭떠러지 아래로 추락하는 듯한 기분이 들었다. 이대로 떨어지면 과연 끝이 어디일까.

아티는 이를 악물었다.

'나는 더 이상 굶주림에 덜덜 떨던 페코스의 어린아이가 아니야.'

그때의 자신은 혼자서는 아무것도 할 수 없는 어린아이였을 뿐이지만 지금은 아니었다.

헬머 아저씨가 있었다. 그리고 새로이 생긴 소중한 인연들과 지키고 싶은 사람도.

어느새 떨림은 멎었다. 머리가 깨질 듯한 고통도 가라앉고 미친 듯 뛰던 심장도 규칙적인 리듬을 찾았다.

고요했다. 꼭 폭풍 전야처럼.

마침내 그녀는 인정했다.

"……저는 비올라 빌바오가 아니에요."

짧게 숨을 들이마신 후 바로 그녀의 말이 이어졌다.

"비올라 드윈 엘라디스토. 그게 제 진짜 이름이에요."

Chapter 43. 진실

Chapter 43. 진실

다시금 손이 떨리기 시작했지만 아티는 애써 의연한 척
했다.

당연히 모두가 놀랄 거라고 생각했던 것에 반해 동요한
사람은 에센과 디아노밖에 없었다.

"역시."

테르니가 어울리지 않게 사뭇 진지하게 말했다.

"네가 바로 엘라디스토 가문의 실종 사망 처리되었다는
여식이었구나."

지금껏 모은 단서들을 종합해서 낸 어렴풋한 추측이 들
어맞았지만 테르니는 전혀 기쁘지 않았다.

아드리안도 마찬가지였다.

전혀 짐작도 하지 못한 에센과 디아노만 아무 말도 못 하
고 있을 뿐이었다.

아티는 차마 그들의 눈을 마주 보지 못하고 고개를 푹 숙였다. 자기혐오가 밀려왔다.

마치 그들을 속인 것 같은 모양새가 되어 버렸다.

"고개 숙이지 마."

아드리안이 부드럽게 아티의 뺨을 감쌌다. 그녀를 바라보는 두 눈빛은 더없이 다정했다.

아티는 그 다정함에 괜히 더 울컥했다.

"제 부모님은 그런 큰 일을 저지를 만한 분들이 아니세요."

아티의 기억 속 부모님은 자신들이 가진 것에 만족하며 자부심을 가지고 살아가는 사람들이었다.

그것이 엘라디스토의 긍지며 자랑이었다.

하지만 그건 자신의 일방적인 주장일 뿐, 이들을 설득시킬 방법은 없었다.

그저 체념하고 처벌을 기다릴 뿐이었는데, 아드리안이 선선히 고개를 끄덕였다.

"알아."

"네?"

"안다고."

아티는 믿을 수 없었다. 목소리가 떨렸다.

"왜 그렇게 확신하세요?"

"너를 키운 부모라면 당연히 그런 분들이실 테니까."

왈칵 눈물이 났다. 자신을 믿는다는 한마디가 이렇게나 안도감을 주는 말이었단 말인가?

멋대로 흐르려는 눈물을 참아 내고 아티는 입술을 깨물

었다.

"고작 그런 이유로요?"

"고작 그런 이유라니. 난 진심이야."

"하지만 이건 가벼운 문제가 아니에요."

아드리안이 믿어 주는 건 고마웠지만 그걸로 해결될 문제가 아니었다.

엘라디스토는 반역죄의 주모자로 낙인찍혀 몰락한 가문이었다.

결코 쉬이 다룰 사안이 아닌데도 아드리안은 한 치의 동요도 없었다.

'어떻게 이럴 수 있지?'

분명 멀리하고 내칠 것이라 생각했는데 예상치 못한 반응에 오히려 아티가 놀랐다.

테르니가 놀란 아티의 어깨를 다독여 주었다.

"사실 이것저것 조사하면서 알아낸 건데 말이야."

"네?"

"그 반역 사건에 뭔가 꺼림칙한 부분이 좀 많아."

"꺼림칙한 부분이 많다니요?"

반역죄로 참형에 처해졌다면 분명 어떤 경위로 반역을 저지르려 했는지에 대해 소상히 적혀 있어야 할 텐데 없었다.

마치 누군가가 의도적으로 누락시키기라도 한 듯.

"엘라디스토가 반역자가 된 건 클라우차 공작의 반역 사건에 연루되어서지. 그러면 가담했다는 증거가 있어야 하거든? 그런데 없어."

"증거가 없다고요?"

"그래. 이런 기밀 자료는 엄중하게 쓰이고 보관되거든. 그런데 증거가 없다는 말은 무슨 뜻일까?"

테르니의 눈동자가 음산하게 빛났다.

"증거가 남아 있으면 안 되는 사람이 있다는 소리지."

관련자가 있다.

테르니가 확신에 가득 차 미소 지었다.

"누군가 이 반역 사건에 개입한 게 틀림없어. 이 사건이 파헤쳐지면 곤란하고, 기록을 지울 정도로 권력을 가진 권력자 중에서 말이야."

테르니의 추측에 아티의 표정이 굳었다. 문득 어느 날 꾸었던 꿈이 떠올랐다.

그게 단순한 꿈이 아니라 과거의 기억이었다면?

"그래. 다른 공방원은 몰라도 장인 위르겐만큼은 기필코 우리 가문 소속으로 만들어야만 한다."

"한창 사교계에서 유명할 때 스카우트하자고."

……

"안녕? 네가 비올라로구나."

태연하게 인사하던 사내의 푸른 눈동자가 다시금 떠올랐다. 설마 하던 마음이 정리되었다.

이윽고 아티가 입을 열었다.

"아주 어릴 때, 네벨 재상을 본 적이 있어요."

모든 이야기가 끝나고 아티는 제 방으로 돌아갔다.

아티를 방까지 데려다준 아드리안은 그녀가 잠이 드는 것을 보고 난 이후에야 테르니를 찾았다.

모아 두었던 자료를 정리한 테르니가 고개를 들었다.

"어떻게 생각하지?"

"뭐가."

"아티 말이야."

"뭐? 믿느냐고? 당연히 믿지."

"그런 건 당연한 거고."

테르니는 고개를 절레절레 저었다. 그도 아드리안도 아티의 말에 한 치의 의심도 없었다.

애써 괜찮은 듯 담담하게 가족의 죽음과 어린 시절의 이야기를 하던 아티의 말이 거짓일 리가 없으니까.

'설마 그런 과거를 가지고 있을 줄 몰랐군.'

아드리안은 막막한 기분이 되었다. 말 한마디로 위로하기에는 너무나 혹독한 삶이 아닌가.

그는 그동안 그런 삶이 있을 수 있다는 생각조차 해 본 적 없었다. 오직 아티를 만났기에 알 수 있었다.

자신을 지키기 위해 스스로 기억을 덮고 망각한 채 살아온 어린 비올라가 안타까웠다.

할 수만 있다면 어릴 적으로 돌아가 자신이 아티를 데려오고 싶었다.

어두운 표정으로 앉아 있는 아드리안의 얼굴 바로 앞에서 테르니가 '짝' 하고 손뼉을 쳤다.

"자자, 전하. 저희에겐 더 중요한 일이 남아 있습니다."

아드리안이 인상을 쓰자 테르니가 변명하듯 말했다.

"안타깝고 슬픈 이야기지만 이미 지난 일이잖아. 지금 더 중요한 건 이후의 일이라고, 아드리안."

"그거야 그렇지만."

마음이란 그렇게 쉽게 정리가 되지 않았다.

쯧쯧. 테르니가 혀를 찼다.

"중증이군. 곧 죽을지도 몰라."

"죽고 싶냐?"

"걱정스러우면 다시 돌아가. 난 내 일을 하러 갈 테니까."

"후……."

아드리안은 짧게 한숨을 내쉬며 선선히 고개를 가로저었다.

"그래. 말해 봐. 우리 계획은 뭐지?"

"능구렁이 잡기."

그게 다냐는 듯 빤히 바라보는 아드리안의 시선을 마주 보며 테르니는 생글생글 웃었다.

"우선은 진실을 밝힐 거야."

"재상이 무슨 수로 엘라디스토 가문에 손을 뻗쳤는지?"

"응. 그거랑 엘라디스토 가문과 무슨 관계였는지, 또 위르겐 헬머와는 어떤 관계인지 알아보려고."

테르니는 무심한 눈길로 서류를 휘리릭 넘겼다.

그 짧은 사이 잠깐 훑어본 것만으로도 내용 파악은 충분했다.

"재상은 꼬리가 많아. 그래서 지금까지 네벨가가 건재하게 유지될 수 있었지. 온갖 더러운 짓은 다 하면서도 본인은 안전했어."

테르니의 얼굴에 표정이 사라졌다.

"세상에 가르쳐 줘야지. 잘못을 했으면 벌을 받아야 한다는 걸."

입가에 맺힌 미소가 답지 않게 선득했다.

"그건 또 내 전문이잖아?"

이미 지나가 버린 과거는 어쩔 수 없지만 앞으로의 수작질은 달랐다.

테르니는 결코 쉽게 놓아주지 않을 생각이었다.

"좋았어~!"

테르니의 수하들이 발 빠르게 움직인 덕에 진상 조사는 착실히 진행되고 있었다.

한 가지 걸리는 것이라면 결정적인 증거의 부재였다.

한참을 그 일로 골머리를 앓던 테르니는 드디어 실마리를 잡았다.

"그래픈 자작을 한번 만나 봐야겠어."

테르니가 알기로는 현재 그래픈 자작의 나이는 20살 정도였다.

9년 전 무려 11살의 나이로 가주직을 승계받아 한바탕 사교계를 들썩이게 한 전적이 있었다.

대인 기피의 성향이 있다고 하니 아무래도 직접 만남을 요청하는 게 나을 듯했다.

'한번 신뢰를 잃어버리면 끝이니까.'

아쉬운 쪽은 오히려 자신이었다.

지체할 것 없이 테르니는 귀족들의 거주 구획인 카를로만 거리로 향했다.

그래픈 자작의 저택에 도착하자 지키고 있던 가문의 늙은 문지기가 정중하게 물었다.

"무슨 일로 오셨습니까?"

"오비에도 가문의 테르니 아기라 오비에도가 가주를 뵈러 왔다고 전해 주거라."

테르니의 신분 패를 확인한 문지기가 두 눈을 크게 뜨더니 허겁지겁 안으로 들어갔다.

"아이고, 오늘은 손님이 많네……!"

달려가며 외치는 문지기의 목소리를 들은 테르니는 고개를 갸웃했다.

'나 말고 또 누가 방문한 건가?'

의아함도 잠시 금세 돌아온 문지기가 저택의 대문을 개방했다.

테르니는 시종의 안내를 받아 대문 안으로 천천히 걸음을 옮겼다.

'생각했던 것보다 더 칙칙하네.'

폐쇄적인 성격이라더니 저택도 주인과 닮아 있었다.

우중충한 정원을 가로질러 저택의 입구에 도착한 테르니는 막 안에서 나오는 누군가를 발견했다.

"……!"

상대방은 아직 자신을 발견하지 못했지만, 테르니는 똑똑히 알아볼 수 있었다.

'저 사람이 왜 여기에 있는 거야?'

우연히 마주쳐도 빈틈이라고는 볼 수 없을, 철두철미하고 아름다운 남자.

바로 미카엘 루스 네벨이었다.

저도 모르게 손을 들어 시종을 조용히 시키고 몸을 숨긴 테르니는 문득 의아해졌다.

'아니. 내가 왜 숨는 거지?!'

난 당당하다!

테르니는 위풍당당하게 미카엘의 앞에 모습을 드러냈다.

"여기서 다 만나다니 어쩜 이런 기막힌 우연이!"

테르니가 갑자기 툭 튀어나왔지만 미카엘은 동요 없이 고개를 끄덕였다.

"오랜만에 뵙습니다."

"하하. 지난 대결에서 패배한 이후로 잘 보이지 않는 걸 보니 역시 패배의 쓴맛을 아직 잊지 못했나 보군."

"아……."

미카엘은 아무 대답 없이 그저 옅게 웃었다. 그 반응에 테르니는 또 의기양양해졌다.

하지만 그것도 잠시.

"그래서. 여긴 무슨 일로 왔지, 미카엘?"

바로 전과 다르게 무표정한 얼굴로 질문하는 테르니는 마치 다른 사람인 양 낯설었다.

서늘한 금색의 눈동자.

미카엘은 새삼 눈앞의 남자가 황태자의 측근 중 가장 유명한 인사라는 사실을 깨달았다.

"사업 문제로 그래픈 자작과 논의할 일이 있어 들렀습니다."

"사업 문제?"

"예."

"네벨 가문과 그래픈 가문이 사업 문제로 엮여 있다는 건 처음 듣는 일인데."

정보 수집과 분석에 능한 테르니가 그런 사실을 모르고 있을 리 없었다.

예리한 지적에도 미카엘은 당황한 기색 없이 웃어 보였다.

"막 논의하는 단계입니다."

"그래?"

"예."

"그래, 그럼."

테르니는 순순히 고개를 끄덕이며 손을 흔들었다. 인사를 한 미카엘이 반대편으로 사라졌다.

잘빠진 미카엘의 뒷모습을 응시하는 테르니의 눈빛은 차가웠다.

'하필 이 시점에 네벨 가문의 인간이 그래픈 자작과 접촉하다니.'

평소 미카엘에 대해 좋게 평가했지만 수정할 필요가 있었다.

어쨌든 그도 네벨가의 인간이니까.

어깨를 으쓱인 테르니는 저택 안으로 들어갔다. 어쨌든 당장 해야 할 일이 있었으니까.

✦ ♛ ✦

진실을 알게 된 후 아티는 가장 먼저 헬머 아저씨를 찾아 나섰다.

쾅쾅!

연신 문을 두드렸지만 헬머 아저씨는 부재중인지 아무런 대답도 들려오지 않았다.

"도대체 어딜 가신 거지?"

이랬던 적은 처음이라 초조함을 감출 길이 없었다.

혹시나 헬머 아저씨에게 무슨 일이 생겼을까 봐 도무지 진정할 수가 없었다.

"괜찮아, 아티. 그 아저씨라면 아무 일 없을 거야."

에센은 건장한 풍채의 위르겐 헬머를 떠올리며 아티를 위로했다.

'누군가를 위험하게 했으면 했지 본인이 위험에 처할 체격은 아니었으니까.'

하지만 아티의 생각은 달랐다.

"그래 봬도 얼마나 상냥하고 여리신 분인데요……. 혹시 무슨 일이 생기셨으면 어떡하죠?"

"어……. 음."

에센이 포기하며 뒤를 돌아보았다. 테르니와 아드리안이 어깨를 으쓱했다.

자기들도 어떻게 해야 할지 모른다는 의미였다.

"주위에 행방을 물어볼 사람은 없어?"

아드리안이 자신의 외투를 아티에게 걸쳐 주며 물었다.

"옆집 한스 아저씨요."

"가 보자."

아드리안이 아티의 손을 잡고 이끌었다. 아티는 그 따뜻한 손에 커다란 안도를 느꼈다.

'이렇게 나서 줄 줄은 몰랐어.'

처음 자신이 엘라디스토라는 사실을 입에 담을 때, 그녀는 최악의 각오를 했다.

반역으로 몰락한 가문의 숨겨진 생존자니만큼 어쩌면 자신을 외면할지도 모른다고.

하지만 그 각오를 비웃기라도 하듯 아드리안은 신경도 쓰지 않았다. 무엇보다 자신을 믿는다고 했다.

황태자로서 그런 태도는 분명히 곤란할 텐데 아드리안은 개의치 않았다.

자신을 빤히 응시하는 아티의 시선에 아드리안이 작게 웃으며 그녀를 내려다보았다.

"왜."

"그냥. 고마워서요."

"뭐가 그렇게 고마운데?"

"전부 다요."

"전부 다?"

"네. 제 이야기를 다 들어 주고, 믿어 주고…… 또 이렇게 옆에 있어 주잖아요."

발그레하게 상기된 뺨을 들키지 않으려 그의 시선을 피하며 말하는 아티를 보며 아드리안은 나직한 한숨을 내쉬었다.

하필 길거리고, 하필 테르니와 에센이 뒤에 있는 게 안타까웠다.

'끌어안는 것도 안 되겠지.'

아쉬움을 삼키고 아드리안은 손을 잡고 있는 것만으로 만족했다.

"고마운 건 오히려 나지."

"……뭐가요?"

"겁 많은 네가 결국 내 옆에 남아 줬잖아."

아티는 순간 깜짝 놀랐다. 마음을 읽힌 건가 싶었다.

'몇 번이나 도망치려고 했었는데.'

다시금 마음을 다잡기는 했지만 그런 유혹이 드는 것을 부정할 순 없었다.

또다시 모든 과거를 잊고 달아나 버리면 아무것도 걱정하지 않아도 되니까.

'하지만 포기하고 싶지 않았어.'

그것은 지금도, 앞으로도 후회 없는 결정이었다.

짧은 대화를 나누는 사이 그들은 한스의 집에 도착했다. 아티가 문을 두드리자 곧 문이 열렸다.

"어라. 라라 아니냐? 한동안 안 보이더니 웬일이야?"

"안녕하세요, 한스 아저씨. 혹시 헬머 아저씨 보셨어요?"

"헬머? 그 양반 최근에 못 봤다만."

"최근이면…… 얼마 정도요?"

"한 일주일쯤 됐나? 아, 며칠 전에 길 가다가 마주친 적은 있었어. 어쩐지 바빠 보이던데."

"며칠 전이라면, 언제예요?"

"아마 이틀 전이었지."

하아. 아티는 안도의 한숨을 내쉬었다. 다행히 헬머 아저씨에게 무슨 일이 생긴 것 같지는 않았다.

다만 집을 내팽개치고 돌아다녀야 할 정도로 바쁘다는 사실을 알게 되었다.

"혹시, 헬머 아저씨를 만나게 되면 제가 찾고 있다고, 오비에도 후작 가문으로 연락을 넣어 달라고 전해 주실래요?"

"어어? 오비…… 에도?"

"부탁드릴게요!"

"그, 그래. 알았다."

한스와 작별 인사를 끝마친 아티는 막막한 기분으로 발끝을 노려보았다.

'뭔가 상황이 이상해. 마치 짠 것처럼 엇갈리고 있잖아.'

아티가 멍한 얼굴로 정처 없이 앞으로 나아가자 나머지 세 남자도 바짝 붙어서 뒤를 따라갔다.

'여긴 엘도라도 거리로 가는 길인데.'

헬머가 그곳에 있을 가능성은 없어 보였지만 그들은 일단 아티를 내버려 두었다.

생각에 잠겨 있는 그녀는 자신이 어디로 향하는지도 알지 못했다.

막 좁은 골목에 접어들어 그곳을 빠져나가려던 때였다.

탁―. 아티는 누군가와 어깨를 부딪쳤다. 세 남자가 즉시 아티를 보호하며 경계했다.

아티는 고개를 들었다.

"어……?"

그리고 그녀는 전혀 예상치 못한 곳에서 낯설지 않은 얼굴을 만났다.

✦ ♛ ✦

황제 폐하의 탄신 연회에서 오비에도 가문이 일으킨 소동의 소문이 한차례 지나가고, 사교계에는 또 다른 소문이 돌았다.

"혹시 그 소식 들었어요?"

"어떤 소식인가요?"

"장인 위르겐의 새로운 작품이 또 나올 거라나 봐요! 아마 복귀한다고 하던걸요?"

"어머나!"

얼마 전 황후가 장인 위르겐의 신작을 선물 받았다는 말을 한 이후로 사람들은 장인 위르겐이 복귀할 줄 알았다.

하지만 그 이후로 아무런 작품 소식이 없었다.

어쩌다 한 점 풀린 것에 불과한 것인가 싶었는데, 무려 장인 위르겐이 복귀한단다. 이번에는 진짜였다.

'장인 위르겐의 복귀 소식이라니!'

무슨 일이 있어도 우리 가문이 작품을 소유해야만 한다!

치열한 눈치 싸움과 함께 그 소문은 지방 영지에까지 퍼져 나가기에 이르렀다.

"언제 또 잠적할지 몰라. 그 전에 우리도 한 점이라도 가져야 해. 수도로 올라가거라."

"예."

사교계가 장인 위르겐의 복귀 소식으로 뜨겁게 달아오른 가운데, 소란의 중심인 헬머는 네벨 가문의 저택에 있었다.

네벨 재상은 오랜 소원 성취에 한껏 기분이 좋았다. 그가 껄껄 웃으며 물었다.

"웬일로 자네가 복귀를 결심한 건가?"

"당신이 그토록 바라지 않았나. 뜻대로 못 해 줄 것도 없지."

예라고는 갖추지 않은 대답이었지만 네벨 재상은 전혀 기분이 상하지 않았다.

"그래. 그래야 자네도 좋고, 나도 좋고 그렇지 않나. 잘 생각했어, 암!"

"그러니 라라에게는……."

"당연하지. 절대 건드리지 않을 테니 염려하지 말게."

헬머는 깊은 한숨을 내쉬며 이마를 짚었다. 라라의 생각만 하면 가슴이 꽉 조여 왔다.

'차라리 시골로 보냈어야 했던 건가.'

그는 남들 못지않게 키워 보겠다고 아득바득 수도에 남아 라라를 길렀다.

어느덧 나이가 차자 어쩌다 연이 닿아 황궁 시녀로 보내긴 했지만 늘 불안했다.

'황궁 시녀라면 나중에 좋은 남자를 만나 결혼할 수 있는 확률이 높아지니까 그렇게 하긴 했는데.'

라라의 행복을 위한 결정이었지만 지금에 와서는 잘못된 선택을 했다는 생각을 피할 수가 없었다.

황궁에 있다는 라라가 걱정되어 미칠 지경이었다.

그에 반해 네벨 재상은 시종 얼굴에 미소가 가시지 않았다.

'재수 없는 작자.'

재상을 노려보다 문득 헬머는 자신을 주시하는 누군가의 시선을 느꼈다.

"……?"

고개를 돌리니 금발에 웬 훤칠한 남자가 자신을 응시하고 있었다.

눈이 마주치자 남자가 가볍게 묵례를 하고 사라졌다.

'생긴 건 멀쩡하게 생겼는걸.'

그때 네벨 재상이 헬머에게 말을 걸었다.

"아, 헬머. 신작 발표에 대해선 전적으로 네벨 가문에 맡기는 거겠지?"

"그러시든지."

헬머가 할 일은 그릇을 만드는 것뿐, 발표와 유통에는 관심 없었다.

그렇게 장인 위르겐의 복귀작 '봄'의 발표 소식이 사교계를 한바탕 휩쓸었다.

발표 장소는 네벨 저택. 초대를 받은 극소수의 인물들만이 작품을 감상할 수 있었다.

뜻밖의 네벨 재상의 등장에 사람들은 의아해했다.

"장인 위르겐과 계약을 맺은 것인가요, 재상 각하?"

"허허. 예. 운이 좋았지요."

"어서 보고 싶군요. 장인 위르겐의 복귀작을!"

네벨 재상은 더 이상 지체하지 않고 대기하고 있던 시종에게 눈짓했다.

그는 천을 덮은 트레이를 끌며 나타났다.

"그럼 공개하게."

시종이 천을 걷어 내자 대망의 복귀작이 모습을 드러냈다.

"……!"

백금의 수금으로 섬세하게 테두리를 장식하는 덩굴나무와 그릇을 가로지르는 양각된 선.

"이것은……!"

"나뭇가지?"

"아니네. 짐승의 뿔이야!"

나뭇가지처럼 뻗어 있지만 우아한 짐승의 뿔이 한 번도

세상에 나온 적 없는 독특한 기법으로 표현되었다.

그 아름다운 작품에 사람들은 두 눈을 의심했다.

10년이 흘렀으니 장인 위르겐의 실력도 퇴화했을 거라며 비난하던 호사가들도 하나같이 입을 다물었다.

잠깐의 침묵 끝에, 사람들은 체통도 잊고 네벨 재상에게 달려들었다.

"너무나 신선합니다!"

"저 작품의 현 소유주가 누구입니까? 얼마가 들든 구매하고 싶습니다!"

한바탕 난리가 났다. 흡사 시장 바닥을 연상시킬 정도였다.

고고한 귀족들을 이렇게 안달 나게 할 정도라니, 네벨 재상은 흡족한 미소를 지었다.

'역시 내 판단이 틀리지 않았군.'

무슨 수를 써서라도 장인 위르겐을 포섭한 것은 최고의 선택이었다.

헬머는 그에게 떼돈을 벌어다 줄 노다지였다.

장인 위르겐의 작품을 감상한 소수의 사람들은 자신이 본 것을 다른 사람에게 전하기 시작했다.

"혹시 부인께서는 보셨나요? 이번 장인 위르겐 복귀작 말이에요!"

"당연하죠. 아주 아름다운 작품이었답니다. 그런 기법은 듣도 보도 못했어요."

"어쩜. 저도 꼭 한번 보고 싶네요……."

본 사람들은 자랑하듯 떠들어 대고 보지 못한 사람들은

그저 부러워만 하는 시간.

후자에는 지고한 신분의 황후도 포함되어 있었다.

"그토록 아름다웠다지?"

"예, 황후 폐하. 정말로 봄을 보는 듯 화사하고 아름다웠다고 합니다."

"흐음."

장인 위르겐의 작품이라면 아무것도 묻지도 따지지도 않고 모으는 열성적인 팬인 황후로서는 몸이 달 수밖에 없었다.

"네벨 재상은 장인 위르겐과 어떻게 접촉할 수 있었던 거지?"

"전부터 교류하던 사이라고 합니다."

"그래? 그렇다면…… 장인 위르겐의 거취를 알아볼 수 있겠니?"

"예, 황후 폐하."

아무리 조사를 해도 무엇도 나오지 않던 예전과 달리, 지금 장인 위르겐의 거처를 알아보는 건 그리 어렵지 않았다.

황후의 직인이 찍힌 초대장이 랭트리 거리의 장인 위르겐 앞으로 도착했다.

당연히 은둔하는 성격상 아무리 황후의 초대라고 해도 거절할 줄 알았건만, 장인 위르겐이 전해 온 답은 참석하겠다는 승낙이었다.

그레이스 궁은 비상사태에 접어들었다.

"자, 빨리빨리 움직여!"

"폐하께서 저 장식은 고루하니 치우라고 하셨다!"

현재 사교계에서 최고의 화두로 떠오른 장인 위르겐을 맞기 위한 준비는 분주했다.

장인 위르겐을 위한 파티의 참여 인원은 그리 많지 않았다.

황후와 친밀한 가문의 사람들과 오비에도 가문의 사람들, 그리고 네벨 가문과 외척 가문 쪽의 사람들 정도였다.

아티를 비롯한 황태자와 그 측근들에게도 초대장이 도착했다.

"장인 위르겐을 위한 파티……."

초대장을 바라보는 아티의 표정이 그리 밝지 않았다.

장인 위르겐의 복귀는 그저 갑작스러웠다. 황궁에서 헬머 아저씨를 볼 수 있을 거라 생각했던 적은 없었으니까.

자신 때문에 벌어진 일이라 생각하자 마음이 한없이 무거워졌다.

'내가 마음대로 황후 폐하께 선물해 드리지만 않았어도 아저씨가 다시 세상에 모습을 드러낼 일은 없었을 텐데.'

아티는 헬머를 만나기 위해서라도 황후의 초대를 흔쾌히 수락했다.

바야흐로 시간이 흘러 파티 당일이 되었다. 우아하게 꾸며진 그레이스 궁이 개방되었다.

부드럽게 흐르는 선율과 사소한 곳까지 신경 쓴 홀의 모습에 입장하는 사람들의 눈이 휘둥그레졌다.

아드리안의 에스코트를 받으며 입장한 아티는 연신 주위를 살폈다.

하지만 헬머의 모습은 보이지 않았다.

"왜 그래?"

"아니에요."

초조한 마음을 아는 건지 부드럽게 힘주어 잡는 아드리안의 손길에 아티는 옅게 미소 지었다.

초대된 이들이 모두 입장하고, 머지않아 황후가 모습을 드러냈다.

"모두들 이렇게 내가 개최한 파티에 참석해 주어 매우 고맙군요. 의미가 깊은 날이니만큼 이 파티를 즐겁게 즐겨 주었으면 하네요."

황후의 인사가 끝나자 멈췄던 음악이 다시 연주되었다.

사람들의 두 눈은 호기심으로 반짝였다.

그들의 목적은 아름다운 그레이스 궁의 홀도, 맛있는 먹거리도 아니었다.

오로지 장인 위르겐! 그뿐이었다.

그에 화답하듯 황후가 눈짓하자 굳게 닫힌 홀의 문이 다시 활짝 열렸다.

뚜벅, 뚜벅.

대망의 장인 위르겐이 모습을 드러냈다.

"오오……."

"저 사람이 바로!"

베일에 휩싸여 있던 장인 위르겐의 등장에 사람들은 흥분을 감추지 못했다.

어색한 정장을 갖춰 입은 헬머는 불쾌한 표정으로 홀에 입장했다.

‘이래서 귀족 노릇 하기 싫었는데 말이야.’

이름뿐이긴 하지만 작위를 가지고 있던 헬머는 귀족 특유의 허례허식을 싫어했다.

이름이야 어찌 됐든 그는 스스로를 평민이라고 여겼다.

헬머는 시종의 안내를 받아 황후 앞에 섰다.

“어서 오게. 장인 위르겐.”

“아르칸젤로의 축복이 함께하시기를. 황후 폐하를 뵙습니다.”

“후후. 그리 어렵게 인사하지 않아도 된다네.”

헬머를 응시하는 황후의 표정이 부드러웠다.

“10년 전부터 자네의 작품을 내 아주 좋아했지.”

“제 부족한 그릇을 높게 평가해 주시니 그저 영광입니다.”

“부족한 그릇이라니. 아니야. 갑자기 사라져 버려 얼마나 슬펐던지……. 지금이라도 활동을 재개하다니 정말 기쁘다네.”

황후는 연신 헬머에게 질문과 호의를 표했다. 그는 대답하면서도 주위를 두리번거렸다.

마침내 헬머는 바라던 사람을 발견했다. 그의 두 눈이 휘둥그레졌다.

늘 낡은 드레스를 입고 있던 꼬마 소녀는 어느새 어엿한 숙녀가 되어 있었다.

‘이미 알고는 있었지만, 황태자의 약혼녀라니…… 정말 놀랍군.’

그를 응시하는 아티의 두 눈이 촉촉했다. 헬머는 입꼬리를 끌어 올려 웃어 주었다.

"이런. 귀한 시간을 붙잡고 있었군. 다른 사람들도 자네에 대해 궁금해할 텐데 말이야."

황후의 손짓에 헬머는 귀빈을 위한 자리로 안내되었다.

서로 눈치만 보던 사람들은 슬금슬금 헬머에게로 다가갔다. 처음 사교계에 모습을 드러낸 장인 위르겐에 대한 관심은 지대했다.

하지만 헬머의 대답은 한결같았다.

"글쎄요."

"잘 모르겠습니다."

"죄송합니다. 그건 제 전문이 아니라 답을 드릴 수가 없습니다."

사교계에 데뷔한 것치고 헬머의 태도는 지나치게 방어적이었다.

결국 끈질긴 몇 명만 남고 사람들은 금세 자리를 비켰다.

파티의 분위기가 한창 무르익었을 때였다.

줄곧 잠자코 있던 네벨 재상이 황후의 앞에 섰다.

"아르칸젤로의 축복이 함께하시기를. 지고하신 황후 폐하께 감히 드릴 말씀이 있습니다."

사람들의 이목이 집중되었다. 나른하게 눈을 감고 있던 황후가 눈을 떴다.

"무슨 일인가요?"

숨 막히는 정적이 흘렀다. 모두의 주목 속에서 네벨 재상이 소리쳤다.

"저 아이는 오비에도가 아닙니다!"

재상이 손가락으로 정확히 가리킨 사람은, 바로 아티였다.

그곳에 존재하는 사람들의 시선이 모두 아티에게로 쏠렸다.

그들은 네벨 재상의 말을 이해하지 못하고 그저 어리둥절해하기만 했다.

"오비에도가 아니라니?"

"그게 대체 무슨 소리입니까?"

아티가 실은 빌바오 가문의 여식이며 오비에도 가문의 양딸이라는 사실을 아는 사람은 황가 사람과 그의 측근 소수였다.

황가에서 이 사실에 대해 쉬쉬했기에 가능한 일이었다.

대부분의 사람들은 아티가 오비에도 가문의 숨겨져 있던 친딸인 줄로만 알았다.

오래전에는 한때 오비에도 후작의 사생아가 아니냐는 말이 나돌긴 했으나 후작 부부의 금슬에 소문은 쏙 들어갔다.

"후작. 재상의 말이 무슨 뜻인지 설명해 주시지요!"

"오비에도 부인. 설마 소문이 진실이었던 것입니까?"

오비에도 가문의 사람들에게도 질문이 쇄도했다. 하지만 그들은 아무 대답도 하지 않고 침묵을 지켰다.

졸지에 헬머를 위한 파티는 변질되어 아티를 추궁하는 장이 되었다.

사람들의 시선을 한 몸에 받은 아티의 표정이 굳었다.

"물러나라."

아티에게 말을 걸려던 사람들은 옆을 지키고 있는 아드

리안과 그 측근들의 살벌한 분위기에 눌려 슬금슬금 물러났다.

뜻밖의 고발을 듣게 된 황후는 내심 놀랐다.

'네벨 재상이 아티가 사실 양딸임은 도대체 어떻게 안 거지?'

어쨌든 이미 황가 식구들 선에서 이야기가 끝난 일이었다. 황후는 요제프 후작에게 눈짓했다. 그의 선에서 알아서 끝내라는 의미였다.

후작은 감사의 뜻을 담아 고개를 살짝 숙여 인사한 후 앞으로 나섰다.

"갑자기 그런 말도 안 되는 소문을 어디서 듣고 오셨는지는 모르겠으나, 아티는 틀림없는 제 딸입니다. 이전에도 비슷한 소리를 지껄이시더니 또 이렇게 저희 가문에 대한 모욕을 하실 줄은 몰랐군요."

"모욕? 모욕이라고 했나?"

"재상께서도 그런 헛소문을 믿으시는군요."

"역시 발뺌할 거라고 생각했네, 오비에도 후작. 제법 철저하게 준비하셨더군. 하마터면 나 또한 속아 넘어갈 뻔했으니까."

나무라는 요제프 후작의 말에도 재상이 당당하게 답하자 군중들은 빠르게 눈빛 교환을 하며 속닥이기 시작했다.

"뭐야, 진짜인가?"

"설마 재상이 이런 자리에서 헛소리를 할 리가 없잖아요?"

"그렇죠. 절대 손해 보기 싫어하는 성격이시니."

아티를 향한 눈길에 점점 의심이 섞였다. 아드리안은 표정을 더욱 굳히며 아티의 손을 붙잡았다.

아티는 말 없는 배려에 아드리안을 올려다보며 웃어 주었다.

그러나 재상의 말은 끝나지 않았다.

"그 아이가 진짜 오비에도라면 어째서 데뷔탕트를 치를 나이도 넘길 때까지 숨겨 왔던 것입니까?"

"아이의 몸이 약하기 때문입니다."

"건강 말고는 핑계를 댈 것이 없으십니까?"

재상이 비아냥거리며 웃었다.

곳곳에서 선동당한 사람들 몇몇 또한 웃음을 터트렸다.

요제프 후작이 차분히 답했다.

"네벨 재상. 황후 폐하께서도 계신 자리입니다. 말을 삼가시죠."

"황후 폐하께서 계시기 때문에 더욱이 말씀드려야 하지 않겠습니까? 명색이 공신 가문이라는 오비에도 후작가에서 사람들을 상대로 딸의 출신을 속이고 있으니 말입니다. 이것은 황가를 기만하는 일이나 다름없습니다."

분위기가 싸늘하게 가라앉았다. 사람들은 흘긋 황후를 바라보았다가 시선을 내리깔았다.

그 숙연한 분위기 속에서 한 사람이 걸어 나왔다.

"……!"

담담한 얼굴로 나선 이는 바로 아티였다.

"아티!"

카밀라가 그녀를 급하게 붙들었지만 아티는 웃으며 고개를 저었다.

"괜찮아요, 엄마."

"네가 나설 필요까지 없는 일이야. 아버지가 해결하실 거다."

"아니에요. 이건 제가 해결해야 할 문제예요."

아티가 씩씩하게 미소 지었다.

"언제까지고 가족들의 뒤에 숨어 있을 수는 없잖아요."

카밀라의 손에서 스르르 힘이 빠졌다. 아티는 다시 뒤돌아 홀의 중앙에 섰다.

사람들의 시선이 칼날처럼 파고들었지만 아티는 전혀 주눅 들지 않았다.

'여기서 주눅 들면 안 돼.'

그건 자신은 물론이고 아티를 믿어 준 가족들과 소중한 사람들을 욕보이는 일이었다.

떨리고, 두렵지만 직접 해야만 했다.

재상이 그런 아티를 보며 입꼬리를 비죽 올렸다.

"호오, 오늘의 주인공이 나오셨군요. 어디 할 말이 있다면 해 보시지요."

"저는 오비에도입니다."

"그런 말뿐으로 넘어갈 수 있을 거라 생각하나?"

아티는 고개를 가로저으며 목에 걸린 블루 다이아몬드 목걸이를 풀어 사람들 앞에 내보였다.

"저는 오비에도입니다."

카밀라가 준 그것은 언젠가 황후 앞에서도 내보였던 것이었다.

자신이 오비에도인 증거.

"저것은……!"

"볼카사의 가풍이 아닙니까!"

아이가 건강하길 바라는 마음에 이름을 새긴 보석을 부여하는 건 카밀라의 친정인 볼카사 가문의 가풍이었다.

마탑 출신인 카밀라가 직접 새겨 넣은 글자는 할 수 있는 이가 손에 꼽을 정도로 희귀한 마법이었다.

"아무리 다른 이들이 낭설을 퍼뜨린다 해도 저는 오비에도입니다. 이 목걸이가 그 증명입니다."

카밀라의 딸임을 증명하는 블루 다이아몬드 목걸이. 그것만으로 대답은 충분했다.

아티의 당당한 선언에 그 누구도 함부로 입을 열지 못했다.

그것은 카밀라와 요제프도 마찬가지였다.

"아티……."

언제나 자신이 오비에도라는 사실에 낯설어하던 아티가 보여 준 결심에 절로 눈시울이 붉어졌다.

처음으로 아티가 자신이 오비에도임을 남들에게 당당하게 증명하는 순간이었으니까.

"역시 뜬소문이었군요."

"그러게 말입니다."

사람들은 아티의 증명에 쉬이 수긍하고 고개를 끄덕였다. 황후 또한 안도의 한숨을 내쉬며 의자에 몸을 파묻었다.

하지만 복병은 아직 남아 있었다.

"고작 목걸이가 증명이라니, 참으로 얄팍한 가풍입니다."

네벨 재상이 비소를 지으며 카밀라를 도발한 것이다. 그에 침묵을 지키던 황후가 미간을 미미하게 찌푸렸다.

"오늘은 참 소란스럽군요. 재상, 이 기쁜 날 기분을 망치고 싶지 않으니 그쯤 해 두는 것이 좋을 듯한데……."

황후가 미소 짓자 네벨 재상의 눈빛이 돌변했다. 재상은 황후를 향해 무릎을 꿇었다.

"이것은 모두 황가를 위한 저의 충정에서 비롯된 것입니다. 도무지 진실을 알고서 가만히 있을 수가 없습니다. 여러분은 모두 속고 있단 말입니다, 저 앙큼한 계집에게!"

아티는 자신을 바라보는 재상의 시선을 담담히 마주 보았다.

'언제까지 그렇게 웃을 수 있나 보자.'

재상이 입꼬리를 올렸다.

"오비에도 후작. 후작께서는 저 아이의 신분이 빌바오 가문이라고 알고 있을 것입니다."

새로 등장한 가문의 이름에 사람들이 크게 웅성대기 시작했다.

황후의 표정이 일그러졌다.

'대체 왜 저런 악수를 두는 거지?'

자신이 언짢아하는 것을 알면 그만둘 법도 하건만 계속해서 재상이 오비에도 가문을 들쑤시는 이유를 알 수가 없었다.

무작정 오비에도가 아니라는 주장과는 달리 '빌바오'라는 가문의 이름이 등장하자 분위기는 급속도로 바뀌었다.

요제프 후작의 표정이 굳었다.

"……재상."

"더 말씀이 없으신 걸 보니 반박할 수 없으신 모양이군요."

정확한 가문의 이름까지 거론되었으니 후작은 더는 부정하지 않았다. 재상은 자신의 승리를 확신했다.

"당신들이 빌바오 가문의 여식이라 철석같이 믿고 있던 저 아이는 사실 빌바오도 아니란 말입니다!"

군중은 급속도로 흘러가는 상황에 그저 웅성거리기만 했다.

오비에도 가문의 사람들과 황태자의 측근은 침묵했다. 황후는 화들짝 놀랐다.

'빌바오 가문이 아니라고? 그럼 저 아이는 대체…….'

황후의 시선이 위태롭게 서 있는 아티에게 향했다. 그녀는 애써 드는 의혹을 죄 밀어냈다.

이미 한 번 아티를 내친 적 있는 황후였다.

또 섣부른 판단으로 마음에 품은 아이를 내치는 과오를 저지를 수 없었다.

황후는 메리에게 이 상황을 황제에게 알리라고 속삭인 후 다시 고개를 들었다.

"재상. 그대의 발언에 신중을 기하는 것이 좋을 것입니다. 증거도 없이 타인을 모함하는 것은 아니겠지요?"

황후는 재상에게 나직이 경고했지만 재상은 눈도 깜빡하지 않고 답했다.

"물론 증거가 있습니다."

재상이 제 시종에게 눈짓하자 그는 눈치껏 밖으로 나가 누군가를 데리고 왔다.

비교적 깨끗하게 차려입었다고는 하지만 숨길 수 없는 허름한 옷감.

어떻게 보나 귀족은 아닌 차림새의 늙은 남자였다.

이 장소와 어울리지 않는 평민의 등장에 귀족들이 소란스러워졌다.

소란을 잠재운 황후가 물었다.

"저자는 누구입니까?"

황후의 질문에 늙은 남자가 무릎을 꿇었다.

"아, 아르칸젤로의 축복이—."

"인사는 되었다."

"저는 빌바오 가문과 오랫동안 교류하던 상단의 상단주 차, 찰스라고 합니다."

설마 했던 증인의 등장에 소란스러움은 걷잡을 수 없이 번져 나갔다.

아티는 어두운 표정으로 그저 관망하고 있었다. 재상이 그런 그녀를 손가락으로 지목했다.

"빌바오 가문과 오래 교류했다면 알겠지. 찰스. 저 아이가 빌바오의 여식이 맞는가?"

"송구합니다. 빌바오 가문은 이미 몰락한 지 오래로…… 그 여식 또한 이미 죽었습니다!"

그 발언에 재상이 폭소를 터트렸다.

"근본도 모르는 아이에게 속은 멍청한 가문이 바로 오비에도일 줄이야!"

"……"

"천하의 오비에도도 별수 없구먼 그래!"

오비에도 가문 사람들은 아무 말도 하지 않고 그저 인상을 찌푸렸다.

상황을 따라가지 못하는 군중이 서로 눈치만 보고 있는 가운데, 홀의 문이 열렸다.

"위대하신 아펜니노의 태양, 황제 폐하이십니다!"

황제의 등장이었다.

소란의 중심을 빙 둘러싸고 있던 귀족들이 약속이라도 한 듯 고개를 조아리며 옆으로 물러났다.

황제는 그 사이를 유유히 거닐며 황후 쪽으로 향했다.

등장 이후 아무 말도 하지 않았건만 절로 느껴지는 황제의 위압감에 찰스는 덜덜 떨며 이마가 땅에 닿도록 몸을 조아렸다.

황후가 일어나 자애롭게 웃으며 황제를 맞았다.

"어찌 그쪽 출입문으로 오시는지요, 폐하."

"제법 주목받는 편을 즐기는 터라."

"다음부터는 그러시면 안 됩니다, 폐하. 귀감이 되셔야지요."

"알겠소, 황후. 그나저나 황후께서 파티를 열었다기에 한번 들러 보았는데 분위기가 심상치 않군."

황제의 붉은 눈동자가 홀을 가볍게 훑었다.

아티와 요제프 후작, 네벨 재상을 차례로 본 시선의 마지막 종착지는 바로 낯선 얼굴인 찰스였다.

"못 보던 얼굴이 있는데."

"아, 아르칸젤로의 축복이 함께하시기를!"

찰스가 넙죽 엎드리며 예를 갖추었다. 카를로만 황제는 고개를 끄덕이며 어느새 마련된 자리에 앉았다.

분위기가 묵직하게 가라앉았다.

황제도 상황을 전부 파악한 건 아니었다.

갑자기 찾아온 황후의 시녀가 아티를 둘러싸고 재상이 출신 의혹을 제시했다기에 발길을 재촉했을 뿐.

요제프 후작 쪽을 슬쩍 보았다가 두 눈이 마주쳤다. 황제와 눈이 마주친 후작이 옅은 한숨을 내쉬며 고개를 끄덕였다.

'곤란한 상황이라는 의미군.'

자신의 개입이 불가피함을 깨달은 카를로만 황제는 재상을 바라보았다.

"네벨 재상. 이 상황에 대한 간략한 설명을 들을 수 있겠나?"

"굳이 폐하께서 나설 정도의 일은 아닙니다."

"그것은 짐이 판단할 일이네."

황제의 단언에 재상은 잠깐 고뇌했다.

'이렇게까지 일이 커지면 안 되는데.'

헬머와의 거래 조건에 저 아이를 무사히 빼내는 것이 포함되어 있었다.

황후의 선에서라면 어떻게든 빼낼 수 있겠지만 황제에게까지 사건이 넘어가면 이야기가 달라진다.

하지만 여기까지 온 순간 물러나는 일은 있을 수 없었다. 끝을 보긴 해야 했다.

"고합니다. 폐하. 오비에도 가문의 여식인 레이디 아티엔느의 출신에 의혹이 있어 그에 관해 황후 폐하께 말씀을 드리고 있었습니다."

"의혹이라?"

"레이디 아티엔느는 사실 오비에도 가문이 아닌 빌바오 가문의 여식입니다."

당연히 황제가 놀랄 것이라 생각하고 재상이 회심의 대사를 던졌지만 카를로만 황제는 그저 허허 웃을 뿐이었다.

'이미 알고 계셨군. ……그래. 그건 그럴 수 있다. 하나 이 사실을 알지 못하실 테지.'

헬머는 아티를 가리키며 외쳤다.

"한데 저 여자는 사실 빌바오 가문의 여식도 아니었습니다. 증인으로 빌바오 가문과 교류하던 상단주를 데리고 와 대질하던 중이었습니다!"

"흠?"

그것은 황제도 처음 듣는 소식이었다. 그의 표정에 미미한 변화가 생기자 재상은 더욱 신이 났다.

"찰스. 황제 폐하의 앞에서 한 번 더 말씀드리게."

"예, 예. 빌바오 가문과 20년이 넘도록 교류하였으니 당연히 여식과 마주친 적이 있습니다. 저분께서는 제가 아는 빌바오 영애와 생김새조차 일치하지 않습니다."

찰스가 아티를 흘긋 쳐다보며 말했다. 황제는 턱을 쓰다듬으며 침음을 흘렸다.

"레이디 오비에도?"

"예, 폐하."

"직접 항변해 보게나."

요제프 후작이 나서려고 했지만 아티가 고개를 저으며 한 발짝 나왔다.

그녀는 높은 곳에 앉은 황제를 당당히 바라보았다.

"저는 오비에도입니다."

그 누가 아니라고 해도 이미 자신은 오비에도였다. 아티의 선언에 카를로만 황제는 내심 놀랐다.

'여리게만 보던 아이였는데, 강단이 있었군.'

몰아붙이는 재상이 두려울 법도 한데 떨지 않는 것이 아주 기특했다. 역시 며느릿감으로 손색이 없었다.

한데 빌바오 가문의 여식이 아니라는 말이 마음에 걸렸다.

그때였다. 상황을 관전하고 있던 테르니가 손을 들어 크게 목소리를 내었다.

"폐하! 겨우 증인 한 명으로 이 많은 사람들을 설득할 수는 없다고 생각합니다!"

"흐음……."

싱글벙글 웃고 있는 테르니의 얼굴에 황제는 언뜻 불길함을 느꼈다.

"그건 그렇지. 이런 사건일수록 신중하게 다뤄야 하는 법이오. 국사를 다루는 재상이 이런 기본적인 걸 모를 리는 없을 텐데?"

"그것이……."

당연히 속전속결로 상황이 종결될 것이라 믿었던 재상은 생각 외로 사건이 길어지자 불만스러워졌다.

'안 되겠다. 그 수를 쓰는 수밖에.'

주위를 두리번거리던 재상은 곧 한 사람을 발견했다. 그 사람은 이 파티에 귀빈으로 참석한…….

"두 번째 증인으로 장인 위르겐을 세우겠습니다!"

위르겐 헬머였다.

군중들의 의아한 시선이 모조리 헬머에게로 꽂혔다.

'결국 올 게 왔군.'

헬머는 담담하게 홀 정중앙으로 나왔다.

자신의 의도대로 헬머가 순순히 따르자 재상의 기분이 더욱 좋아졌다.

"장인 위르겐을 증인으로?!"

"상황이 어떻게 돌아가고 있는 거야!"

사람들의 아우성이 곳곳에서 터졌다. 황후의 표정 또한 복잡해졌다.

귀빈으로 초청했다가 난데없이 증인 노릇을 시키게 되어 버렸으니까. 황후는 신중하게 물었다.

"장인 위르겐은 빌바오 가문과 어떤 관계기에 증인으로 나선 것인지 궁금하네요."

"장인 위르겐 또한 이전에 빌바오 가문과 교류한 적이 있습니다."

재상이 대신 답하자 황후가 허락을 구하듯 헬머를 응시

했다. 그는 선선히 고개를 끄덕였다.

"그렇습니다."

사실 빌바오 가문과 교류는커녕 그저 신분을 산 것밖에 없었다. 하지만 네벨 재상과 이미 합의한 사항이었다.

황제가 하문했다.

"위르겐. 네벨 재상은 지금 레이디 오비에도가 사실 오비에도가 아니며 빌바오 가문이라고 속였으나 그 또한 아니라고 주장하고 있네. 그것이 정녕 진실인가?"

헬머는 시선을 살짝 돌렸다. 재상과 눈이 마주쳤다. 그는 강요하듯 두 눈을 치켜뜨고 있었다.

헬머는 허탈한 듯 웃으며 고개를 조아렸다.

"그렇습니다. 저 여자는 빌바오가 아닙니다……."

재상의 만면에 미소가 번졌다.

실제 상황이 닥치면 약속과 다르게 행동하면 어쩌나 걱정했으나 다행히 헬머가 자신의 의도대로 움직였다.

'드디어 소원을 성취할 수 있게 되었군!'

재상은 새삼 놀란 것처럼 숨을 몰아쉬며 낯빛이 어두운 아티를 척, 가리켰다.

"보십시오! 어느 가문인지도 모르는 저 여자를! 저런 출신도 모르는 여자를 황태자 전하의 약혼녀로 둘 수는 없는 노릇입니다!"

웅성웅성. 헬머의 증언에 사람들은 너도나도 재상의 말을 믿기 시작했다.

그러자 재상은 더욱 신이 나 상황을 극적으로 몰아가기

시작했다.

"당장 저 여자를 잡아들여 구금해야 합니다! 황가를 기만하고 농락한 죄, 죽어서도 씻지 못할 것입니다! 여봐라, 무엇 하느냐! 얼른 잡아들이지 않고!"

그 말에 홀 곳곳에 자리 잡고 있던 병사들이 몇 발짝씩 다가오기 시작했다.

분위기가 사뭇 흉흉하게 변했을 때였다.

"큭……."

순간 누군가가 비웃는 듯 짧은 웃음을 터트렸다.

그 주인공은 다름 아닌 헬머였다. 모두의 시선이 그에게 집중되었을 때 헬머는 아티를 가리키며 크게 외쳤다.

"그렇습니다. 저 여자는 빌바오가 아닙니다. ……엘라디스토입니다!"

잠깐 죽음 같은 적요가 흐른 후.

"……엘라디스토!"

누군가의 외침과 동시에 정신이 없을 정도로 주변이 소란스러워졌다.

황제 또한 자리에서 벌떡 일어났다.

엘라디스토.

그것이 어느 가문이던가. 바로 반역으로 가주가 처형당했던 대역 죄인의 가문이 아닌가!

"그, 그, 그게 무슨……!"

갑작스러운 헬머의 폭로에 놀란 것은 재상도 마찬가지였다.

'웬 고아를 데려다 신분 위장을 했다 했더니…… 엘라디

스토의 아이였던 건가?!'

어째서 헬머가 여자아이를 데려다 키우는지 의아했건만 그 이유를 비로소 알게 되었다.

네벨 재상의 경악한 시선을 마주 본 헬머는 웃음을 터트렸다.

"그래. 줄곧 이 순간을 기다려 왔지……."

평생을 감추고 있던 비밀을 폭로하니 그동안 묵은 체증이 쑥 내려가는 기분이었다.

헬머는 아티를 보며 미소 지었다.

아티의 정체를 폭로하여 약혼녀의 자리에서 끌어내릴 것이라는 계획을 들은 그날.

아티를 만나기 위해 엘도라도 거리를 거닐던 헬머가 원하던 이를 마주친 건 우연이었다.

그날 그는 자신이 아티를 지키기 위해 감춰 온 진실이 이미 드러났음을 알게 되었다.

"……네가 당당하게 살았으면 했다. 반역죄로 처형당한 엘라디스토의 여식이 아닌. 비록 몰락했으나 떳떳한 빌바오의 여식으로."

"헬머 아저씨가 저를 위해서 그러셨다는 거 알아요."

"미안하다, 라라. 너마저 잃을까 봐 겁이 났다."

헬머는 아티에게 10년 전 일어났던 모든 진실을 고백했다.

엘라디스토 가문의 공방은 헬머를 위시한 많은 장인들로

제법 성황을 이루었고, 네벨 재상은 호시탐탐 장인들과 가문의 물건을 탐냈다.

기어코 제스토 백작이 자신의 뜻에 따르지 않자 네벨 재상은 공방을 자신의 소유로 만들기 위해 음모를 꾸몄다.

바로 공방 물건 중 가장 인기가 높은 헬머의 그릇을 증거로 클라우차 반역 사건에 가담한 제스토 백작을 반역자로 몰아간 것이었다.

그 의도대로 엘라디스토는 반역 가문으로 낙인찍히고 식솔은 모두 도주하게 되었다.

재상이 한 가지 간과한 게 있다면, 제스토 백작에 대한 장인들의 의리였다.

아무리 어마어마한 금액을 제시받아도 그들은 결코 네벨 가문의 아래로 들어가지 않았다.

그들에게 네벨은 원수였다.

"세상은 몰라도 우리는 진실을 알고 있었다. 엘라디스토는 우리 때문에 오명을 쓰게 된 것을……."

"그럴 줄 알았어요. 아버지는 반역을 저지르실 분이 아니니까요."

"그래. 그리고 그것은 모두 나 때문—."

"모함이죠. 네벨 재상의."

"……."

헬머는 할 말을 잃었다.

줄곧 지켜 주고 보살펴 주어야 할 아이라고 생각했던 라라가 너무나 결연한 얼굴을 하고 있었으니까.

"걱정 마세요, 아저씨."

"라라."

"결국 모든 건 제자리로 돌아가게 될 거예요."

단언한 아티가 환하게 웃었다. 헬머는 그 미소에 어쩔 수 없다는 듯 웃고 말았다.

딸이 독립하겠다고 제게 선언한다면 이런 기분일까.

그 이후로 상의는 순조롭게 진행되었다. 아드리안과 테르니가 개입하여 함께 계획을 짰다.

재상을 함정에 빠트릴 계획을.

난데없는 헬머의 복귀도, 궁지에 몰린 척 신분을 밝히게 될 아티도 모두 그를 위한 포석이었던 것이다.

그리하여 지금.

헬머는 한 발짝 물러났다.

이제 그가 맡은 역할은 모두 끝났다. 지금부터는 아티와 그녀가 믿는 사람들의 싸움이었다.

재상의 얼굴이 희게 질렸다.

'이 사건이 왜 갑자기? 혹여나 이 사건이 재조사되게 된다면……!'

끝이다. 누군가 개입했음이 들통나게 될 것이다. 그게 자신이라는 것도.

그 상황을 막기 위해서는 어떻게 해서든 지금 여기서 저 여자를 처리해야만 했다.

이미 머릿속에 헬머와 했던 약속 따위는 날아간 지 오래였다.

"그, 그럴 수가. 엘라디스토는 반역 가문이 아닙니까! 반역 가문의 생존자가 있다니 믿을 수 없습니다. 어서 처형하시지요, 폐하!"

네벨 재상은 펄펄 날뛰며 아티를 몰아갔다.

웅성거리는 사람들의 분위기와 가라앉은 황제와 황후의 표정을 보건대 아직 희망이 있다고 믿었다.

그때까지는.

지금까지 잠자코 있던 아드리안이 피식 웃었다.

'모든 게 계획대로군.'

아드리안의 눈짓에 테르니가 고개를 끄덕였다. 테르니가 앞으로 나섰다.

"폐하, 엘라디스토에 관해 드릴 말씀이 있습니다."

"호오, 무엇이냐?"

황제가 관심을 보이자 재상이 사색이 되어 날뛰었다.

"폐하, 들을 가치도 없습니다. 엘라디스토입니다. 당장 붙잡아 처형해 나라의 기강을 바로 세우는 것이—!"

"죄가 있다면 당연히 처형해야겠지만 이 사건엔 의문점이 많습니다."

날뛰던 재상이 테르니를 노려보았다. 테르니가 빙그레 웃었다.

"평소엔 냉철하시던 재상 각하께서 오늘은 왜 이리 안절부절못하시는지 참 궁금하군요."

선득한 테르니의 음성이 재상의 말을 끊어 놓았다. 테르니는 환하게 웃고 있었으나 두 눈빛만은 살벌했다.

"지, 지금 이게……!"

"뭐 찔리시는 거라도 있으십니까, 재상 각하?"

"……!"

입술에 아교라도 붙인 것처럼 재상이 입을 다물었다. 테르니는 그에게 신경 끄고 정면을 바라보았다.

모든 이들이 테르니에게 집중했다.

"그렇습니다. 장인 위르겐의 말대로 아티는 엘라디스토의 여식이 맞습니다."

"……!"

웅성웅성. 잠깐 소란이 일었으나 테르니가 입을 열자 금세 조용해졌다.

"당시 엘라디스토 가문은 클라우차 공작의 반역 사건에 가담했다는 죄목으로 처형당했습니다. 클라우차 공작에게 자금을 대고 있었다는 것이 그 증거였죠. 증인 세 명, 클라우차 공작 저택에서 발견된 다수의 도자기, 그리고……."

테르니의 시선이 네벨 재상을 향했다.

"네벨가의 증언."

"……!"

테르니가 여러 장의 서류를 시종장에게 전달했다. 황제가 그 서류를 받았다.

"폐하, 엘라디스토에 관해 남아 있는 황실 기밀 서류를 찾아보았으나 제가 밝힌 이 '증거'와 관련된 자료는 모두 소실되었습니다. 지금 제가 제출한 자료는 전부 직접 찾은 자료입니다. 당시 재판소에 남아 있던 서류와 당시 재판장이었던 백작의 증언, 그리고……."

테르니가 네벨 재상을 차갑게 노려보았다.

"그래픈 자작의 증거입니다."

"!"

그래픈 자작이라는 이름에 모두 서로의 얼굴을 돌아보았다. 현재 그래픈 자작은 사교계에서 모습을 감춘 지 오래라 사람들의 기억에서 지워진 지 오래였다. 그건 황제도 마찬가지였다.

"그래픈 자작?"

그 당시라면 지금의 그래픈 자작이 아닐 터.

"엘라디스토의 반역죄를 고발했던 자작입니다. 그 이후에 급성 심장 마비로 세상을 뜨셨죠."

테르니가 품에서 낡은 종이 한 장을 꺼냈다.

"이 유서에 모든 진실이 담겨 있습니다. 그래픈 자작은 혹시나 자신이 암살당할까 봐 걱정한 나머지 모든 증거를 비밀리에 숨겨 두었습니다."

테르니가 유서를 시종장에게 넘겼다.

유서를 받아 든 시종장이 막 황제 손에 넘기려는 순간, 네벨 재상이 뛰어들었다.

"!!"

갑자기 달려든 네벨 재상이 유서를 갈기갈기 찢더니 그대로 입 안에 넣고는 꿀꺽, 삼켰다.

"이게 대체 무슨 짓인가!"

황제가 노성을 냈으나 네벨 재상은 그저 웃을 뿐이었다.

"폐하께 이런 불경한 것을 보여 드릴 수는 없습니다. 큭, 저는 오로지 충심으로 폐하를 보필하는…….."

"……재상을 붙잡아라."

"예, 폐하!"

근위대가 재상의 팔을 붙잡았지만 이미 증거는 사라진 상황이었다. 모두가 아차 하는 순간이었다.

"후, 이럴 줄 알았지."

테르니가 다시 품 안에서 종이 한 장을 꺼내 들었다.

"!!"

재상이 경악했다. 넋을 놓은 재상의 표정을 구경하며 테르니가 고개를 가로저었다.

"어휴, 사람들은 왜 이런 중요한 증거를 그냥 넘겨주는지 모르겠습니다. 멍청하게."

싱긋 웃은 테르니가 이번엔 아드리안에게 증거를 넘겼다. 아드리안이 직접 그래픈 자작의 유서를 황제에게 갖다 바쳤다.

"폐하, 엘라디스토 가문의 반역은 모함입니다. 엘라디스토는 폐하에 대한 충절을 저버린 적이 없었으며 끝까지 충성을 지켰습니다."

황제가 그래픈 자작의 유서를 읽었다.

진위 여부는 신중하게 판단해야 할 터이지만 이것이 진짜라면 테르니의 말도 전부 사실이었다.

"이것은 모두 네벨 가문이 엘라디스토의 공방을 탐내 벌인 일이며, 엘라디스토는 증거부터 고발 재판까지 모두 재상의 손아귀에 놓아났을 뿐입니다. 재판장에게 뇌물을 먹여 재판을 약식으로 진행하게 한 증거도 확보해 두었습니다."

"……달리어 라울 네벨."

재상의 몸이 움찔했다. 카를로만 황제가 천천히 고개를 들었다.

그의 눈에 애써 태연한 척하지만 당황을 채 숨기지 못한 네벨 재상이 들어왔다.

"아직도 할 말이 있는가?!"

천둥 같은 황제의 외침에 네벨 재상은 퍼드득 놀라며 고개를 저었다.

"아닙니다, 폐하. 제가 어찌 그런 중죄를 저지른단 말입니까! 신은 결단코 모르는 일입니다!"

카를로만 황제는 표정조차 변하지 않고 싸늘하게 재상을 응시했다.

재상이 무릎을 꿇고 머리를 조아리며 빌었다.

"폐하, 폐하께서 주신 신뢰에 언제나 보답하기 위해 제가 밤낮으로 힘쓰던 일을 잊으셨습니까? 언제나 저는 이 아펜니노와 폐하만을 생각할 뿐입니다. 부디, 믿어 주시옵소서."

"폐하, 아버님께선 잘못이 없으십니다. 부디 믿어 주세요!"

가만히 있던 가브리엘이 참지 못하고 뛰쳐나왔다. 같이 빌던 가브리엘이 가만히 서 있던 아티를 노려보았다.

"폐하, 이건 모두 저를 음해하려는 자들이 꾸민 음모입니다. 부디 절 믿어 주시옵소서."

"황후 폐하, 이 가브리엘을 도와주세요!"

황후가 한숨을 내쉬었다.

가브리엘이 애타게 바라보았으나 황후가 할 수 있는 행동은 그저 먼 곳을 바라보는 것뿐이었다.

결정은 오롯이 황제의 몫이었다.

"그럼 할 말은 그것뿐인가?"

회한이 서린 황제의 붉은 눈동자가 네벨 재상을 담았다.

젊었을 적부터 함께했던 총명한 자가 몰락하는 광경을 지켜보는 건 몇 번을 보아도 슬픈 일이었다.

막 황제가 결론을 내리려고 했을 때였다. 군중 속에 섞여 있던 미카엘이 테르니 옆에 섰다.

미카엘은 아티를 한번 보고 고개를 끄덕이더니 카를로만 황제에게 머리를 숙였다.

"폐하, 네벨가의 일원으로서 드릴 말씀이 있습니다."

"호오, 미카엘."

재상과 가브리엘의 표정이 밝아졌다. 미카엘이 자신을 위해 선처를 바랄 것이라 생각하는 표정이었다.

"오라버니, 어서 폐하께 말씀드려요. 아버지는 아무 잘못이 없다고!"

가브리엘의 말에 재상이 희망에 가득 차 미카엘을 바라

보았다. 미카엘은 답이 없는 두 사람을 보며 깊은 한숨을 내쉬었다.

"미카엘. 짐에게 하고 싶은 말이 뭐지?"

카를로만 황제가 빙그레 웃었다.

언제나 속을 알기 어려운 황제 폐하의 미소에 미카엘은 고개부터 숙였다.

"제 아버지인 네벨 재상 각하에 관한 일입니다."

"호오, 무엇이더냐?"

미카엘이 시종장에게 가져온 서류를 넘겼다.

"재상부와 내무부 관련 뇌물 수수, 비자금 조성, 특허권 빼앗기와 특권 몰아주기, 불법 자금으로 사들인 고미술품에 대한 거래 내역입니다."

"!!!"

재상의 눈이 그보다 더 클 수 없을 정도로 거대해졌다.

배신감으로 일그러진 재상의 시선이 미카엘에게 향했으나 미카엘은 재상을 돌아보지 않았다.

미카엘의 시선이 테르니에게로 향했다가 다시 황제에게로 돌아갔다.

"자식 된 도리로서 아버지의 허물과 잘못을 고발한 것은 불효이나, 폐하와 이 나라에 대한 충심으로 고해 올립니다."

카를로만 황제가 동요 없이 미카엘을 지그시 내려다보았다.

"이것을 고해 올리면 미카엘 너도 벌을 피해 갈 수 없다는 걸 알았을 텐데."

"벌을 받는 것보다 진실을 알면서도 모르는 척하는 것이 더 부끄러운 일입니다."

미카엘이 담담하게 시선을 들었다.

"더럽혀진 명예를 짊어지고 사는 것이 아비의 죄를 고한 죄라면 평생 기꺼이 감내하겠습니다."

카를로만 황제의 눈빛이 변했다. 따스하고 다정한 시선에 미카엘이 고개를 조아렸다.

"하오니 폐하, 염치없는 청이오나 아버지의 선처를 바랍니다."

죄는 언젠가 들킨다. 추악한 죄일수록 덮고 덮어도 냄새가 풍기기 마련이었다. 미카엘은 최악의 상황을 막고 싶어 나섰다.

"흐음."

카를로만 황제가 재상을 내려다보며 히죽 웃었다.

"자네, 아들 하나는 정말 잘 키웠군. 저런 아들이 갖고 싶었는데 말이야."

가만히 있던 아드리안이 인상을 구겼다.

그러거나 말거나 황제가 좌중을 둘러보며 엄중하게 선언했다.

"오늘 벌어진 모든 일을 모두 똑똑히 보았으리라 생각한다. 공정하고 엄정한 결과를 위해 엘라디스토부터 재상의 비리까지 전부 조사하라."

"예, 폐하."

황제의 명령을 끝으로 네벨 재상은 조사가 끝날 때까지 구금되었다.

Chapter 44. 남몰래 체결된 동맹

Chapter 44. 남몰래 체결된 동맹

3주가 지났다.

엘라디스토 가문 반역죄의 재조사와 네벨 재상의 비리 조사는 모든 과정이 공정하고 엄중하게 진행되었다.

자료가 이미 준비되어 있었던 터라 조사의 진행은 빨랐다. 덕분에 한 달도 되지 않아 모든 진상이 낱낱이 밝혀졌다.

네벨 후작은 재상 직위에서 삭탈관직당하고 네벨 후작가 는 3대가 중앙 관직을 맡는 걸 금지당했다.

"오라버니가 어떻게 아버지한테 그럴 수 있어요?! 오라 버니가 그러고도 사람인가요?! 아버지가 오라버니한테 얼 마나 잘해 줬는데?! 어?!"

가브리엘은 그날 이후로 계속 울기만 했다.

자신을 든든하게 지켜 주던 아버지가 죄에 연루되어 하 루아침에 죄인이 되었으니 하늘이 무너지는 듯한 충격이었으리라.

미카엘은 자신을 비난하는 가브리엘을 구태여 달래지 않았다. 가브리엘도 이제 현실을 알아야 했다.

"이게 우리 현실이다. 정신 차리거라."

"아니? 내가 누구인지 잊었어? 나 가브리엘이야! 황후 폐하께서 나를 이대로 내치실 리가 없다고!"

"후, 가브리엘……."

미카엘이 안타까운 눈으로 가브리엘을 바라보았다. 가브리엘은 당장 황궁에 입궁할 준비를 했다.

비록 가문이 몰락할 처지에 있다고 하나 그동안 쌓아 온 네벨가의 재화는 건재했다.

미카엘은 말리지 않았다.

황궁으로 달려간 가브리엘은 평소와 다름없이 황후 폐하를 알현하고 싶다고 요청했다. 그러나 언제나 친절하게 안내해 주던 시종이 차갑게 말했다.

"죄송하지만 가브리엘 양. 황후 폐하께서 가브리엘 양을 만나고 싶지 않다고 하셨습니다. 몇 번을 오셔도 마찬가지입니다."

"그 말은 내가 황궁 출입 금지를 당했다는 거야?"

"그리고 가브리엘 양이 요청하는 부탁을 들어주실 수 없다고 전하라는 명령이 있었습니다."

"……뭐?"

놀란 가브리엘이 두 눈을 깜빡였다.

"황후 폐하께서 이러실 리가 없어……."

"앞으로도 가브리엘 양이 부족함 없이 살 수 있게 배려하는 것이 폐하의 마지막 자비라고 하셨습니다."

"폐하! 폐하, 저 가브리엘이에요!"

가브리엘이 멋대로 황궁 안으로 들어가려고 했으나 헛된 시도는 간단하게 제압당했다.

"……흐흑."

뒤늦게 가브리엘을 데리러 온 미카엘이 그녀의 어깨를 감싸 쥐었다.

"돌아가자, 가브리엘."

"흐으으윽, 오라버니!"

결국 가브리엘이 믿을 건 미카엘 하나밖에 없었다.

그뿐만이 아니었다. 언제나 먼저 웃으며 다가왔던 한미한 가문의 영애들은 물론 친하게 지내던 가문까지 모두 등을 돌렸다.

언제나 가득 넘쳤던 초대장은 더 이상 오지 않았다.

사실상, 사교계에서 추방이 된 것이나 마찬가지였다.

"전부 용서하지 않겠어. 감히 이 가브리엘을 무시해?"

사람은 하루아침에 변하지 않는다.

매일을 울며불며 성질을 피워 대는 가브리엘을 놔두고 미카엘은 황가의 처분을 기다렸다.

재상은 죄가 무겁기에 처벌 또한 가볍지 않았다. 무려 300대의 공개 태형과 남쪽 섬으로의 유배였다.

300대는 단번에 맞으면 사람이 죽을 수도 있는 숫자여서 며칠에 나눠 맞았다.

살점이 너덜너덜해질 정도로 형벌을 집행받은 네벨 재상은 걷지도 못하는 상황에서 고열로 앓으며 유배지로 떠났다.

한 번 들어가면 죽을 때까지 유배지에서 나올 수 없기에 미카엘과 가브리엘은 시간을 맞춰 간신히 재상을 배웅했다.

네벨가의 재산은 전부 황실에 압수되었으며 네벨 후작가는 백작가로 강등되었다.

새로이 네벨 백작이 된 미카엘은 수도 저택을 정리하고 영지로 내려갈 준비를 했다.

그 숨 쉴 틈도 없이 바쁜 와중에 미카엘은 오랜만에 릴리 궁을 찾았다.

"어서 오세요, 미카엘 님."

"라라. 그동안 잘 지내셨습니까?"

"저는 문제없이 잘 지냈어요."

아티가 활짝 미소 지었다.

둘은 여전히 서로를 다정하게 바라보았지만 형용할 수 없는 거리감이 생겼다.

"무슨 일로 온 거지?"

둘만의 공기를 대번에 깨드리며 아드리안이 아티의 몸을 자신 쪽으로 당겼다.

명백한 견제에 미카엘이 씁쓸하게 웃었다.

"오늘은 황제 폐하께서 보내셨습니다."

"황제 폐하께서요?"

"예."

눈을 동그랗게 뜨는 아티를 바라보며 미카엘이 다정하게 미소 지었다.

"뭔데? 빨리 말해 봐!"

이번에 둘 사이에 끼어든 건 테르니였다. 테르니는 에센의 손아귀에 붙잡혀 격리되었다.

"이제 말해라."

테르니의 입을 막은 에센이 말하자 미카엘이 옅게 웃었다.

"엘라디스토 가문에 대한 재조사가 끝났기에 황제 폐하의 명령이 내려졌습니다. 폐하께서 엘라디스토 가문의 명예를 돌려주고 복권시키겠다고 합니다."

"!"

아티의 얼굴이 환해졌다. 미카엘의 입가에도 절로 미소가 걸렸다.

"네벨가가 소유하고 있던 엘라디스토의 재산도 모두 돌려 드릴 겁니다. 라라, 이제 당신의 출신을 더 이상 숨기지 않아도 됩니다. 하지만 그렇게 되면 지금의 오비에도 성은 쓸 수 없습니다. 원래 가문인 엘라디스토로 돌아가시겠습니까?"

모두의 시선이 아티에게로 향했다.

아티는 이 벅차오르는 감정을 어떻게 표현해야 할지 알 수 없었다.

엘라디스토의 이름을 다시 쓸 수 있다. 부모님과 동생의 명예가 회복된다.

"원래 성을 쓰는 게 좋겠지."

조용한 와중에 아드리안이 입을 열었다.

자신의 입을 틀어막은 에센의 손을 떼어 낸 테르니가 소리쳤다.

"무슨 소리야! 아티는 오비에도라고!"

절대 배신은 용납하지 않겠다는 듯 소리친 테르니가 아티를 보며 웃었다.

"근데 네 마음대로 해도 돼, 아티. 네가 엘라디스토가 된다고 해도 내 동생인 건 바뀌지 않을 테니까!"

"……오라버니."

"하핫. 이제 알아보았느냐, 이 오라버니의 멋짐을."

에센과 디아노는 서로를 쳐다보고 어깨를 으쓱였다.

"성이 뭐든 아티가 아티인 건 변하지 않으니까."

에센의 말에 뒤이어 디아노도 말했다.

"저희는 그래도 아사모로 이어져 있습니다."

다시 모두의 시선이 아티에게로 향했다.

"모두들 정말 고마워요."

모두 하는 말은 달라도 전부 자신을 생각해 주는 것이 느껴졌다.

'엘라디스토.'

울컥 솟구친 무언가가 눈시울을 뜨겁게 달궜다.

철없이 아버지에게 좋아하는 피아노를 사 달라고 조르던 시절, 동생과 디저트를 가지고 서로 먹겠다고 싸우던 순간, 어머니와 새로 맞춘 드레스를 입어 보던 기억, 모든 것들이 일시에 떠올라 자신을 휘감았다.

행복하고 아무것도 모르던 시절.

그리고 더 이상 존재하지 않는 시간.

'……안녕.'

돌연 눈물을 흘리는 아티의 모습을 보고 다섯이 당황했다. 제일 당황한 건 테르니였다.

"미카엘, 네가 아티를 울렸어!"

디아노가 테르니를 말렸다. 에센은 아티에게 괜찮냐고 물어봤고 아드리안의 표정은 딱딱해졌다.

아티는 문득 웃음이 나왔다.

아티가 웃자 모두 하던 행동을 멈추고 아티를 보았다.

손가락으로 눈꼬리에 맺힌 눈물을 닦아 내고, 아티가 자신의 목걸이를 소중하게 쥐었다.

어느 순간부터 자신의 목에 걸려 있는 게 당연한 이 블루 다이아몬드 목걸이.

"저는……."

끔찍했던 기억보다 좋았던 기억이 더 많았다. 엘라디스토의 비올라는 행복한 아이였다.

'하지만.'

엘라디스토에는 더 이상 남은 게 없었다. 자신이 사랑하던 모든 것들은 이미 사라진 지 오래였다.

"저는 오비에도예요."

결심을 한 듯 숨을 들이마신 아티가 굳건한 눈빛으로 고개를 들었다.

엘라디스토엔 남은 게 없었다. 내 사랑하는 가족들. 하지만 오비에도엔 아직 있었다. 내 가족들이.

무슨 일이 있어도 나를 보호해 주던 소중한 존재들이.

"저에겐 저를 받아 주고 함께한 가족이 있어요. 비록 친부모님도 친형제도 아니지만…… 저도 그분들을 가족이라고 생각해요. 그러니까 엘라디스토가 아닌 오비에도로 남겠어요."

"아티―!"

테르니가 와락 아티를 껴안았다.

평소와 다름없는 행동이라 대수롭지 않게 받아 주던 아티가 깜짝 놀랐다.

테르니가 울고 있었다.

"왜 우세요, 오라버니."

"네가, 네가 날 울렸잖아!"

흐어엉 울음을 터뜨린 테르니가 아티를 더 꼭 껴안았다.

아티는 놀란 표정을 짓다가 이내 웃어 버렸다. 아티가 달래자 테르니가 더 울부짖었다.

"흑흑. 너도 내 동생이야. 우리 함께하자. 평생! 알았지?!"

"네, 그래요. 오라버니."

"흑흑흑. 아티가……. 우리 아티가……! 흐어엉, 아티 사랑해!"

"네, 네."

이제 그만하라는 듯 에센이 테르니를 끌어당겼다.

테르니는 순순히 에센의 손에 끌려 나왔다. 그리고 와락 에센을 끌어안았다.

"흐어어엉, 전 아티! 너도 영원한 내 동생이야!"

"……닥쳐. 잊어. 죽어 버려."

테르니와 에센이 옥신각신하는 사이 미카엘이 아티에게 손수건을 내밀었다. 아드리안의 눈썹이 꿈틀거렸으나 디아노가 말렸다.

미카엘이 아티를 들여다보며 물었다.

"정말 그걸로 괜찮겠습니까?"

아티는 그저 웃었다.

"비올라 드윈 엘라디스토는 이제 없어요. 아주 오래전부터 없었죠. 그저 이제라도 떳떳하게 부모님과 동생의 장례를 치를 수 있게 된 것만으로 저는 만족해요."

"내가 다 준비해 놨어!"

테르니가 손을 들었다. 조사와 재판이 진행되는 동안 테르니가 발 빠르게 움직여서 엘라디스토 식솔들의 시신을 찾아 놓았다.

비록 오명을 쓰고 죽은 터라 온전한 모습은 아니었으나 아티는 그것만으로도 만족했다.

"곧 장례식을 치러요."

"저도 참석하겠습니다."

미카엘의 말에 아티가 고개를 가로저었다.

"혼자 보내 드리고 싶어요."

가족을 아는 사람들과 조촐하게 보내고 싶었다.

장례식은 망자를 위한 의식이기도 하지만 남아 있는 자들의 위안을 위한 의식이기도 하니까.

아티의 조용한 거절에 미카엘이 고개를 끄덕여 수긍했다.

"제가 전할 말은 이것뿐입니다. 아티 양의 의견은 폐하께 잘 전해 올리겠습니다."

"부탁드려요."

더 이상 할 말은 없다는 듯 미카엘이 물러났다. 미카엘을 보내려던 아티가 아드리안을 돌아보았다.

"아드리안."

아드리안이 인상을 쓴 채로 고개를 끄덕였다. 아티가 웃으며 미카엘을 따라나섰다.

"배웅해 주셔서 감사합니다."

"아니에요."

"라라와 이렇게 걷는 것도 이게 마지막이겠군요."

"마지막……?"

미카엘이 옅게 웃었다.

"곧 영지로 내려갑니다. 아마도 다신 올라올 일이 없겠죠."

"그렇…… 군요."

갑작스러운 일이었다. 아티가 꼼지락거리며 자신의 손을 만졌다.

"제게 하실 말씀이 있으십니까?"

속마음이 들킨 것이 부끄러운지 얼굴을 붉히던 아티가 머뭇거리며 입을 열었다.

"언제든 도와주셔서 감사했어요. 인사는 해야 할 것 같아서요."

미카엘이 아티를 빤히 바라보았다. 미카엘이 쓴웃음을 지었다.

"죄송합니다. 라라. 제 아버지가 당신에게 저지른 죄가 너무 커 차마 용서를 구하진 못하겠습니다. 아버지가 더 혹독한 죗값을 치르길 바라셨겠지만 아들 된 도리로서 선처를 바랄 수밖에 없었습니다. 미안합니다."

미카엘의 고해에 아티가 천천히 고개를 가로저었다.

"아니에요. 미카엘 님 덕에 많은 사람들의 억울함이 풀어졌는걸요. 그 고발이 아니었다면 많은 죄가 묻히고 없었던 게 되었겠죠."

아티가 말을 골랐다.

"물론 재상이 미워요. 저도 성인군자는 아니니까요. 하지만 그걸 미카엘 님에게 풀 생각은 없어요. 미카엘 님은 언제나 절 도와주셨잖아요."

"……이해해 주셔서 감사합니다."

미카엘이 미소 지었다.

"저는 언제든 라라가 원하시면 도울 것입니다."

"말씀만이라도 감사해요."

어느덧 궁 입구에 도착했다. 미카엘이 아티를 돌아보았다.

"마지막으로 라라 양에게 선물을 준비했습니다. 받아 주시겠습니까?"

"선물이요?"

"예. 제가 영지로 내려가면 도착할 것입니다."

아티가 미카엘을 바라보았다. 무엇인진 모르겠지만…….

아티는 천천히 고개를 끄덕였다.

"감사합니다."

미카엘이 무척이나 환하게 웃었다.

✦ ♔ ✦

엘라디스토 가족의 장례가 치러졌다.

부모님의 시체와 동생의 시체가 나란히 안치되어 땅에 묻혔다.

"……그들에게 안식이 있기를."

신관의 기도와 그들을 기억하는 사람들의 애도가 함께했다.

"이렇게 가시는군……."

회한에 찬 목소리에 옆을 돌아보니 헬머 아저씨와 장인 아저씨들이 아닌 척 울먹이고 있었다.

"잘 가시게, 백작."

"흐흑. 각하……."

"우리는 영원히 기억할 거야. 자네가 우리에게 베풀었던 온정은 정말 따뜻했네."

어떻게 된 게 아저씨들이 나보다 더 슬퍼하는 것 같다. 그 사실이 이상하면서도 가슴이 찡했다.

'나 혼자만 슬픈 게 아니라 다행이야.'

자신의 가족들을 기억해 주는 사람이 있다는 건 외롭지 않은 일이었다.

"아저씨, 울어요?"

"울긴 누가 울어?"

헬머가 고개를 돌리고 소매로 거칠게 눈물을 훔쳤다.

"아, 술 마시고 싶다."

"이런 날은 역시 술이지!"

"럼주를 마시러 가자고."

"어허, 보드카를 마시러 가야지!"

다른 때 같으면 잔소리를 했겠지만, 날이 날인지라 그냥 두었다.

"나중에 보자."

헬머가 인사를 하고 장인들과 함께 떠났다. 정신을 차려 보니 나는 묘지에 홀로 남아 있었다.

적막과 고요.

그 속에서 오늘 새로 세워진 비석을 바라보았다.

"아빠."

마지막까지 나를 보호하려고 했던 아빠. 잘 가세요. 사랑해요.

"엄마."

엄마가 바라던 데뷔탕트는 무사히 잘했어. 사랑해, 잘 가.

"알렌."

그곳에선 하고 싶은 거 잔뜩 하고 먹고 싶은 거 잔뜩 먹어. 잘 가. 사랑해.

방금 전까진 한 방울도 나오지 않았던 눈물이 툭 떨어졌다. 그것이 신호라도 되듯 눈물이 멈추지 않았다. 고개를 숙였다.

더 이상 눈물을 참지 않아도 된다는 걸 머리로는 알지만, 소리를 낼 수 없었다.

무너지듯 주저앉아 몸을 웅크렸다.

혼자 살아남았다는 사실이 저주스러울 때가 있었다. 나 혼자만 살아남았다는 죄책감에 모든 기억을 지울 정도로, 괴롭고 슬픈 때가 있었다.

멍울져 사라지지 않던 상처가 뒤늦게 아팠다.

"아티."

익숙한 목소리에 몸이 움찔했다. 따뜻하고 든든한 품이 나를 다정하게 끌어안았다.

"괜찮아."

괜찮다는 말에 더 눈물이 왈칵 쏟아졌다.

이젠 괜찮다.

알기 때문에 울 수 있었다.

"나한테 기대."

조심스럽게 고개를 들자 걱정 어린 표정으로 나를 내려다보고 있는 아드리안이 있었다.

이 사람이 언제부터 이런 표정을 지을 수 있게 된 걸까?

언제부터 이런 눈빛으로 나를 본 걸까?

기억나지 않았다.

하지만 그보다 중요한 건……

이제 이 사람이 없으면 안 돼.

"아드리안."

울먹이는 목소리로 아드리안을 불렀다. 아드리안이 고개를 끄덕였다.

"그래."

무엇이든 들어 줄 것 같은 너그러운 태도와 목소리로 내 목소리에 귀를 기울인다.

이 말을 내뱉기로 결심하기까지 얼마나 많은 시간이 걸렸는가.

얼마나 많은 순간을…….

"사랑해요."

아드리안이 움찔했다. 그가 내보이는 이런 서툰 반응이 좋았다.

"사랑해."

떠나 버린 많은 사람에겐 더 이상 이 이야기를 해 줄 수 없고, 말한다 해도 들어 줄 사람이 없었다.

하지만 아드리안은 달랐다.

"……아티."

얼굴이 붉어진 채로 좋아서 어쩔 줄을 몰라 하는 아드리안을 보며 나는 웃음이 나왔다.

내가 웃자 아드리안이 홀린 듯 나를 보았다. 그리고…….

"나도 사랑해."

사랑이란 단어도 모를 것 같던 사람이 내게 속삭인다.

나는 고개를 끄덕이며 아드리안의 품에 파고들었다.

이제 내가 있을 곳은 이 사람 옆이었다.

✦ ♛ ✦

카를로만 황제의 배려로 '아티엔느'는 생존하는 엘라디스토의 마지막 일원으로서 엘라디스토 가문이 되찾은 영지와 작위를 수여했다.

그녀는 여전히 오비에도의 영애였지만 자신의 이름을 되찾았다.

"아티엔느 세빌 비올라 오비에도."

비록 엘라디스토의 성은 쓰지 못하더라도 비올라라는 이름은 되찾았다.

무려 카를로만 황제가 친히 내려 준 이름이었다.

"축하해, 비올라!"

"고마워, 마리에."

이름을 되찾은 걸 축하해 주기 위해 마리에가 선물을 바리바리 싸 들고 왔다.

그 배달부 역할로 디아노가 당첨됐는데 모두가 이 사실을 묘하게 생각했다.

"이건 억울함이 풀린 기념 선물, 이건 이름 되찾은 기념 선물, 이건 오라버니가 못됐으니 주는 선물!"

"뭘 이렇게 많이 갖고 왔어?"

"다 내 마음이지."

마리에가 흐뭇하게 웃었다. 디아노가 제발 살려 달라는 눈빛으로 아티를 바라보았다.

"그런데 마리에, 디아노 경이랑 무척 친하네?"

"어? 그런 거 아니야! 무슨 소리를 하는 거람!"

마리에가 당황하더니 디아노를 노려보았다. 디아노는 충격을 받은 표정이었다.

"공주 전하, 저희 친한 거 아닙니까?"

"우리가 어떻게 친해! 말이 되는 소리를 해!"

"하지만 전하께서 우리 사이에 뭐 어떠냐면서 저를 부르셨잖아요……."

"그, 그건 그냥 말만 그런 거지!"

"그럴 수가!"

디아노가 심각한 표정을 지었다. 아카시아가 자신과 말도 안 해 줄 때만 짓는 심각한 표정이었다.

"전하, 저는 그럼 버려진 겁니까? 이게 그 유명한 먹고 버리기……?"

"내, 내가 언제 널 버렸다고 그래!"

얼굴이 새빨개진 마리에가 그대로 디아노의 팔을 잡아끌고 나갔다.

"잠깐 나랑 이야기 좀 해!"

멍하니 둘의 대화를 듣던 아티는 조만간 둘 사이의 재미있는 소식을 들을 수 있겠구나 생각했다.

"저렇게 티가 나는데 왜 본인들만 모르지?"

마리에는 아직 자신의 감정을 인정하지 못한 것 같지만, 아티는 그 모습도 아드리안이 생각나서 마냥 귀여웠다.

"아드리안과 나도 주변에서 보기엔 저랬을까?"

하지만 정말로 아드리안이 언제부터 자신을 좋아했는지 알 수 없었다.

"오호호홋, 아티 님. 황태자 전하께서 오셨어요."

기분 좋게 웃으며 마담 루시가 선물을 수거했다. 마담 루시 옆으로 아드리안이 모습을 드러냈다.

"아드리안."

"아티."

아드리안이 재빠르게 아티에게 다가왔다.

"이따 있을 파티 준비는?"

"지금부터 할 거예요."

"대충 해, 대충. 뭘 해도 예쁘니까."

아드리안 입에서 이런 말을 들을 줄은 몰랐다. 아티가 작게 웃었다.

"예쁘게 꾸밀게요."

아드리안도 갖춰 입는데 자신이 대충할 수는 없었다. 당연히 기뻐할 줄 알았는데 아드리안의 반응이 떨떠름했다.

아티가 고개를 갸웃하자 아드리안이 한숨과 함께 입을 열었다.

"다른 인간이 널 쳐다보는 게 싫어."

아티가 놀라서 두 눈을 깜빡였다. 아드리안은 진심을 담아 인상을 썼다.

"내 앞에서만 예뻐."

아티가 웃음을 터뜨렸다. 아드리안은 심각하게 받아들이지 않는 아티가 불만족스러웠지만 뭐라 하진 못했다.

'웃는 게 예뻐서 넘어간다.'

엘라디스토의 복권과 네벨의 몰락 이후 사교계는 두 가

문에 대한 이야기로 떠들썩했다.

"엘라디스토가 모함을 당한 거였다니."

"네벨이 그동안 착복한 재산이 황실의 재산보다 두 배는
더 많다면서요?"

특히 귀족들을 제일 광분케 한 것은 엘라디스토 공방이
다시 세워진 것이었다.

"뭐? 위르겐 헬머가 마스터 장인으로 있는 공방이라고?!"

아티는 부모님이 자랑스럽게 생각했던 엘라디스토 공방
을 이대로 역사 속으로 사라지게 만들고 싶지 않았다.

이런 아티의 의지에 부응해 헬머와 장인들이 모두 복귀
했다.

전부 엘라디스토의 이름을 역사 속에 남기겠다는 의지가
가득했다.

이 모든 과정을 준비하는 걸 도와준 답례로 테르니는 자
신의 이름으로 만든 그릇을 얻었다.

그리고 위르겐의 열렬한 팬인 루드밀라 황후가 이 모든
걸 후원했다.

루드밀라 황후는 특별히 엘라디스토 공방을 위한 무도회
를 열어 주었다.

"이것을 황후 폐하께 바칩니다."

"어머나……!"

헬머가 한 달에 걸쳐 정성 들여 만든 그릇이 루드밀라 황
후 앞에 모습을 드러냈다.

루드밀라 황후의 이름으로 만든 세상에서 단 하나밖에

없는 특별한 그릇.

조심스럽게 면장갑을 낀 채로 그릇을 어루만진 황후가 감탄했다.

"그대는 재야로 숨어든 동안에도 실력이 녹슬지 않았군."

"변변치 못한 재주를 좋아해 주셔서 감사드립니다."

"변변치 못하다니. 이 광채, 색감……! 이런 아름다움은 자네밖에 못 만드네."

귀족들 사이에서도 다시 모습을 드러낸 위르겐의 '봄'이 아름다운 자태를 뽐내고 있었다.

다만 이전과는 다른 점이 하나 있었으니, 그것은 세트로 만들어진 그릇과 다기의 배치로 새로운 상징이 보인다는 것이었다.

"이것은 엘라디스토의 사슴 문양이 아닙니까?"

"오오오오, 정말입니다."

엘라디스토 공방의 문장도 당연히 엘라디스토 가문의 문장을 조금 변형한 것이었다.

파티장의 벽을 장식한 황가의 문장 옆에 있는 엘라디스토의 문장을 보며 사람들이 감탄했다.

"허허, 이거 정말!"

"네벨 놈도 이건 몰랐겠지."

파티의 분위기는 한껏 달아올랐다. 오늘 아티는 비록 아드리안과 함께 파티에 왔지만 황가의 식구로서 참여한 것이 아니었다.

"다녀올게요."

긴장된 기색으로 아티가 말했다. 아드리안이 고개를 끄덕였다.

"잘하고 와."

"네!"

언제나 하던 일인데 오늘따라 떨린다. 아티는 아드리안 없이 홀로 루드밀라 황후 앞에 섰다.

"아르칸젤로의 축복이 함께하시기를. 엘라디스토 공방의 공방주가 폐하께 인사드립니다. 이렇듯 공방의 미래를 축복해 주셔서 감사드립니다."

"일어나렴, 아티. 당연히 누구보다 내가 축하해야 하지 않겠니?"

루드밀라 황후의 다정한 목소리에 아티가 미소 지었다.

혹시 무슨 일이 터지지 않을까 싶었지만 더 이상 오비에도와 아드리안 황태자가 있는 자리에서 경거망동하는 사람은 없었다.

'잘하고 있군.'

소심하고 말도 잘 못 하고 움츠리기만 하던 아티가 저렇게 밝고 환하게 웃을 수 있다니 꿈만 같았다.

'내가 누군가에게 이런 감정을 느끼게 된다는 것도…….'

스스로를 되돌아보던 아드리안이 답지 않은 짓에 피식 웃었다.

"디아노."

"예, 전하."

"테르니 데려와."

"테르니를요?"

평소 아드리안은 테르니를 어딘가로 보내 버리려고만 했지 찾지는 않았다.

고개를 갸웃하며 디아노가 귀족들에게 이게 내 동생이 만든 공방이라고 자랑하고 있는 테르니를 데리러 갔다.

"또 무슨 일을 벌이려고 그러냐?"

에센은 벌써 뭔가를 알아차린 모양이었다. 까칠한 목소리에 아드리안이 에센을 무심하게 응시했다.

"……?"

이미 뭐라 말을 해야 할 타이밍이 지났는데 아드리안은 아무 말도 없었다. 에센이 인상을 구겼다.

'저 녀석, 왜 저래?'

곧 테르니와 디아노가 돌아왔다.

"귀여운 내가 돌아왔다! 자, 그래서 왜 부른 건데?"

아드리안이 테르니를 한 번, 디아노를 한 번, 에센을 한 번 돌아보았다.

낯선 분위기에 테르니가 불길함을 느끼고 표정을 굳혔다.

"설마 아드리안…… 너 우리가 놀아 줘서 고맙다는 말을 하려는 건 아니겠지?"

"지금이라도 내 인생에서 꺼져라."

"앗, 그럴 순 없지."

테르니가 영원히 빌붙어 주겠다고 다짐한 순간이었다.

아드리안이 답지 않게 긴장된 표정으로 입을 열었다.

"이제 아티에게……."

아드리안이 손을 꽉 쥐었다.

"……청혼을 할까 해."

아티와 떨어진 이후로 많은 생각을 했다. 이제 자신은 다시는 아티와 떨어져서 살 수 없었다.

자각해 버린 마음은 더 이상 억누를 수 없었고, 아티가 자신과 같은 마음이라는 걸 알게 된 이상 멈추고 싶지 않았다.

'그러려면 역시 결혼밖에 답이 없지.'

아주 합법적이고 제도적인 쌍방 합의 구속.

둘이 정식으로 부부가 된다면 약혼자로는 비교도 되지 않는 지위가 성립되었다.

약혼자로서는 넘볼 수 없는 권리가 생기는 것이었다.

'다신 누구도 아티를 내 앞에서 쫓아낼 수 없고, 우리 둘을 못 만나게 방해할 수 없다.'

당연히 그런 일 따윈 생기지 않게 할 거지만, 별개로 그런 권리가 생긴다는 건 아주 탐이 났다.

아드리안은 당연히 자신도 같은 족쇄가 걸린다는 걸 알고 있었다.

하지만 아티에게 그 모든 걸 내어 주는 건 오히려 짜릿했다.

온 세상이 자신이 아티의 것이라는 걸 알고, 아티가 제 것이라는 걸 안다.

아드리안이 결혼을 결심할 이유는 충분히 차고 넘쳤다.

아드리안의 청혼 선언에 세 사람이 전부 멍하니 쳐다보았다. 가장 먼저 반응한 건 테르니였다.

믿기지 않는 표정으로 아드리안을 보던 테르니가 소리 지르듯 외쳤다.

"너 결혼 싫어했잖아!"

"지금도 싫다."

"그, 그런 주제에 왜 결혼을 하겠다는 거야?!"

"상대가 아티니까."

즉답에 테르니가 처음으로 할 말을 잃었다. 어버버하는 테르니를 제치고 디아노가 질문했다.

"청혼은 어떻게 하실 겁니까?"

가장 현실적인 질문이었다.

그 옆에서 이제 정신을 차린 에센이 당혹스러워하다가 쓸쓸하게 웃었다.

에센은 아무 말도 하지 않았다.

아드리안도 에센을 그저 볼 뿐, 따로 말을 걸진 않았다. 아드리안의 시선이 디아노를 향했다.

"글쎄, 내가 청혼을 해 본 적이 있어야 말이지. 뭐 방법 없나?"

"네? 전하. 저도 해 본 적은 없어서요……."

디아노가 어수룩하게 답하고 두 사람이 고심을 하는 사이 테르니가 난입했다.

"난 반대야!"

아드리안은 분명 가장 큰 방해물이 있다면 그건 에센일 거라 생각했다. 테르니라는 예상치 못한 고난에 미간을 찌푸렸다.

테르니가 아드리안을 손가락으로 가리키며 소리쳤다.

"넌 아티의 남편이 될 자격이 없어! 우리 아티는 어? 작고 소중하다고!"

아드리안의 차가운 시선을 정면으로 받고도 테르니는 기죽지 않았다.

절대 용납할 수 없다는 표정으로 테르니가 으름장을 놓았다.

"그러니까, 어? 일단 우리 엄마의 허락을 받고 오란 말이야. 그래야 허락해 줄 수 있어!"

"알았다. 카밀라 후작 부인 허락을 받고 오면 되는 거지?"

"어?"

의외로 아드리안은 화내거나 반박하지 않았다.

테르니는 당황했다.

'어, 이게 아닌데?!'

그사이 아드리안은 파티에 참석한 오비에도 부부를 찾아 움직였다. 둘 다 저명한 인사라 찾는 건 어렵지 않았다.

"부인, 후작."

아드리안의 부름에 다정하게 이야기꽃을 피우던 오비에도 후작 부부가 아드리안을 보며 반겼다.

"오, 황태자 전하."

카밀라가 반기자 아드리안이 후작 부인의 손을 붙잡고 가볍게 손등에 키스했다.

평소에는 절대 하지 않던 짓이었다.

"어머님."

"……?"

호칭이 바뀌었다. 카밀라가 고개를 갸웃하자 아드리안이 낮고 신뢰감 넘치는 목소리로 말했다.

"아티와 결혼을 하고 싶습니다."

"……? 어머 좋지요. 언제로 할까요?"

카밀라의 답은 빨리 나왔다. 뒤에서 지켜보던 테르니가 다급하게 달려와서 항의했다.

"아니, 엄마! 이렇게 쉽게 허락해 주면 안 되지! 어?! 고난과 역경이 있어야지!"

"무슨 소리니, 아들. 좋아하는 두 사람이 결혼을 하겠다는데 내가 어떻게 막겠어?"

"아니, 아니~! 아니지!"

답답하다는 듯 가슴을 치던 테르니가 급기야 요제프 후작에게 들러붙었다.

"아빠는 반대지?"

"아티가 우리 품을 떠난다니 슬프지만, 우리 딸이 신부가 된다니…… 기대되는구나."

헤벌쭉 웃은 요제프가 카밀라의 손을 꼭 붙잡았다.

"나의 태양, 당신만큼 예쁘겠지 않겠소?"

"호호호. 당연하죠. 나보다 더 아름다워야 해요."

오늘도 여전한 금슬을 자랑하는 부부 옆에서 아드리안이 의기양양하게 웃었다.

"봤냐?"

테르니는 용서할 수 없었다.

꽉 쥔 주먹이 부들부들 떨렸다.

✦ ♛ ✦

"뭐?! 청혼을 할 거라고?"

아드리안의 청혼 계획을 들은 마리에가 두 눈을 동그랗게 떴다.

혹여나 마리에가 반대하지 않을까 우려했지만 마리에는 전면 찬성이었다.

이유는 아티와 한 가족이 될 수 있으니까!

"그럼 완전 엄청나고 위대하고 짜릿하게 이벤트를 해야지! 뭐 준비했어?"

"그냥 청혼하려고 했는데."

마리에의 빛나는 눈빛을 전부 튕겨 내고 아드리안이 심드렁하게 답했다. 마리에는 용납할 수 없었다.

"하! 오빠, 장난쳐? 아티가 고작 그런 청혼으로 만족할 거라고 생각해?!"

"……."

마리에가 열변을 토로했다.

"이런 일생일대의 중요한 사건을 그냥 딸랑 '결혼하자.'라는 말로 퉁 칠 거라고?! 장난치냐?! 완전 날로 먹으려는 속셈이네!"

마리에가 화를 내자 뒤에 있던 디아노가 더 심각하게 반응했다.

"아, 그러면 안 되는구나."

큰 깨달음을 얻은 듯 고개를 끄덕이는 디아노를 한심한 눈빛으로 바라보던 아드리안이 다시 마리에를 보았다.

"그럼 뭘 해야 하는데?"

"우선 자료를 수집해야지."

"자료……?"

청혼에 자료라는 것이 있나?

미간을 찌푸린 아드리안이 고개를 갸웃하자 마리에가 으스댔다.

"오빠 축복받은 줄 알아. 이 몸이 옆에 있으니까, 내가 도와주지!"

마리에의 말에 아드리안은 불길함을 느꼈다.

✦ ♛ ✦

말이 끝나자마자 마리에가 데리고 간 곳은 다름 아닌 그레이스 궁이었다.

"어머나, 청혼 말이니?"

루드밀라 황후가 부드럽게 웃으며 되물었다.

황후는 혼자 티타임을 즐기고 있었는데 그녀가 좋아하는 위르겐의 다기가 테이블 위에 조화롭게 올라와 있었다.

"오호호, 청혼이라. 벌써 오래전 이야기구나."

그리운 표정으로 황후가 찻잔을 내려놓으며 회상했다.

"그날은 축제 날이었어. 우린 평범한 제국민처럼 차려입고 호숫가에서 불꽃놀이를 구경하고 있었지……. 그리고 불꽃이 터지는 순간, 폐하께서 내게 반지를 건네셨단다."

멀리서 반짝이는 불꽃놀이와 고요한 풀벌레 소리, 그리고 자신을 향한 나지막한 사랑의 맹세.

뺨을 감싸 쥐며 황홀해하는 루드밀라 황후를 가리키며 마리에가 봤냐는 듯 의기양양했다.

"아빠한테 질 거야?"

"……."

당연히 지고 싶지 않았다.

✦ ♛ ✦

아펜니노 최고의 장인들을 보유한 엘라디스토 공방. 그곳의 공방주가 된 아티는 눈코 뜰 새 없이 바빴다.

너나 할 것 없이 헬머를 위시한 장인들의 작품을 가지기 위해 주문이 연일 쇄도했다.

돌아가지 않는 물레가 없음에도 주문량을 맞출 수 없을 정도로 인력이 부족했다.

뜨거운 화로 앞에 종일 앉아 있던 헬머가 막 들어선 아티와 에센을 발견하고 다가왔다.

"라라. 대체 무슨 수로 부지를 매입한 거냐? 단시간 내에 이만한 장소를 구하려면 쉽지 않았을 텐데."

"전부 제 인맥의 힘이죠."

아티는 어물쩍 웃으며 헬머의 질문을 넘겼다. 아마도 모르는 편이 나으리라.

이 공방은 미카엘이 마지막 선물이라며 주고 간 네벨가의 소유였던 수도 부지와 저택을 개조해서 차린 것이었다.

'미카엘 님은 잘 계시겠지?'

소식을 들을 곳이 없으니 어떻게 지내는지 알 수가 없었다.

무소식이 희소식이라고 아티는 그냥 잘 지내겠거니 생각하기로 했다.

무엇보다 가브리엘이 눈에 보이지 않아서 마음이 한결 편했다.

공방 내 전반적인 상황을 모두 점검한 아티는 급한 일이 끝나고서야 한숨 돌렸다.

바쁜 것 외에는 모든 게 잘되어 가는 중이었다. 그런데 왜일까. 이렇게 허전한 건.

"아."

아티는 문득 깨달았다.

'요즘 아드리안을 거의 못 봤구나.'

언제부터였을까. 곁에 있는 게 그리도 당연하게 여겨졌던 것이.

자각하자마자 마음속에 찬 바람이 불어닥친 것처럼 쓸쓸해졌다.

그런 아티를 지켜보던 에센이 넌지시 그녀를 불렀다.

"아티."

"네?"

아무렇지 않은 척 환하게 웃으며 돌아보았지만 에센은

아티가 그리 괜찮지 않다는 것을 알았다.

'어떻게 모를 수 있겠어.'

자세히 보면 다 티가 나는데.

"쉬엄쉬엄해."

"네!"

에센은 아티가 저렇게 냉큼 대답해도 절대로 열심히 하는 걸 그만두지 않을 거라는 걸 알았다.

그가 어쩔 수 없다는 듯 웃고 있을 때, 아티가 우물쭈물 에센에게 물었다.

"저, 에센 님. 아드리안은 요즘 많이 바쁘신가요?"

"아. 아드리안⋯⋯."

씁쓸해하며 대답하려던 때였다.

"무슨 이야기 중이냐?"

잠깐 작업실에 다녀왔던 헬머가 그들 사이에 끼어들었다.

"아드리안 황태자 전하에 대해 이야기하고 있었어요."

"황태자? 황태자면⋯⋯ 그 희멀건 놈팡이 말하는 것이냐?"

아티가 입을 떡 벌렸다. 신분을 알게 되면 말조심할 줄 알았는데 전혀 아니었다.

그녀는 기겁하며 헬머의 팔을 흔들었다.

"아저씨, 말조심하세요! 누가 듣기라도 하면 목이 날아간다고요!"

"흥. 내가 그런 걸로 쫄 줄 알고? 날릴 테면 날리라고 해!"

영 아드리안이 못마땅한 헬머가 '에잉, 쯧쯧.' 하며 혀를 찼다. 그러고는 진지하게 아티의 양어깨를 붙잡았다.

"라라야. 도망치고 싶다면 언제든 말하려무나. 내 힘닿는 데까지 도와줄 테니까."

너무 단호해서 아티는 뭘 어떻게 지적해야 할지 알 수 없었다.

'언젠가 들어 본 적 있는 대사였는데, 누구였더라.'

그 인간을 떠올리는 건 그리 어렵지 않았다.

"꼭 테르니 오라버니 같은 말씀을 하시네요."

"네 오라비라면……."

쾅! 공방 문이 거칠게 열렸다. 모두의 시선이 문가로 쏠렸다.

"아티야~!"

헬머는 대놓고 얼굴을 구겼다.

'그놈이로군!'

공방 일을 도와준다는 핑계로 와서는 아티와 헬머를 잔뜩 방해하고 가는 천하의 민폐 자식이었다!

걸리면 귀찮아질 게 분명하니 헬머는 황급히 자리를 뜨려 했다.

하지만 테르니가 자신의 앞을 떡하니 가로막고 섰기에 도주는 실패하고 말았다.

"뭐시오?"

"마스터. 저 따로 독대를 신청합니다!"

갑작스러운 테르니의 독대 신청에 헬머는 어안이 벙벙해졌다.

"대체 무슨 일이오?"

"아티를…… 빼앗길 수 없습니다!"

테르니의 입에서 나온 그 결연한 한 문장에 헬머의 눈동자가 크게 흔들렸다.

'……아티!'

그것은 헬머의 치명적인 약점의 다른 이름이었다.

그는 슬그머니 아티의 눈치를 보며 테르니를 공방 구석으로 끌고 갔다.

속닥속닥—.

아티는 갑자기 딱 달라붙어서는 무언가를 모의하기 시작하는 헬머와 테르니를 보았다.

'왜 저래 둘 다.'

어쩐지 사고를 칠 것만 같은데, 제발 착각이길.

"헬머 아저씨, 믿어요……."

테르니는 몰라도 헬머 아저씨만은 중간을 지켜 줄 것이라고 아티는 간절하게 믿었다.

Chapter 45. 황태자의 약혼녀

Chapter 45. 황태자의 약혼녀

공방 첫 주문 일정이 끝나고서야 짬이 났다.

아티가 오랜만에 맞는 휴식을 만끽하고 있을 때, 아드리안의 시종장 라르고가 찾아왔다.

"전하께서 함께 티타임을 가지는 게 어떻겠냐고 하셨습니다."

"좋아요!"

아티는 함박웃음을 지으며 고개를 끄덕였다.

'바쁠까 봐 일부러 먼저 말 안 하고 있었는데.'

최근 들어 몇몇 사건이 터지며 업무가 더욱 과중하다고 들었다.

그 탓에 야근해야 한다며 테르니가 툴툴거렸던 게 떠올랐다.

그녀가 권하면 아드리안은 무리해서라도 시간을 내려 할

것이다. 아티는 아드리안이 무리하는 게 싫었다.

서둘러 채비한 아티는 약속 장소인 후원으로 나갔다. 그녀가 제일 좋아하는 정자에 티 테이블이 준비되어 있었다.

그리고 먼저 나와 기다리고 있는 아드리안도.

"아티."

아티를 보며 미소 지은 아드리안이 성큼성큼 다가와 그녀를 품 안에 가두었다.

"아, 아드리안……?"

잠깐 당황한 아티는 따라 웃으며 아드리안의 허리에 팔을 둘렀다.

넓고 따뜻한 품. 자신의 몸을 감싸 안는 이 온기가 그리웠다.

고작 끌어안고 있는 것뿐인데도 며칠간 느껴졌던 상실감이 채워지는 것만 같았다.

"보고 싶었어."

아드리안은 깊게 숨을 들이마셨다. 그제야 살 것 같았다.

오며 가며 인사를 하긴 했지만 이렇게 함께 시간을 보낸 건 정말 오랜만이었다.

'마음 같아선 공방이고 뭐고 내 옆에 붙들어 두고 싶지만.'

그는 그럴 수 없었다. 하고 싶은 일을 하는 아티는 반짝반짝 빛났으니까.

그 생기를 빼앗고 싶지 않았다.

"저도 보고 싶었어요!"

아티의 대답에 아드리안은 미소 지으며 그녀의 어깨를

붙잡고 가만히 내려다보았다.

일이 바빠 끼니를 제대로 챙기지 않은 건지 어쩐지 살이 빠진 것 같았다.

아드리안은 얕은 한숨을 내쉬며 아티의 뺨을 매만졌다.

"매일 보고 싶다."

"매일 보고 있잖아요."

"아니. 일어나자마자 보고 싶어."

"일어나자마자 보잖아요?"

"……."

물론 릴리 궁에 들를 때마다 만날 수 있지만 그런 의미가 아니었다.

아드리안은 입을 꾹 다물고 아티를 응시했다.

'왜 이렇게 섭섭하지.'

아드리안의 표정이 좋지 않자 아티는 그저 고개를 갸웃거렸다.

이렇게 눈치 없는 모습이 귀엽기도 했지만 가끔은 제 마음을 속속들이 알아주었으면 하는 바람도 들었다.

'아냐. 귀여우니까 됐어.'

아드리안은 과분한 욕심을 접으며 아티를 진지하게 바라보았다.

지금이라면 말할 수 있을 것 같았다.

"그러니까, 내 말은……. 너 나와 결……!"

그때였다.

"아티!!"

어디선가 튀어나온 테르니가 난입했다.

아티가 깜짝 놀라 뒤로 물러나는 바람에 아드리안은 그녀를 놓치고 말았다.

"뭐예요! 깜짝 놀랐잖아요!"

아티가 짜증을 냈지만 테르니는 눈 하나 깜빡하지 않고 능청스럽게 웃었다.

"아니, 뭐 별건 아니고 지나가다가 보여서."

"그럼 지나가던 길이나 가."

아드리안이 싸늘하게 대꾸했지만 테르니는 그쪽에는 시선도 주지 않았다.

"하핫, 아티. 오늘도 행복한 하루 보내렴. 그럼 이 오라버니는 이만~!"

그는 아티에게 경례를 하더니 쌩하니 사라졌다.

졸지에 밀찍이 떨어지게 된 아드리안과 아티는 서로를 바라보았다.

그들은 서로가 같은 생각을 하고 있다는 것을 확신할 수 있었다.

"왜 저래?"

"오라버니가 요즘 더 미쳐 있는 것 같아요."

"저 자식……."

아드리안은 테르니가 사라진 곳을 한번 본 후 깊디깊은 한숨을 내쉬었다.

이미 분위기는 손쓸 수도 없을 정도로 만신창이가 되어 버렸다.

청혼은 이미 물 건너갔다. 아드리안은 쓰린 속을 부여잡고 고개를 숙였다.

자신을 올려다보는 아티의 눈동자에 제 얼굴이 비쳤다. 그런 아티가 미치도록 예뻤다.

"왜요?"

"아니, 아무것도."

아드리안은 말을 돌리며 아티의 손을 붙잡았다.

이제 손잡는 것 정도는 그리 어렵지 않다는 사실이 큰 위로가 되었다.

'계속해서 바라게 된다는 게 문제지만.'

손을 잡는 걸로는 만족할 수 없다. 아티를 끌어안았지만 충족감과 동시에 묘한 충동도 함께 일었다.

'모자라.'

닿고 있어도 닿고 싶었다.

두 사람의 시선이 마주쳤다. 아드리안은 자신에게 매달린 아티의 두 눈에 홀린 듯 고개를 내렸다.

입술이 짧게 닿았다 떨어졌다.

"……아."

아티가 작게 감탄을 터트리며 두 눈을 크게 떴다.

아드리안은 나직하게 웃으며 허락을 구하듯 그녀의 뺨을 감쌌다.

허락의 의미로 아티가 눈을 감자 아드리안은 다시 깊게 입을 맞추었다.

머릿속이 새하얗게 변할 정도로 황홀한 순간.

아드리안은 치미는 충동과 싸웠다.

'……젠장.'

이대로 아티를 머리끝부터 발끝까지 전부 홀라당 잡아먹고 싶은 마음이 굴뚝같았지만 초인적인 인내심으로 참아냈다.

떨어지는 입술이 그렇게 아쉬울 수가 없었다.

'영원히 붙잡아 가둬 놓고 어디에다가도 꺼내 놓고 싶지 않다.'

아티를 영원히 자신의 것으로 만들고 싶었다. 이런 아드리안의 위험한 욕망을 눈치챈 것인지 아티가 화들짝 놀라서 물러났다.

"저, 저는 이만 가 볼게요!"

부끄러운 듯 얼굴을 붉히며 뒤도는 아티를 보며 아드리안은 깊은 한숨을 내쉬었다.

"……그래. 조금만 더 참자."

머지않아 결혼할 테니까. 그때까지만 참으면 될 거라고 생각했다.

그때까지는.

✦ ♛ ✦

최근 들어 아티에게 고민거리가 하나 생겼다. 그녀는 턱을 괸 채 작은 한숨을 내쉬었다.

"대체 뭘까?"

아드리안과 티타임을 가졌던 그날 이후로 이상한 일들이 연거푸 벌어졌다.

얼마 전에 정원으로 나오라는 아드리안의 연락을 받고 나갔더니 초로 만든 길이 있었다.

어리둥절한 채 그 길을 따라 걷고 있는데 어디선가 물벼락이 쏟아져 촛불들이 모조리 꺼지고 말았다.

"누가 비상시를 대비해 켜 놓은 것이었을까?"

어제도 정원에 나갔는데 못 보던 꽃들이 한가득 피어 있었다.

가운데 서 보라는 아드리안의 말에 섰더니 어디선가 벌 떼가 날아와 달려드는 바람에 엄청 놀랐다.

"예전이라면 나를 괴롭히는 건가 싶었을 텐데."

지금은 사정이 달랐다. 어쨌거나 아티는 황태자의 약혼녀 신분인 데다가 서로 마음을 확인한 사이가 아니던가.

아드리안이 자신을 괴롭힐 이유가 전혀 없었다.

"도대체 뭐지……?"

아티가 그런 고민을 하고 있을 때, 한편 아드리안 역시 같은 이유로 이를 갈고 있었다.

"후. 이 자식을 그냥……."

마리에의 조언을 받아 이것저것 청혼 이벤트를 준비했지만 누군가의 음모로 번번이 실패했다.

범인이 누군지는 불 보듯 뻔했다.

"테르니 아기라 오비에도……."

씹어뱉듯 내뱉는 목소리가 음산했다.

마침내 아드리안은 깨달았다. 청혼이 문제가 아니라 테르니가 문제라는 것을.

그 인간을 처리하지 않고서는 자신은 영영 아티에게 청혼하지 못하리라.

아드리안은 테르니를 제외한 자신의 측근을 소환했다.

"디아노."

디아노는 무슨 말이든 듣겠다는 듯 결연하게 고개를 끄덕였다.

"넵! 전하."

아드리안은 마주 끄덕여 준 후 고개를 돌렸다.

"에센."

자신의 이름이 불리자 에센은 대놓고 인상을 구겼다.

"뭔데?"

아티와 함께 있다가 불려 와서 기분이 심히 더러운 상태였다.

아드리안은 그들에게 명령했다.

"테르니를 붙잡아."

이름하여 테르니 수배령.

결연한 분위기를 깨부순 건 에센이었다.

"난 안 할래."

에센은 이 멍청한 사태에 그다지 끼어들고 싶지 않았다. 그럴 시간에 다른 일을 하는 게 더 생산적일 것이라는 판단이었다.

하지만 번번이 에센에게 말렸던 아드리안이 이번만큼은

호락호락하지 않았다.

"계속 아티의 수호 기사로 남고 싶다면 내 말을 잘 듣는 게 좋을 텐데."

"……후."

아티를 미끼로 건 협박에 에센은 결국 명령을 들을 수밖에 없었다.

디아노와 에센은 간단한 작전을 짠 후 각자 갈 길을 갔다.

디아노는 곧바로 테르니를 잡기 위해 집무실을 덮쳤다.

"……어, 없어?"

그런데 당연히 있어야 할 테르니가 온데간데없었다.

우왕좌왕하고 있는 디아노가 발견한 건 복도에서 들리는 빠른 발소리였다.

황급히 나가 보니 어느새 수상한 냄새를 맡은 테르니가 꽁무니를 내빼고 도망치고 있었다.

"거기 멈춰, 테르니!"

"멈추란다고 멈출쏘냐!"

"멈추라고……!"

"난 앞만 보고 달린다!"

몸을 쓰는 건 잘 못 하면서 도망치는 것에만 능한 테르니는 결국 정원까지 도주했다.

그렇게 디아노와 테르니가 잡고 잡히는 추격전을 치르고 있을 시각, 에센은 아티를 찾아갔다.

"나 왔어."

"아! 다녀오셨어요?"

에센은 자신을 반갑게 맞는 아티를 보며 미소 지었다. 볼 때마다 환하게 웃는 아티의 미소가 좋았다.

"아티."

에센이 새삼스럽게 자신을 부르자 아티는 고개를 갸웃했다.

"네?"

"아드리안이 좋지?"

"어……."

순식간에 아티의 뺨이 빨갛게 달아올랐다.

그런 얼굴을 슬그머니 가리며 고개를 끄덕이는 모습은 아주 사랑스러웠다.

그것이 자신을 향한 마음이 아니라 가슴이 아프지만, 그럼에도 아티가 행복해 보이니 좋았다.

자신의 마음을 고백할 일은 아마 평생 없을 것이다.

"네가 황후가 되어도 내가 수호 기사 해 줄게."

"그래도 돼요?"

"아티 네가 황후로 즉위하면 직속 근위대가 있는데……. 나 근위대장 시켜 주면."

아티는 조금의 고민도 없이 고개를 끄덕였다.

"좋아요. 에센 님이라면 얼마든지 믿을 수 있으니까요."

두 사람은 서로를 마주 보고 웃었다.

아티는 문득 궁금한 게 생겼다. 에센과 함께 지내면서 별별 이야기를 다 했지만 한 가지 한 적 없는 이야기가 있었다.

"있잖아요, 에센 님. 에센 님은 좋아하는 사람 없어요?"

"글쎄……."

가벼운 물음이었지만 대답하기 쉽지 않았다. 잠깐 뜸을 들이던 에센이 입을 열었다.

"있을걸?"

아티는 두 눈을 휘둥그레 떴다.

"정말요? 누구예요? 어떤 사람이에요?"

"음. 귀엽고, 작고 예쁘고……. 말 조심스럽게 하고, 그리고……."

대답을 하다 말고 에센은 고개를 들었다. 아티의 푸른 두 눈 가득 담겨 있는 자신의 모습이 보였다.

"……아마 나를 사랑하진 않을 사람."

아티가 안타깝다는 듯 울상을 지었다. 에센은 아무렇지 않은 척 웃었다.

"뭐 그런 사람이야."

"제가 아는 사람이에요?"

"그렇다고 볼 수 있지."

누구인지 고민하는 와중에도 속상한 듯 한숨을 내쉬는 아티의 모습이 못내 사랑스러웠다.

잠깐 머뭇거리던 아티가 예쁘게 웃으며 말했다.

"잘됐으면 좋겠어요."

에센은 대답 대신 환하게 웃었다. 아티는 어째선지 그 웃음이 슬퍼 보인다고 생각했다.

그 와중에 디아노는 테르니를 검거하는 데 성공했다.

테르니는 발버둥을 치며 디아노의 손아귀에서 벗어나려 했지만 기사의 힘을 이길 수는 없었다.

"야! 너 이거! 후회할 거야! 분명 후회할 거야! 어?! 후회할 거라고!"

디아노는 후회를 부르짖는 테르니를 보면서 눈 하나 깜짝하지 않았다.

평소라면 약간 움찔댈 디아노가 아무런 거리낌이 없자 테르니는 어이가 없었다.

"후회할 거라니까?!"

"전하께서 일주일이나 대련해 주신다고 하셨으니까, 후회 같은 건 없다."

질색하던 대련을 미끼로 걸다니!

테르니는 그 치밀한 계획에 혀를 내둘렀다.

"이 망할 자식!"

✦ ♛ ✦

붙잡혀 온 테르니는 그대로 의자에 묶였다. 언젠가 에센이 묶인 것처럼.

테르니를 묶어 놓은 아드리안이 만족스럽게 웃었다. 모르는 사람이 보면 누가 봐도 악당이었다.

"네가 언제까지 날 방해할 수 있을 거라 생각했지?"

"네가 이런다고 우리의 의지가 꺾일 것 같으냐!"

테르니가 결연하게 외쳤다.

"비록 나는 네 비겁한 술수에 붙잡혀 묶인 몸이 되었지만, 나에겐 아직 나의 동지가 살아 있다!"

죽지 않는 눈빛을 비웃으며 아드리안이 반문했다.

"헬머 말인가?"

흠칫!

테르니의 몸이 움찔했다.

아드리안이 여유롭게 웃었다.

"하지만 헬머는…… 황궁에 올 수 없지."

테르니가 두 눈을 부릅떴다.

"저, 저, 저, 저 사악한 놈!"

"똑똑히 봐 두라고. 네 동생이 무슨 대답을 할지 말이야."

아드리안이 디아노에게 명령했다.

"아티를 불러와."

"예, 전하!"

✦ 👑 ✦

오늘도 공방으로 나가 봐야 했다.

오늘따라 밀착 호위하는 에센을 보며 고개를 갸웃하는데 에센이 밖을 보더니 내게 말했다.

"아티, 밖으로 나가 봐."

"밖?"

어디 밖을 말한단 말인가.

내가 고개를 갸웃하니 에센이 침착하게 한 방향을 가리켰다. 에센이 말하는 곳은 정원 쪽이었다.

정원 쪽으로 나가니 아무것도 없었다.

"에셴 님, 여기 아무것도 없……. 어?"

안쪽을 돌아보았다가 두 눈을 깜빡였다. 분명 에셴이 저기 있었는데 없었다.

그때였다.

삐리리—.

새 울음소리와 함께 내 앞으로 작고 파란 새가 포르르 날아왔다.

"어?"

삐리—삐리리—.

파랑새가 마치 봐 달라는 듯 주변을 맴돌며 울었다.

얼떨결에 팔을 내미니 팔에 앉은 파랑새가 예쁜 목소리로 울었다.

"어? 발목에 이건……."

돌돌 말려진 종이를 발견하고 조심스럽게 꺼내 펴 보았다.

[아티. 네게 할 말이 있다.]

이 유려한 글씨체는 분명 아드리안의 것이었다.

종이를 확인하자 새가 날아올랐다. 마치 내가 종이를 확인하길 바란 것처럼.

날아오른 새가 사라지고 나는 한동안 멍하니 아드리안의 글씨를 내려다보았다.

다른 사람이 쓴 건가?

"아닌데. 분명…… 아드리안의 글씨인데."

내가 아드리안의 글씨를 못 알아볼 리가 없었다.

삐리리—.

"어?"

새가 우는 소리에 고개를 갸웃하니 새가 멀리서 빙그레 돌며 나를 부르고 있었다.

"오라고?"

이끌리듯 다가가니 새가 기다렸다는 듯 내 팔에 앉았다. 이번에도 쪽지가 있었다.

[새가 내 쪽지를 제대로 전달하고 있을지 모르겠군. 혹시 잘 전달하고 있다면 머리를 쓰다듬어 줘라. 칭찬에 약하다.]

아드리안의 쪽지를 읽고 나서 얌전히 있는 새를 보았다. 마치 칭찬을 기다리기라도 하듯 나를 보고 있었다.

"고마워."

크게 말하면 놀라서 도망을 갈까 봐 일부러 조그맣게 말하며 손가락으로 머리를 쓰다듬었다.

삐리리리―.

기뻐하며 새가 허공으로 날아올랐다.

또 새 쪽지를 가져오려는 것인가?

가만히 길을 걷고 있으려니 다시 새가 날아왔다.

나는 이번엔 제법 능숙하게 새를 팔에 앉히고 쪽지를 꺼내 읽었다.

[오래도록 고민했다. 네가 좋아하는 것이 무엇일지, 뭘 해야 네가 좋아해 줄지.]

"뭘 고민했다는 걸까?"

길은 계속 이어졌다. 쪽지도 계속 날아왔다.

[아티, 나는 네가 좋아하는 소설 주인공처럼 근사한 말은

할 줄 모른다. 하지만 이거 하나는 확실하다. 네가 원한다면 이 대륙이라도 기꺼이 갖다 바칠게.]

"······농담이겠지?"

파랑새가 이끄는 길의 끝엔 유리온실이 자리하고 있었다. 마지막 쪽지는 간단했다.

[그러니까, 들어와 줘.]

간결하고 간단한 한마디.

무슨 일이 벌어질지 몰라 두근거리는 심장 소리를 느끼면서 가슴을 내리눌렀다.

유리온실의 문을 열자 그곳은 밤이었다.

"와······."

낮에서 밤으로 들어온 나는 감탄을 금치 못했다.

저 유리 밖으로 분명 햇살이 비치는 한낮의 하늘이 펼쳐져 있다는 것을 누구보다 잘 알고 있었다.

그런데 무슨 마법을 걸어 놓은 건지 유리 돔 너머의 하늘은 별빛이 반짝이는 까마득한 밤의 하늘이었다.

공기조차도 완전히 새롭다. 서늘하고 푸릇한 밤공기를 마시며 나는 길이 이끄는 곳으로 다가갔다.

대체 어디서 구해 온 것인지 반딧불이가 잔뜩 날아다니고 있었다.

싱그러운 풀 내음과 향긋한 꽃향기. 그리고 길 한가운데 서 있는 아드리안.

'설마······.'

이 분위기, 이 기운. 알아차리지 못할 리가 없었다. 아드리안은 답지 않게 꽃다발을 들고 서 있었다.

쑥스러워하면서도 서툴게 나를 향해 웃어 주는 아드리안의 모습에 심장이 소란스러웠다.

"아티."

현실 같지 않았다. 이거 꿈이 아닐까? 나를 부르는 나지막한 목소리가 너무나 정신을 몽롱하게 만들었다.

"……아드리안."

아드리안이 내게 다가왔다.

"오래 기다렸다."

비장하게 말한 아드리안이 품에서 무언가를 꺼냈다.

하나의 반지.

이 어둠 속에서도 빛나는 광채를 잃지 않는 달 조각 같은 보석이 아름답게 빛났다.

"나와 결혼해 줄래?"

한쪽 무릎을 꿇고 아드리안이 청혼했다.

이 감정을 뭐라 말하면 좋을까? 시야가 뿌옇게 변했다. 왈칵 쏟아진 눈물에 말을 하지 못했다.

"아티?"

걱정스러운 목소리가 나를 향한다. 이것은 단 한 번도 꿈꿔 본 적 없던 순간이었다.

절대 가질 수 없다고 생각한 순간.

"……좋아요."

당신은 처음부터 내가 좋아할 수 없는 사람이었으니까.

그런 사람이 내 기색을 살피고 동요하고 걱정한다. 그 모든 과정이 익숙해진 지금도, 여전히 꿈만 같을 때가 있었다.

지금처럼.

"결혼하자."

"네."

고개를 끄덕이자 아드리안이 반지를 왼쪽 약지에 끼워 주었다.

아드리안 너머 밤하늘에서 불꽃놀이가 터졌다. 언젠가 서로의 심장이 터질 것 같았던 바로 그날.

"아드리안."

기다렸다는 듯 입술이 포개졌다.

우리는 마음껏 서로의 온기를 나눴다.

✦ ♛ ✦

아티가 아드리안의 청혼을 수락하자 황실에서는 정식으로 오비에도가에 청혼서를 보냈다.

오비에도가가 이에 응하여 아펜니노는 국혼(國婚)을 준비했다.

오랫동안 예비 황태자비로서 황실의 예법을 익힌 오비에도가의 여식 아티엔느가 드디어 정식으로 황가의 일원이 되는 날이 정해진 것이었다.

"오호호홋, 국혼 준비는 저에게 맡겨 주시죠."

마담 루시는 이날만을 기다렸다는 듯 루드밀라 황후에게 자신의 위대한 계획을 말했다.

"루시. 그건 조금, 별로이지 않을까?"

"오호호홋, 폐하. 그럴 리가 있겠습니까. 걱정 말고 이 마담 루시를 믿어 주세요."

"아니, 믿기는 믿는데……."

"폐하, 역사에 남을 아름다운 결혼식이 좋겠죠?"

"……."

"그러려면 약간의 희생은 불가피하답니다."

결연한 마담 루시의 설득에 처음엔 미심쩍어하던 황후도 결국 넘어갔다.

국혼 준비로 아티는 다시 바빠졌다. 그리고 그 전에 아드리안이 아티를 불러내었다.

"오늘은 외출이야."

"황궁 바깥으로요? 바쁘실 텐데 괜찮으세요?"

아티가 걱정하자 아드리안이 걱정 없다는 듯 씩 웃었다.

"괜찮아. 꼭 필요한 일이거든."

바쁜 와중에도 절대 빼먹으면 안 되는 일이었다.

아드리안의 설명에 그러려니 생각했던 아티는 황궁 밖으로 나온 마차가 공방 앞에 멈춰 서자 그제야 의문을 표했다.

"여기는 왜……?"

"너를 키워 준 사람에게 허락받아야지."

"……!"

아티의 눈이 동그래졌다. 이전의 아드리안이라면 절대 하지 않을 말과 행동이었다.

'황태자가 고작 일개 장인에게 무언가를 허락받으려고

한다고……?'

믿기지 않는 현실이 눈앞에서 벌어지고 있어 아티는 아직도 자신이 꿈을 꾸는 것은 아닌가 의아했다.

아드리안은 자연스럽게 공방에 마련된 응접실에서 헬머를 불렀다.

이미 테르니에게 포섭된 헬머는 연신 불만족스러운 표정으로 아드리안을 노려보았다.

'아저씨, 그거 불경죄예요!'

아티는 이러다가 헬머가 정말로 황족 모욕죄로 붙잡혀갈까 봐 걱정되었다.

"무슨 일인가, 황태자 양반."

"오늘은 장인 위르겐 헬머를 보러 온 것이 아니라 아티를 키워 주신 분을 뵙고자 왔습니다."

아티가 소리도 내지 못할 정도로 놀랐다. 아드리안이 이렇듯 정중하게 존칭을 쓰는 걸 보는 날이 오다니.

"뭐? 나를 봐서 뭐 하려고."

"결혼 허락을 받으려 합니다."

"이제 와서?"

헬머는 절대 호락호락하지 않았다.

"예. 이제 와서."

그리고 그건 아드리안도 마찬가지였다.

"이미 둘이 결혼하기로 되어 있는 거 아닌가? 굳이 내 의견이 필요한가?"

"필요합니다."

x

아드리안이 아티를 보았다.

"아티가 당신의 축복을 받고 싶어 할 테니까."

헬머가 얼굴을 구겼고 아티는 놀랐다.

아드리안은 노골적으로 '나는 네 축복 따윈 없어도 된다.'는 태도였지만 딱히 놀랍진 않았다.

헬머가 입술을 씰룩였다.

"저기, 아저씨……."

"라라야. 다시 생각해 보거라. 이 놈팡이 녀석은 아냐!"

"아니, 아저씨, 말투 좀……."

이러다가 목이 잘릴 수 있다고 아티가 발을 동동 굴렀다.

아티의 마음을 아는지 모르는지 헬머가 아티를 끌고 가서 아드리안이 들을 수 없도록 귓가에 속삭였다.

"네가 원한다면 내가 다 방법이 있다. 해외로 튈 자금도 마련했어!"

"아저씨……."

"그러니까, 말만 해! 사실 협박을 받는 거지?"

아티가 한숨을 내쉬었다.

흥분한 헬머의 팔을 붙잡고 아티가 한 자 한 자 명확한 발음으로 말해 주었다.

"아저씨, 저 이 사람 사랑해요."

"……!"

헬머가 눈을 홉떴다. 그보다 더 충격적일 수 없다는 반응에 아티가 한숨을 내쉬었다.

"협박받은 거 아니에요. 정말 사랑해서 결혼하려는 거예요."

영원히 함께 있을 수 있을 테니까.

불신의 눈초리로 헬머가 아드리안과 아티를 번갈아 보았다.

"라라야, 네가 정말 저 작자를 사랑하는 거냐?"

"네."

"저 작자도 널 사랑하고?"

"네."

나라 돌아가는 일은 몰라도 아드리안 황태자가 어떤 인간인지는 헬머도 잘 알았다.

'여자를 무척이나 싫어한다고 들었는데.'

알려진 그것 외의 흠은 없었으나 헬머는 절대 사람이 그냥 바뀐다고 생각하지 않는 사람이었다.

도대체 무슨 말로 라라를 속인 건지 알 수 없어도, 헬머는 아드리안의 실체를 아티에게 보여 줘야겠다고 다짐했다.

'라라에게 알려 줘야겠어.'

가슴 아프고 잔혹한 일이지만 이 작자가 말하는 사랑이 얼마나 얄팍한 것인지 자신이 증명하는 수밖에 없다고 생각했다.

"그래, 황태자 양반. 정말 라라를 사랑하는가?"

"당연히."

아드리안은 헬머가 갑자기 왜 태도를 바꾼 것인지 의아했다.

헬머의 눈이 예리하게 빛났다.

"그렇다면 내가 문제를 내지. 이 문제를 모두 맞힌다면 내 둘의 결혼을 허락하지!"

"좋습니다. 한번 내 보도록 하시죠."

헬머가 음흉하게 웃었다.

"라라가 무슨 색을 좋아하지?"

"하얀색."

"라라 생일은?"

"11월 21일."

"라라가 가장 감명 깊게 읽은 책은?"

"황태자의 마지막 고백."

헬머의 시선이 아티를 향했다. 아티는 터질 것같이 달아 오른 뺨을 붙잡고 고개를 끄덕였다.

"흠흠."

헬머가 회심의 미소를 지었다.

"라라가 가장 좋아하는 사람은?"

아드리안이 두 눈을 부릅떴다.

"위르겐 헬머."

"……."

아티가 고개를 끄덕였다.

이번에도 정답이었다.

헬머는 숨을 골랐다. 상대가 예상보다 만만치 않았다.

'내가 아는 그 황태자가 맞는 건가?'

남에게 관심이 없다던 그 오만하고 완벽한 황태자가 아 티에 대해 이렇게 많이 알고 있을 줄은 미처 예상하지 못 했다.

'설마…… 정말로 아티를 사랑하는 것인가?'

편견이 눈을 가려 자신이 진실을 보지 못하고 있는 것인가 싶었다. 헬머의 시선이 아티를 바라보는 아드리안에게로 향했다.

저 녹을 듯한 눈빛…….

분명 사랑에 빠진 남자가 할 법한 눈빛이었다.

'아니다. 엄청난 경지의 연기일 수도 있어.'

헬머는 절대 넘어가지 않겠다고 다짐했다. 저런 작자와 혼인했다간 아티가 얼마나 고생할지 앞길이 훤했다.

"더 물어보실 것이 없으십니까?"

"기다려 보게."

최대한 아드리안이 모를 법한 것을 생각해 보았다.

"라라가…… 가장 좋아하는 음식은?"

"코트 다뇨(양 갈비 스테이크)."

"틀렸네!"

헬머의 목소리가 우렁찼다. 드디어 약점을 잡은 사람처럼 그가 의기양양하게 웃었다.

"흥."

이럴 줄 알았다는 듯, 헬머가 아드리안을 비웃었다.

하지만 아드리안은 기가 죽기는커녕 자신을 비웃는 헬머를 비웃었다.

"틀린 건 당신입니다."

"뭐야?!"

정답을 가리기 위해 헬머가 아티를 돌아보았다. 아티가 손을 쥔 채로 헬머에게 미안한 눈빛을 보내고 있었다.

"설마, 라라. 너……?"

"죄송해요, 아저씨. 황궁에서 맛본 음식이 너무 맛있어서 그만."

아티가 17년 연속으로 가장 좋아했던 음식은 헬머가 해준 리소토였다.

아티의 가장 좋아하는 음식이 바뀌었다는 충격도 잠시, 헬머는 다른 사실에 충격을 받았다.

'이제 더 이상 내가 알던 라라가 아닌 게로군.'

품 안에 있던 아이는 세상에 나가 혼자만의 세상을 만들었다.

헬머는 자신이 황궁에서 지내던 아티를 모른다는 사실에 무척이나 쓸쓸해졌다.

더 이상 아티에 대해 제일 잘 아는 사람이 헬머 자신이 아닌 것이다.

"라라……."

"그게, 정말 맛있는 음식이에요. 언젠가 아저씨에게도 맛보여 드리고 싶어요."

"그래, 그건 고맙구나."

"그러니까, 아저씨, 그게."

헬머가 아티의 손을 잡았다.

"그런 건 이제 상관없다."

그렇게 작았던 손이 이제 제법 커졌다. 자신이 지켜야 할 어린아이는 이제 다 커 버린 것이다.

알고는 있었지만 새삼 자신이 잊고 있었던 시간의 공백

이 밀려 들어와 헬머는 복잡한 감상을 숨길 수 없었다.

"더 문제를 내 보십시오."

기가 산 아드리안이 헬머를 도발했다. 예전이라면 그 도발에 걸려 넘어갔을 텐데, 헬머는 그저 아티를 바라볼 뿐이었다.

"황태자 양반, 잠깐 단둘이서 이야기 좀 할까?"

헬머가 먼저 독대를 청했다. 아드리안은 놀랐지만 피할 생각도 이유도 없었다.

아티는 두 사람이 왜 갑자기 저러는지 이해할 수 없었다.

아티가 듣지 못하는 곳으로 자리를 옮긴 헬머가 아드리안을 노려보았다. 여전히 마음에는 안 들었지만.

"라라를 잘 부탁합니다."

한 소리 들을 것이라 생각했던 아드리안이 놀라 인상을 썼다.

"상처가 많은 아이니 잘 감싸 주십시오. 행여 울리기라도 하면 절대 가만히 있지 않을 겁니다."

"걱정 마시죠. 그럴 일은 없을 겁니다. 절대."

두 남자가 서로의 눈을 마주 보았다. 말로는 설명할 수 없는 어떤 유대가 둘 사이에 생겨났다.

날씨는 화창했다.

마치 오늘이 무슨 날인지 안 것처럼 맑은 하늘엔 구름 한

점 없었고 강렬한 햇볕이 내리쬐는 아래로 푸르른 바다와 그 바다를 풍경으로 이어지는 궁전이 한 폭의 그림처럼 펼쳐졌다.

오늘은 대망의 결혼식 날.

드디어 예비 황태자 부부가 정식 부부가 되는 날이었다.

"오호호홋!"

결혼식의 모든 준비를 맡아서 한 마담 루시가 아주 뿌듯하게 웃었다.

장소는 블레스터 별궁의 정원. 바다가 보이는 운치 있는 정원이 결혼식장으로 바뀌었다. 남쪽에 있는 궁전이었기에 당연히 날씨는 따사롭고, 아름답고, 더웠다.

"오늘 햇살이 정말 강하군요."

"그러게 말입니다."

참석한 하객들은 전부 황족과 고위 귀족뿐이었다.

이번에도 어김없이 시리우스에서 온 베로니카 황후와 로넨도 축하해 주기 위해 자리를 빛내고 있었다.

루드밀라 황후는 동생의 얼굴을 봐서 기쁜 마음 반, 걱정스러운 마음 반이었다.

"베카, 이렇게 자주 시리우스를 비워도 돼?"

"나 때문에 일이 있었으니 당연히 축하해 주러 와야지."

물론 베로니카는 건방지고 오만한 아드리안이 자기보다 작고 여린 신부한테 쩔쩔매는 꼴을 구경하러 온 것이기도 했다.

"그래도 결혼 선물은 제대로 챙겼으니까 확인해 봐."

"어머, 얘도 참. 그러지 않아도 된단다."

"그러지 않아도 되긴."

이렇게 기쁜 날, 모두가 행복해하고 있는데 울상인 사람이 있었으니 그건 바로 로넨이었다.

"아티가……. 내 아티가……."

"넌 졌어."

아카시아가 냉혹하게 심판 결과를 말했다. 로넨이 아카시아를 노려보다가 고개를 숙였다.

평소라면 뭐라고 했을 텐데 기가 죽은 로넨을 보며 아카시아도 놀린 게 미안해졌다.

"그래도 내가 있잖아. 나도 같이 졌어."

"아카시아, 넌 아티랑 결혼 못 하잖아."

"왜 못 해? 언니랑 내가 원하면 할 수 있어!"

당연히 이제 아티는 아드리안과 결혼하게 되니 그럴 일은 없었다.

꼬맹이들이 서로 이야기를 나누는 모습을 보며 베로니카와 루드밀라가 묘한 시선을 교환했다.

"으어어어어어어엉!"

그때, 결혼식장 한편에서 통곡을 해 대는 한 사람이 있었으니.

그건 바로 테르니였다.

"아티~~ 돌아와! 아티!!"

테르니가 훌쩍이며 행패를 부리고 있었다. 테르니를 막아선 건 에센도 디아노도 아니었다.

카밀라는 간단하게 테르니의 목소리를 봉인했다. 입을 마법으로 막아 버린 것이었다.

"이제 좀 조용하네."

테르니가 몸부림치는 걸 상큼하게 무시한 카밀라가 요제프와 함께 있는 헬머를 돌아보았다.

"헬머 경, 이쪽으로 와서 저희와 함께 앉으세요."

"아니, 그래도 이 자리는 가족들만 앉을 수 있는 자리 아닙니까?"

헬머가 머쓱하게 거절했으나 요제프가 허허 웃으며 그를 끌어당겼다.

"아티에게 중요한 분이시니 당연히 여기 앉아야지요."

"그래요, 헬머 경. 저희와 함께해요. 아티를 위해서라도."

아티의 이름이 나오자 한사코 사양하던 헬머도 더 이상 거절하지 못했다. 결국 헬머는 오비에도 가문 자리에 같이 앉게 되었다.

예식이 시작되었다. 주례를 맡은 오시리스 교단의 대주교가 단 위에서 기도로 시작을 알렸다.

별궁의 문이 열리며 예비 황태자 부부가 모습을 드러냈다.

순백의 아름다운 웨딩드레스를 차려입은 아티와 화이트 턱시도 차림의 아드리안.

두 사람은 손을 꼭 잡은 채로 식장으로 들어섰다.

헬머와 눈이 마주친 아티가 환하게 미소 지었다. 그 무엇보다 눈부신 미소였다.

"……새로이 부부가 되었음을 엄숙히 선언합니다."

주교의 축복과 선언이 끝나고 두 사람이 마주 보았다. 사랑과 맹세의 키스의 순간.

아드리안의 눈에 아티가 담기고 아티의 눈에 아드리안이 담겼다.

그 어떤 말보다 짧은 눈빛 하나가 많은 것을 내포하는 순간도 있는 법이다.

두 사람의 입이 포개지고 결혼의 증인으로서 참석했던 하객들이 우레와 같은 박수를 쳤다.

"읍읍! 읍!(이 결혼 무효야!)"

유일하게 이 결혼을 용납하지 못하는 건 테르니뿐이었다.

그날, 신부와 신랑과 그 부모보다 더 엉엉 운 것은 테르니였다.

✦ ♛ ✦

황태자 부부는 그대로 블레스터 별궁의 한 건물로 들어갔다.

당연히 결혼을 축하하고 신랑과 신부를 축복하기 위한 연회가 밤새도록 있었지만 아드리안은 마담 루시에게 자신들은 빠질 것이라 미리 말해 두었다.

'아티를 피곤하게 만들 수 없지.'

그리고 오늘 하루만은 아티와 온전하게 둘만 있고 싶었다.

"아티."

예식 드레스를 벗은 아티가 가벼운 차림으로 아드리안을

맞이했다.

얇은 원피스도 하얀 옷이었기에 아드리안에게는 아직도 아티가 결혼식 드레스를 입은 것처럼 느껴졌다.

"아드리안."

아티가 부르는 자신의 이름이 좋았다. 얼마나 좋은가 하면 자신의 이름이 아드리안인 것이 살면서 처음으로 마음에 들 정도였다.

아티의 허리에 손을 감고 부드럽게 당겨 안았다. 이 온기, 체감, 향기. 모든 것이 황홀하다.

"아티."

아드리안이 아티의 입술을 가볍게 짓눌렀다. 아티는 거절하지 않았다.

그 몸짓조차 사랑스러워서, 아드리안은 아티를 안고 있는데도 애가 달았다.

"사랑해."

자신이 이런 말을 입에 담을지 누가 알았겠는가?

아드리안의 고백에 아티가 수줍게 웃었다.

"저도요."

자신을 바라보는 푸른 눈동자. 아드리안은 새삼 이 눈동자와 처음 눈이 마주쳤을 때가 떠올랐다.

"우리가 처음 만난 날 생각나?"

"어떻게 그날을 잊겠어요."

"그러게. 절대 못 잊지."

그저 최악이었던 날.

아드리안이 처음 아티를 발견했을 때는 최악에 최악으로 안 좋은 일이 겹쳤던 날이었다.

"저 그때 정말로 죽는 줄 알았어요. 그때 아드리안, 정말로 무서웠거든요."

아티가 가늘게 몸을 떨었다. 아드리안은 아티를 더 세게 끌어안으며 나지막하게 물었다.

"그래? 지금은 안 무섭지?"

손에 쥐면 바로 부러질 것 같은 아티가 웃으면서 고개를 끄덕였다.

"아드리안은 제 첫인상 어땠어요?"

좋을 거라고 생각하진 않았다. 하지만, 어쩌면?

아티의 기대 어린 질문에 아드리안이 답했다. 생각해 볼 것도 없는 즉답이었다.

"멍청하다."

"……."

아티의 눈이 가늘어졌다.

"그리고……."

삐진 게 분명한 아티의 표정을 보면서 아드리안이 슬그머니 웃었다.

"그때도 귀여웠던 것 같아."

그걸 믿고 싶지 않아서 인정하지 못하던 때도 덩달아 떠올랐다. 아티가 웃었다.

"미리 사과할게."

"……? 왜요?"

"오늘은 울어도 봐주지 않을 거야."

이 뻐근한 소유욕을 잘 제어할 자신이 없었다. 고개를 갸웃하던 아티의 얼굴이 붉게 물들었다.

"사랑해, 아티."

아마도 영원히.

말로 하지 않아도 전해질 마음을 담아 아드리안은 다시 아티의 입술을 탐했다.

감히 누가 상상이나 했겠는가?

자신밖에 모르던 그 아드리안 황태자가 작고 멍청하다고 생각한 시녀를 만나 알지 못하던 세계를 경험하고 사랑을 느끼고 끝내는 결혼까지 하게 될 것이라고.

이건 운명이라고 할 수밖에 없다.

'뭐라고 해도 상관없어.'

인생에 찾아온 단 한 번의 행운. 아드리안은 그 행운을 기꺼이 붙잡았다.

외전 1. 그들의 신혼여행

외전 1. 그들의 신혼여행

테르니는 온종일 울었다.

얼마나 하염없이 울던지 남들이 보면 집안에 우환이라도 생긴 줄 알았을 정도로.

"그만 울거라, 테르니. 네 동생이 어디 팔려 간 것도 아니잖니. 결혼한 거야, 결혼."

"흐어엉. 엄마는 아무것도 몰라⋯⋯! 아티가, 아티가!"

"누가 보면 네 딸인 줄 알겠구나."

"아티이이!"

처음에는 나름대로 진심을 다해 테르니를 위로하던 카밀라였다. 그러나 곧 인내심이 한계에 부딪히고 말았다.

"울다가 죽든지. 휴. 내 아들이지만 정말 못 말리겠단 말이야."

카밀라는 깊은 한숨을 내쉬며 자리를 떠나 버렸다.

홀로 남은 테르니는 언젠가 아티가 자신을 위해(?) 수를 놓아 주었던 손수건을 바라보며 구슬피 울었다.

"우리 불쌍한 아티. 사악하고 못된 아드리안 자식한테 속아서……. 끄으읍."

청혼에 성공한 뒤 의기양양하게 웃던 친구 놈의 얼굴이 자동으로 떠올랐다.

그 자식이 얼마나 못돼 먹은 놈인지도 모른 채 아티는 말갛게 웃으며 청혼을 승낙하고 말았다.

"내가 너를 어떻게 키웠는데, 이럴 수 있어. 아티!"

테르니는 그 성격 더러운 아드리안이 좋다며 홀랑 결혼해 버린 아티를 원망했다.

결혼식을 파투 내려고 했지만, 사전에 철저하게 준비했던 아드리안 때문에 계획은 실패하고 말았다.

테르니는 울면서도 이를 갈았다.

"두고 봐라, 아드리안. 피눈물 나게 해 줄 테니까!"

그리고 며칠 후.

기회는 의외로 빨리 찾아왔다.

이불 속은 따뜻하고 포근했다. 마음 같아서는 더 자고 싶었지만, 그럴 수 없었다.

해야 할 일이 많았으니까.

반짝, 눈을 뜨자 좀처럼 익숙해지지 않은 얼굴이 눈에 들어왔다.

티 하나 없이 깨끗한 피부, 굳게 다물린 입술, 그리고 나를 단단히 끌어안은 팔.

이 남자는 바로 이 나라 아펜니노 제국의 황태자이자 내 남편이었다.

'남편이라니, 신기해.'

멀게만 느껴졌던 사람인데, 이렇게 가까운 사이가 될 줄은 상상도 못 했다.

사실 아직도 실감이 안 난다.

나도 모르게 아드리안의 뺨을 손가락으로 쿡 찔렀다.

"……앗."

그리고 곧바로 붉은 눈동자를 마주했다.

눈동자의 문양이 또렷하게 보일 정도로 얼굴이 가까웠다.

"혹시 저 때문에 깼어요?"

"아니. 깨어 있었어."

아드리안이 내 이마에 가볍게 입을 맞추었다. 더없이 자연스러운 행동이었다.

하지만 아직 면역이 없는 나는 발그레 달아오른 뺨을 감추려 황급히 몸을 일으켰다.

"이제 준비해야 해요."

"무슨 준비?"

"두 분 폐하께 문안 인사를 드려야죠."

아드리안이 미간을 좁혔다.

"안 해도 돼. 가지 마. 나랑 같이 있어."

커다란 손이 내 손을 붙잡았다.

정말 가기 싫은 것 같은 아드리안의 모습에 나는 난감해졌다.

"하지만 황후 폐하께서 꼭 오라셨어요……."

"……."

"아드리안도 같이."

결국 한숨을 내쉰 아드리안이 몸을 일으켰다.

덮고 있던 이불이 흘러내리자 아무것도 걸치지 않은 상체가 드러났다.

어젯밤에 실컷 봤던 몸이지만, 아침에 보니 느낌이 또 달랐다.

아드리안의 탄탄한 몸을 홀린 듯이 보던 나는 황급히 정신을 차렸다.

"같이 갈 거죠?"

"가야지."

씻으러 욕실로 향하는 길에 언뜻 아드리안이 '약점 잡혔군, 빌어먹을.'이라고 말하는 걸 들었는데, 무슨 의미일까?

✦ ♛ ✦

아드리안은 기분이 좋지 않았다.

문안 인사 따위 때문에 아티와의 오붓한 시간을 빼앗겼기에.

그레이스 궁의 응접실에 들어서자 그곳에는 황후와 황제

가 함께 있었다.

황후는 밝게 웃으며 아티를 반겼다.

"어서 오렴, 우리 아티. 오늘도 아주 깜찍하구나. 드레스가 아주 잘 어울려."

"감사합니다, 황후 폐하."

"어머니라고 부르라고 하지 않았니."

"어, 어머니."

"그래. 얼마나 듣기 좋니?"

살가운 고부간의 대화를 듣던 아드리안의 표정은 험악해졌다.

별 시답잖은 이야기만 할 거면서 굳이 불러내 방해하는 모후가 마음에 들지 않았다.

"어서 앉거라, 아티야. ……아드리안, 넌 못 올 곳에 끌려왔니?"

뒤늦게 아티의 뒤에 썩은 표정으로 서 있던 아드리안을 발견한 루드밀라 황후가 한마디 했다.

아드리안은 지지 않고 응수했다.

"매일 방문할 만한 장소는 아니죠."

"그러니? 그럼 너는 내일부터 빠지렴. 나는 귀여운 아티와 놀아야겠다. 아티야, 우리 같이 차도 마시고 드레스도 고르고 정원 산책도 하지 않으련?"

"네, 좋아요!"

아드리안이 뭐라 하기도 전에 아티가 발랄하게 대답했다.

"……."

'내 아내가 너무 순진해서 큰일이다.'

어이가 없어서 가만히 서 있자, 아티가 아드리안을 끌어당겨 옆에 앉혔다.

그렇게 정식으로 시작된 문안 인사.

이번에도 어김없이 아드리안이 낄 자리는 없었다.

"아티야, 이번에 내가 토끼들을 위해서 새로 우리를 만들려는데, 어떤 디자인이 나으냐?"

"오른쪽 디자인이 좀 더 깔끔해 보여요."

"오오, 역시 안목이 있어."

황제도 며느리에게 딱 붙어 온갖 주접이란 주접은 다 떨어 대었다.

시부모님과 며느리 관계가 돈독해도 너무 돈독했다.

'차라리 사이가 나빴으면 좋겠다.'

아드리안은 아티와의 시간을 방해받는 게 싫어 인상을 쓴 채 황제 내외를 노려보았다.

그 시선을 느낀 황후가 손수건을 꺼내 작위적으로 눈가를 닦았다.

"나는 며느리가 생기면 이것저것 함께하는 게 소원이었는데 아드리안은 그게 마음에 들지 않는 모양이야."

"아니에요, 어머니."

"하지만 저렇게 노려보잖니?"

그제야 아티의 시선이 아드리안에게 향했다.

정말로 그는 부모님을 강렬하게 노려보고 있었다.

"아드리안."

"……그래. 마음대로 해."

결국, 이번에도 진 건 아드리안이었다.

그는 자포자기한 심정으로 그들의 수다가 빨리 끝나기만을 기다렸다.

'이래선 부황과 모후와 결혼한 줄 알겠네.'

치미는 질투를 억누르고 있을 때, 황후가 손뼉을 치며 화제를 돌렸다.

"그러고 보니 애들아. 신혼여행은 어떻게 하려고 그러니?"

"황가 소유의 인공 섬에 갈까 생각 중입니다."

"호호. 거기라면 분위기도 좋지. 즐거운 신혼여행이 되겠구나."

황궁에는 방해꾼들이 많아도 너무 많았다.

시도 때도 없이 불러 대는 황제와 황후.

거기다 심심하면 찾아오는 마리에 옆에 붙어서 시비를 걸어 대는 에센도 있었다.

그중에서도 단연 압권인 건 역시 테르니였다.

녀석은 틈만 나면 아드리안의 앞에서 '내 아티를 돌려 내!' 하며 통곡하고는 했다.

그럴 때마다 발로 걷어차 주긴 했지만.

아무리 생각해도 정상적인 신혼 생활은 아니었다.

뭔가 분위기를 환기할 방법이 필요했고, 그중 하나가 바로 신혼여행이었다.

'오로지 단둘만 떠나는 오붓한 여행.'

온종일 아티와 붙어 있을 생각을 하니 절로 기분이 좋아졌다.

하지만 아드리안의 계획을 들은 황후가 심각한 표정을 지었다.

"아드리안. 네 계획에는 치명적인 문제가 있구나."

"무엇입니까?"

"그 섬엔 건물만 있고 다른 건 없을 텐데, 식사는 어떻게 해결하려고 그러니?"

"……주방장은 데려가겠습니다."

함께 요리하는 것도 즐거울 것 같긴 했지만 그래도 전문가의 손길이 들어간 맛있는 음식을 즐기는 게 낫다는 판단이 들었다.

그러자 황제가 한마디 거들었다.

"아니, 아드리안. 네가 이렇게 못난 놈일 줄은 몰랐다. 어떻게 화가를 안 데려간다는 말이냐. 아티의 사랑스러운 모습을 매분 매초 그려야 하지 않냐는 말이다!"

황제의 말을 들은 아드리안은 곰곰이 생각에 빠졌다.

'일리가 있다.'

아티가 신혼여행지에서 보내는 그 순간순간을 놓칠 수 없었다. 그림으로 잘 남겨 놔야지.

"알겠습니다. 화가도 데려가겠습니다."

이제 다 끝난 줄 알았지만, 아니었다.

황후가 심각한 표정으로 또 조언했다.

"설마 아티의 시중을 들어 줄 시녀도 데려가지 않을 셈이니?"

"데려가겠습니다."

그 정도 인원은 괜찮았다.

하지만 황제 내외의 참견은 거기서 끝나지 않았다.

"악사는! 신혼여행지에 악단이 없다니 말도 안 된다!"

"그래. 악단은 필수란다. 무희도 잊지 않았겠지? 흥겨운 노래에는 춤이 빠질 수야 없지."

"파티시에도 빼놓지 마라. 아티와 함께 맛있는 디저트를 먹어야 하지 않겠느냐?"

"의원도 있어야지. 혹시 무슨 일이 생길 줄 알고?"

"그렇군요. 알겠습니다."

정신을 차리고 보니 애초에 기획했던 단둘만의 신혼여행이라는 취지에서 한참이나 벗어난 후였다.

백 명이 넘는 사람들이 두 사람의 신혼여행을 위해 투입되는 엄청난 계획이 세워졌다.

'그래도 아티와의 시간을 방해할 수 없는 자들이니까.'

아드리안이 멋진 계획에 혼자 흡족할 때였다.

황제가 진지한 목소리로 운을 떼었다.

"그리고 아드리안. 마지막으로 가장 중요한 게 있다."

심각한 분위기라 아드리안도 덩달아 심각해졌다.

"뭡니까?"

"바로 우리들이지!"

"……?"

"그런 화목한 풍경에 가족이 빠질 수 없지 않으냐? 내친 김에 오비에도 식구들도 부르자꾸나!"

농담치고는 너무나도 진심이라 아드리안은 저도 모르게 정색했다.

"꿈도 꾸지 마십시오."

딱 잘라 거절하자 황제가 애처로운 표정을 지으며 황후에게 엉겨 붙었다.

"신혼여행까지 방해하지 않으실 거라 믿습니다."

아드리안은 불안한 마음에 한마디 덧붙였다.

이 정도로 말하면 알아들을 부모님이라고 믿으며.

……그랬는데.

"어쩌다 이렇게 된 거지?"

충격받은 아드리안의 옆으로 테르니가 까르르 웃으며 물장구를 쳤다.

"어서 들어와, 아드리안. 시원해!"

테르니만 있는 것도 아니었다.

"전하. 제가 생선을 잡아 드리겠습니다."

디아노가 손발을 걷어붙이고 낚시에 나섰고.

"아티. 우리 저기 가서 쉴까?"

에센이 가증스럽게 웃으며 아티에게 딱 달라붙어 있었다.

와장창 깨어져 버린 오붓한 신혼여행.

"……망할!"

이 모든 게 다 테르니 때문이었다!

'이 신혼여행은 망했다.'

그래. 모든 것의 시작에는 테르니가 있었다.

황제 내외에게 문안 인사를 마치고 아티와 함께 그레이스 궁을 나서던 길이었다.

맞은편에서 오던 테르니가 두 사람을 발견하곤 우다다 달려오더니 아티를 와락 끌어안았다.

"아티! 보고 싶었어!!"

"어제도 봤잖아요."

"어제는 어제고 오늘은 오늘이잖아. 헉. 반응이 왜 그래. 설마 우리 사랑이 식은 거야?"

아드리안은 아티에게 지독하게 엉겨 붙는 테르니를 한 손으로 밀어냈다.

"아티한테서 떨어져."

"뭐야. 지금 나 핍박하는 거야? 황태자면 다야? 다냐고!"

"다야."

아드리안과 말이 통하지 않음을 깨달은 테르니는 목표물을 바꾸었다.

"아티. 너는 저래도 이 자식이 좋아?"

"네, 좋아요!"

"와, 와, 와……!"

테르니는 배신감에 사무쳤다.

아티의 육신은 결혼이라는 이름에 빼앗겼을지언정 마음만은 아직 오비에도가에 남아 있을 거란 강한 믿음이 있었는데……!

그러거나 말거나 아드리안은 망설임 없이 좋다고 대답한 아티를 꿀 떨어지는 시선으로 보고 있었다.

테르니는 미간을 좁히며 그들을 번갈아 보았다.

"너네 그러는 거 아니야. 어떻게 나만 쏙 빼놓고 결혼할 수가 있냐고."

"그럼 결혼을 셋이 하냐?"

"당연하지!"

"……."

아드리안은 당당하게 헛소리를 지껄이는 테르니를 보며 눈가를 찌푸렸다.

"가자, 아티. 저 자식한테 물들겠어."

테르니는 아티를 알뜰살뜰하게 챙겨 자리를 뜨는 아드리안의 뒷모습을 의미심장하게 바라보았다.

감히 나를 배제했겠다.

"언제까지 그렇게 웃을 수 있나 보자."

언젠가 가브리엘이 아티에게 했던 대사를 치며 테르니는 의기양양하게 그레이스 궁 안으로 들어갔다.

물론 아드리안은 웃은 적이 없었다.

테르니는 팔랑거리는 걸음걸이로 황후를 알현했다.

"어서 오거라, 테르니. 과자 먹으러 왔니?"

"네! 여기 과자가 제일 맛있거든요."

"호호. 많이 먹거라."

"넷!"

테르니는 와작와작 쿠키를 먹으며 테이블을 살폈다.

바로 전까지 황태자 부부가 문안 인사를 드렸던 흔적이 아직 남아 있었다.

나가는 길에 그들을 만났지만 테르니는 아무것도 모르는 척 능청스레 물었다.

"황후 폐하. 혹시 아티랑 아드리안이 다녀갔나요?"

"그럼. 아주 즐겁게 담소를 나눴단다."

"와. 무슨 이야기를 그리 즐겁게 하셨어요?"

"그게 말이지, 신혼여행 이야기를 했단다. 후후."

"오오. 신혼여행이요?"

테르니의 눈이 음흉하게 반짝였다.

'흐흐. 신혼여행. 신혼여행이라…….'

테르니는 보이지 않는 꼬리를 살랑거리며 황후에게 딱 붙어서 이것저것 물어보기 시작했다.

"신혼여행이 언젠데요?"

"아마 이번 달 중에 갈 것 같구나."

"둘만 간대요?"

"그래. 글쎄 사용인을 아무도 안 데려간다지 뭐니?"

"아이구, 그러면 안 되죠!"

"그렇지? 역시 테르니는 뭘 좀 안다니까."

"아핫핫! 제가 뭘요. 황후 폐하가 더 최고라고요!"

엄청난 아부와 친화력으로 테르니는 황태자 부부의 신혼여행지와 일정을 손에 넣는 데 성공했다.

그리 어렵지도 않았다.

"그럼 이제 다음은."

테르니가 다음으로 찾은 건 위르겐 헬머였다.

"응? 여긴 무슨 일이오."

헬머는 난데없이 나타난 테르니를 보며 들고 있던 미완성 작품을 내려놓았다.

테르니가 씨익 웃으며 헬머에게 물었다.

"좋은 여행지가 있는데, 효도 관광이나 가시렵니까?"

"효도 관광?"

"네네. 물이 맑고 풍경이 아름다운 섬이랍니다."

"여행이라……. 가 본 지도 오래되었군. 우리 라라와 함께 가고 싶었는데."

"우리 라라. 접수 완료."

"접수 완료?"

헬머가 의아해하든 말든 테르니는 개의치 않고 씨익 웃었다.

"정성껏 모시겠습니다, 고객님."

그렇게 테르니 주최의 관광 여행 계획의 막이 올랐다.

"호위 기사가 빠질 수 없는 법이지."

에센은 꼬실 필요도 없이 따라왔고.

"전하께서 가시는 곳이라면 어디든 갑니다."

디아노도 결연하게 다짐하며 여행에 참여했다.

"여행? 아티도 간다고? 나도 갈래!"

당연히 마리에도 빼먹을 수 없었다.

"저도 가도 돼요?"

"그럼 그럼!"

마침 옆에 있던 아카시아도 두 눈을 반짝반짝 빛내기에 권유했더니 금세 부모님 허락을 받아 왔다.

테르니는 내친김에 부모님께도 권했다.

"엄마, 아빠. 우리 가족 여행 가자!"

"가족 여행?"

"응. 아티랑 함께 가족 여행을 가 본 적이 없잖아! 행복한 가족 여행 가요!"

아들의 열정적인 주장에 오비에도 후작 부부는 잠깐 고민하더니 고개를 끄덕였다.

"그래, 그것도 좋겠지. 그럼 장소는 가문의 별장을—."

요제프 후작의 말이 끝나기도 전에 테르니가 선수를 쳤다.

"장소는 이미 정해 놨지~!"

"응? 장소를?"

"응. 내가 모실 테니 두 분은 걱정하지 마!"

어쩐지 신난 아들의 행동에 두려운 마음이 들었지만, 괜히 자극하기 귀찮은 마음에 후작 부부는 그러마 고개를 끄덕였다.

테르니의 일 키우기는 거기서 끝나지 않았다.

자신에게 아티와 아드리안이 신혼여행을 떠난다는 귀중한 정보를 알려 준 황후에게도 권하는 것을 잊지 않았다.

"황후 폐하도 같이 가요!"

"어머. 그래도 될까? 아드리안이 싫어할 텐데……."

"에이, 싫어해 봤자죠. 아티한테 이르면 돼요!"

"그럼 우리도 함께 가도록 할까?"

휴양을 떠나는 황후, 그리고 시종장 앨버트(?)까지.

어마어마한 규모의 여행 멤버가 완성되었다.

목적지는 황가 소유의 인공 섬.

공교롭게도 날짜는 황태자 부부의 신혼여행 날이었다.

✦ 👑 ✦

"……테르니 아기라 오비에도."

아드리안의 목소리는 금방이라도 눈앞의 사람을 찢어 죽일 것처럼 살벌했다.

하지만 그 정도 살기에는 꿈쩍도 하지 않는 강적 테르니는 능청스럽게 웃었다.

"어머낫, 어떻게 이런 우연이! 어쩌다 이렇게 여행 날짜가 겹쳐 버렸네?"

"어떻게 알아낸 거지? 여행을 떠난다고 말한 적도 없었는데."

아드리안은 이번 신혼여행에 신중에 신중을 기했다.

특히 테르니가 미리 알고 훼방을 놓을까 봐 휴가 일정도 직전에 몰래 뺄 정도였다.

혹시나 아티가 무심코 말해 버릴까 봐 입단속을 시키기까지 했는데.

"내가 너에 대해서 모르는 게 어디 있어? 나는 다 알지롱!"

"좀 몰라라."

"싫지롱!"

"그래서. 어떻게 알았는데? 사실대로 말해."

그때였다.

"아티야. 그쪽은 볕이 강하니 이쪽으로 오려무나."

아드리안의 강철 보안의 구멍이 상냥한 목소리로 아티를 불렀다.

아드리안은 이마를 짚으며 깊은 한숨을 내쉬었다.

"……모후로군."

"정답!"

쓸데없이 발랄한 테르니의 음성이 더욱 복장을 뒤집었다.

"망할."

이래서는 황궁에 있는 것과 다를 바 없지 않은가.

'아니, 심지어 더 최악이야.'

다들 여행 왔다는 생각에 들떠 아티에게 딱 들러붙어 떨어질 생각을 하지 않았다.

단둘만 떠나는 여행을 방해받았는데도 아무렇지도 않은지 생글생글 웃는 아티의 모습이 괜히 야속했다.

'그냥 다 엎어 버릴까?'

어차피 망해 버린 신혼여행 성질대로 뒤엎은 후 아티를 빼 갈까 생각했지만.

"아드리안! 이것 좀 봐요!"

고작 조개 따위를 주우면서 해사하게 웃는 아티를 보니 그럴 수가 없었다.

그래도 조금은 단둘만 보낼 시간이 날 줄 알았다.

하지만 테르니를 위시한 이들은 보통 미친 게 아니었다.

"아티는 나랑 잘 거야. 나랑 책 읽기로 했다고!"

"읽어 봤자 또 로맨스 소설이겠지!"

"아티 언니. 저랑 같이 자면 안 돼요? 언니랑 자는 거 처음이잖아요."

그 사이에 낀 아티는 당황하며 조르는 인간들을 달랬다.

"마리에, 책은 나중에 읽…… 오라버니, 취미를 깎아내리면 안 돼요. 아카시아, 울지 말고. 뚝 하자. 응?"

아드리안은 환장할 지경이었다.

'내 아내가 너무 착해서 곤란하다.'

저녁 시간까지는 저 민폐 덩어리들에게 아티를 양보했으니 밤은 빼앗길 수 없었다.

"아얏!"

아드리안은 테르니의 뒤통수를 한 대 갈긴 후 사이에 끼어 있는 아티를 빼냈다.

"넌 왜 저 개소리를 다 들어 주고 있어? 당연히 나랑 자야지."

"야, 순서가 있는 법이지. 맨 뒤에 가서 줄 서!"

테르니가 항의했지만 아드리안은 귓등으로도 듣지 않았다.

너무 미친 사람들 사이에 끼어 있어서 순간 정말로 밤까지 아티를 양보해야 하나 생각할 정도였지만, 금방 정신을 차렸다.

"피곤해. 가서 잠이나 자자."

아드리안은 매달리는 거머리들을 매정하게 떼어 내고 침실로 올라갔다.

빈말이 아니라 정말로 피곤했다.

온종일 아티에게 들러붙는 화상들을 견제하느라.

목깃을 매만지며 소파에 걸터앉자 아티가 쪼르르 다가와 옆에 앉았다.

아기 새같이 조그맣고 귀여운 몸짓에 아드리안의 기분이 확 좋아졌다.

"많이 피곤해요?"

걱정이 듬뿍 담긴 목소리에 아드리안은 일부러 인상을 팍 쓰며 말했다.

"어."

"따뜻한 차라도 마시면 피로가 풀릴 거예요. 제가 타 올게요."

"됐어."

아드리안은 퉁명스럽게 대답하며 아티의 손가락에 깍지를 꼈다.

그리고 그녀의 손목에 입을 맞추며 엷게 웃었다.

"알고 있잖아. 어떻게 하면 피로가 풀릴지."

손목을 간질이는 유혹적인 목소리에 아티의 얼굴이 순식간에 달아올랐다.

"여기선 조금⋯⋯."

"여기가 왜? 우리 둘뿐인데?"

아드리안은 반대편 손으로 아티의 허리를 끌어안았다.

그러자 부끄러운 건지 아티가 품 안에서 바르작거렸다.

'젠장. 하루 종일 가둬 놓고 나만 보고 싶다.'

왜 이렇게 사랑스럽고 난리인 걸까.

이 모습을 보고 있자니 오늘 온종일 느꼈던 짜증과 분노가 절반 정도는 가시는 것 같았다.

'다음번엔 꼭 테르니한테 안 들키고 둘만 여행 와야겠어.'

그런 다짐을 거듭하며 아드리안은 아티를 안아 올렸다.

"저도 발 있는데요!"

"그냥 내 발 써."

부끄러워하는 아티의 반응을 즐기며 아드리안은 곧장 침대로 향했다.

아티를 침대 가장자리에 앉힌 아드리안은 그녀의 이마에 짧게 입을 맞추었다.

"섭섭해. 오늘 나 빼고 노니까 재미있었어?"

"같이 놀자고 했는데, 아드리안이 싫다고 했잖아요."

"그거야 당연히 내가 놀고 싶은 건 너뿐이니까."

"에휴."

아티는 한숨을 내쉬며 아드리안의 뺨에 손을 얹었다.

기다렸다는 듯 눈을 감고 얼굴을 기대 오는 남편의 모습은 영락없는 대형견 같았다.

'예전엔 이 정도까지는 아니었는데.'

결혼하고 나서부터 아드리안의 집착은 더욱 심해졌다.

얼마나 심하냐면 아침부터 잠들 때까지 자신의 옆에서 한시라도 떨어지는 걸 싫어할 정도였다.

잠깐 눈에 보이지 않으면 극도로 불안해하는 탓에 아티도 덩달아 불안해질 정도였다.

'왜 그러는지 이해가 되지 않는 건 아니지만.'

결혼하기 전 있었던 파혼 사건 때의 기억 때문일 것이다.

"아드리안."

"왜?"

"내일은 다 같이 재미있게 놀면 안 돼요?"

물론 아티 또한 아드리안과 단둘이 오붓한 시간을 보내는 게 좋았다.

하지만 이왕 모두가 함께 휴양지로 여행을 왔으니 같이 노는 것도 나쁘지 않겠다 싶었다.

어쩌면 결혼 후 심해진 아드리안의 '아티 집착'을 조금은 해소할 수 있을지도 모른다는 생각이 들었다.

하지만 아드리안의 생각은 변함없었다.

"나로는 부족해?"

"네, 네?"

"밤낮으로 봉사해 주는—."

텁. 아티는 낯부끄러운 말을 잘도 하는 아드리안의 입을 틀어막았다.

"아, 아드리안. 그런 말 안 하기로 했잖아요. 그보다 우리 이야기 좀—."

아티가 부끄러움에 울먹이듯 말하자 아드리안은 보란 듯 그녀의 손바닥을 혀로 핥았다.

"아드리안!"

"미안. 네가 너무 귀여워서."

아티의 손을 떼어 낸 아드리안이 그녀를 아주 천천히 뒤로 몰아세웠다.

아티가 문득 정신을 차렸을 때, 그녀는 이미 침대에 누워 있는 상태였다.

조금 전까지 하고 있던 대화 주제는 머릿속에서 날아간 지 오래.

"그럼 이제 귀여운 건 그만할까?"

질문이 끝남과 동시에 아드리안의 눈빛이 침잠하듯 가라앉았다.

열기를 머금은 입술이 아티의 붉은 입술 위에 가볍게 내려앉았다.

옅은 입맞춤에 아티의 뺨이 발그레 달아올랐다.

'한참 모자라.'

아드리안은 강한 갈증을 느끼며 더 깊게 그녀의 입술을 탐했다.

서로의 호흡이 뒤섞이고, 숨이 벅찬 아티가 헐떡이며 아드리안의 목을 두 팔로 감싸 안았다.

"숨 쉬어."

"아드리안이 숨 쉴 틈을 안 주잖아요."

억울하다는 듯한 아티의 항변에 아드리안은 작게 웃었다.

"그것도 그렇군."

하지만 그건 아티 앞에서만 절제력을 잃기 때문이었다.

아무리 입을 맞추고 혀를 얽어도 도무지 해갈되지 않았다.

입맞춤을 하던 아드리안의 입술은 점점 내려와 아티의 목덜미를 핥았다.

공기가 점점 끈적해지고 두 사람의 눈빛이 탁해질 그때였다.

쾅쾅!

"아티! 아드리안!"

익숙한 목소리와 함께 불청객이 문을 두드렸다.

'……망할 테르니!'

신혼부부의 밤을 방해할 정도로 생각 없는 놈은 아니라 여겼는데, 아니었단 말인가.

한창 무르익었던 분위기가 한순간 식어 버렸다.

아드리안은 한숨을 내쉬며 아티를 품에 꼬옥 안아 버렸다.

"무슨 일 있는 거 아니에요? 제가 나가 볼까요?"

"그냥 무시해. 눈치 없는 자식 같으니라고."

아드리안은 테르니가 썩 꺼지기만을 기다렸다.

쾅쾅!!

"아드리안! 큰일 났어. 빨리 나와 봐!"

쾅쾅쾅!!

"아티! 어서 나와 봐!"

하지만 꺼지기는커녕 더욱 쾅쾅대며 소란을 일으키고 있었다.

"자? 자는 거야? 지금 잘 때가 아니야. 큰일이 났다고!"

"저 망할 놈이."

결국 먼저 포기한 것은 아드리안이었다.

아티에게 이불을 덮어 준 후 신경질적으로 걸어간 아드리안이 문을 확 열었다.

"엄마야, 깜짝이야. 갑자기 문을 열면—."

"그래서 뭔데. 별일 아니기만 해 봐. 죽는다."

"아냐. 별일이야! 큰일 났다고!"

이쯤 되니 아드리안도 그놈의 '큰일'이 뭔지 궁금해졌다.

"대체 뭔데?"

"아카시아가 없어졌어!"

이불 속에 파묻혀서 그들의 대화를 듣고 있던 아티가 벌떡 일어났다.

"아카시아가요?!"

정말로 큰일이었다.

✦ ♛ ✦

황족들의 전용 휴양지로 지어진 이 인공 섬은 천문학적인 금액이 들어간 엄청난 규모의 대지였다.

여행 온 인원들이 머무는 숙소인 대저택은 고작 섬 해변가에 일부 자리 잡고 있을 뿐.

"아카시아! 아카시아, 어디 있어?"

그렁그렁한 눈을 한 아티가 마법 등을 든 채 섬 여기저기를 뛰어다녔다.

이미 밤이 깊어 한 치 앞도 아득하게 보일 정도였다.

두 사람은 아카시아를 찾아 숲을 헤맸다.

아드리안은 혹시나 아티가 넘어지기라도 할까 봐 전전긍
긍하며 뒤를 따랐다.

"걱정 마. 병사들도 같이 수색 중이니까 금방 찾을 거다.
이만 돌아가서 기다리자, 아티."

"그래도 가만히 있을 수가 없어요. 이렇게 어두운데 무
섭지 않을까요?"

기어코 직접 찾으러 다녀야 직성이 풀린다는 아내의 말
을 못 이기고 아드리안은 가만히 뒤를 따랐다.

'그러게 애초에 테르니 자식이 사람들을 끌고 오지 않았
으면 벌어지지도 않았을 일인데.'

위안이라면 넘어지지 말라고 꼭 붙잡은 작은 손 정도일까.

"아카시아!"

한참 아카시아의 이름을 부르며 헤매던 아티는 문득 주
변에 수색 중인 병사가 한 명도 없다는 것을 깨달았다.

"어, 너무 깊게 들어온 거 아닐까요?"

"그러게."

사색이 된 아티와는 다르게 아드리안은 그다지 심각하지
않았다.

아티는 주변을 둘러보았다. 보이는 거라고는 무성한 수
풀과 나무뿐이었다.

'설마 길을 잃은 걸까……?'

"우웅……."

아카시아는 졸린 눈을 비비며 눈을 떴다.

'깜빡 잠들었네.'

저택을 둘러보다가 드레스 룸에 들어왔었는데, 화려한 옷들을 구경하다 보니 잠이 들고 말았다.

드레스 룸에서 나온 아카시아는 창밖이 캄캄한 걸 보고 깜짝 놀랐다.

"너무 오래 잤나?"

모두가 잠들었을 거라 생각하며 저택의 중앙 홀로 나온 아카시아는 눈앞에 펼쳐진 광경에 깜짝 놀랐다.

"무슨 일 있어요?"

함께 여행을 온 사람들은 물론이거니와 사용인들과 병사들까지 바글바글했다.

"아카시아?"

난데없이 등장한 아카시아를 본 마리에가 서둘러 달려왔다.

"어디에 있었어? 없어진 줄 알았어."

"저, 드레스 룸 구경하다가 깜빡 잠이 들어서……. 죄송해요."

당연히 아카시아가 밖에서 길을 잃었을 거라 생각한 사람들은 저택 안을 뒤지기는 했지만 그렇게 샅샅이 살펴보지는 않았다.

"그래도 다행이구나. 다치지 않았으니."

루드밀라 황후가 안도의 미소를 지으며 아카시아의 머리를 쓰다듬었다.

"다들 저 때문에 많이 걱정하셨어요? 정말 죄송해요."

"괜찮다, 아카시아."

모두가 무사한 아카시아의 모습에 흐뭇한 미소를 짓고 있을 때, 아카시아만이 고개를 갸웃했다.

"그런데 두 분이 없네요?"

"두 분?"

"네. 아티 언니랑 황태자 전하가 안 계세요."

그 말에 모두가 고개를 휙휙 돌렸다. 정말로 아티와 아드리안이 없었다.

"이럴 수가."

테르니가 두 손으로 뺨을 감쌌다.

"이제는 아티랑 아드리안이 실종됐어!"

✦ ♛ ✦

헤매고 헤매다 보니 어느새 새하얀 포말이 이는 바닷가에 다다랐다.

하늘에 별이 총총히 박힌 밤바다는 사람이 없어 파도 소리밖에 들리지 않았다.

"여기에 아카시아가 있을 리가 없잖아요."

아티는 괜히 투정을 부리며 해변가를 걸었다.

쏴아아 불어오는 바람에 느슨하게 묶은 아티의 머리칼이 나부꼈다.

"앗!"

바람이 조금 강했던 탓일까, 머리끈이 바람결에 날아가 버렸다.

"아드리안이 선물해 준 머리끈인데!"

"머리끈이 뭐가 중요해. 선물해 준 본인이 여기 있는데."

"그래도……."

아쉬운 듯 아티가 말끝을 흐리자 아드리안이 흩날리는 아티의 은발을 정리해 주었다.

"머리끈 같은 거 천 개든 만 개든 사 줄게."

아티는 어색하게 웃었다. 말리지 않으면 정말로 만 개를 사 줄 사람이었다.

"만 개는 필요 없어요. 대신 우리 같이 거리를 걷다가 예쁜 리본이 있는 가게가 있으면 같이 들어가서 골라요."

"그래."

'우리'라는 말에 아드리안은 기분이 좋아졌다.

함께하는 게 당연한 일상 같아서.

아티는 그런 아드리안을 가만히 바라보았다.

"아드리안."

"그래."

"혹시, 제가 떠날까 봐 두려워요?"

정곡을 찌른 아티의 질문에 아드리안은 가만히 그녀를 응시했다.

아티의 물음에 아드리안은 차마 부정하지 못했다.

불안하고 초조했다.

'언제든 나를 버릴 수 있겠지.'

처음에는 무릎을 꿇어 어떻게든 붙잡았다.

하지만 또 떠날 때, 다시 무릎을 꿇는다고 아티를 붙잡을 수 있을까?

무엇이든 거리낄 것 없던 황태자는 오로지 눈앞의 연인에게만 자신이 없어졌다.

이런 이야기를 하면 스스로가 보잘것없어 보일까 봐 아티에게 한 번도 말한 적 없었다.

하지만 아티는 아드리안의 속마음을 이미 알고 있었다.

"제가 아드리안을 불안하게 해요?"

"아니. 이건 내 문제야."

아티에게 버림받고 싶지 않다는 두려움이 그를 더욱 절박한 심정으로 만들었다.

아티가 자신만 봐 주었으면 좋겠다.

다른 인간들에게 웃어 주지 않으면 좋겠다.

아티의 시간을 온전히 소유하고 싶다.

날뛰는 집착 속에서 아드리안은 문득 의문을 가졌다.

'세상 사람들은 어떻게 사랑을 하는 걸까.'

모두가 이런 감정을 느낀 채로 살아간다면 진작 세계가 미쳐 버렸을 텐데.

하지만 아드리안은 속마음을 입 밖으로 꺼내지 않았다.

음습한 제 감정을 아티가 알게 된다면 도망쳐 버릴지도

모르니까.

그런 마음을 알기라도 하는 건지 아티가 아드리안의 손을 꼭 붙잡으며 그를 올려다보았다.

"그럼 저한테 서운한 건 없어요?"

"없어."

"아닌데. 있을 텐데."

속내를 꿰뚫는 듯한 눈빛에 아드리안은 저도 모르게 불만 몇 가지를 털어놓았다.

"테르니 장단에 맞춰 주지 마."

"적당히 걸러 듣고 있는데."

"그냥 무시해. 상종하지 마."

"음. 노력해 볼게요."

무려 오빠와 상종하지 말라는 말에 곤란해진 아티는 어색하게 웃었다.

"그리고 또 없어요?"

"너랑 단둘이 여행 오고 싶었어."

무심코 튀어나온 본심에 아티가 걸음을 멈추었다.

따라서 나란히 걷던 아드리안의 걸음도 덩달아 멈췄다.

"아티?"

고개를 돌린 아드리안은 곧바로 아티와 눈이 마주쳤다.

흩날리는 긴 머리칼을 붙잡은 아티가 옅게 웃었다.

"마음이 통했네요."

"뭐?"

"사실은 저도 아드리안이랑 단둘이 시간을 보내고 싶었어요."

아드리안은 순간 제 귀를 의심했다.

'아티가 아티가 아닌 게 아닐까.'

"그런데 오라버니가 갑자기 사람들을 끌어들여서 얼마나 속상했는데요."

"그렇다기엔 다른 사람들이랑 잘 어울렸잖아."

"기왕 놀러 왔는데 즐겁게 놀면 좋잖아요. 그리고 우리는 다음에 또 놀러 오면 되니까."

깍지 낀 손을 흔들며 아티가 말간 눈으로 그를 올려다보았다.

"저 어디 안 가요."

"……."

"아드리안 옆에 있을 거예요, 언제까지나."

그러니까 불안해하지 말라는 다정한 그 말에, 줄곧 품고 있던 아드리안의 불안이 놀랍게도 옅어졌다.

◆ ♛ ◆

사실 아드리안은 인공 섬의 지리를 속속들이 알고 있었다.

'섬 환경 조성을 전반적으로 지휘한 게 바로 나니까.'

아티에게 말하지 않았던 건 길을 잃었다고 울상 짓는 게 귀엽기도 했고, 또 단둘이 있는 시간을 방해받고 싶지 않아서이기도 했다.

"와. 아드리안. 어떻게 이렇게 길을 잘 찾아요?"

눈을 동그랗게 뜨고 감탄을 연발하는 귀여운 아티의 모

습에 아드리안은 속으로 몇 번이나 일부러 다른 길로 가 버릴까 생각했는지 모른다.

"다리 아파?"

"아니에요, 괜찮아요."

하지만 아티가 피곤해하는 기색이 보이자마자 아드리안은 그녀를 안아 들고 거침없이 지름길을 통해 저택에 도착했다.

"아카시아!"

저택에 돌아오자마자 아티는 먼저 기다리고 있던 아카시아에게 달려가 와락 끌어안았다.

'참자.'

아드리안은 겨우 인내심을 발휘해 질투를 억눌렀다.

'어차피 아티가 가장 좋아하는 건 나니까.'

그 사실을 상기하니 마음이 몇 그램 정도 여유로워졌다.

그렇게 다음 날, 아드리안은 아침 식사가 끝나자마자 또다시 아티를 빼앗겼다.

"아티! 오늘은 해변에서 책 읽는 거다?"

"저도, 저도 같이 갈래요!"

당연하다는 듯 마리에와 아카시아가 아티에게 찰싹 들러붙었다.

그러고는 마리에가 아드리안을 힐끔 쳐다보았다. 당연히 화를 내리라 여겼지만, 생각과는 다른 반응을 보였다.

"재밌게 놀아."

웃으며 아티를 보내 주는 게 아닌가!

마리에는 입을 떡 벌리고 경악했다.

"뭐야. 당신 누구야! 오라버니 아니지?"

"시끄러워. 아티 다치면 좋은 꼴 못 볼 줄 알아."

"오빠 맞네."

동생이고 뭐고 살벌하게 협박하는 모습이 영락없는 아드리안이었다.

"아드리안도 같이 책 읽을래요?"

"아니. 난 신경 쓰지 말고 가서 놀아."

"그럼…… 다녀올게요."

어쩐지 평소와 다른 아드리안의 모습에 아티는 걱정스러웠지만 아카시아와 마리에가 기다리는 탓에 총총 걸어갔다.

아드리안은 해변으로 달려가는 아티의 뒷모습을 바라보다 사람들을 불러 모았다.

"주방장. 요리는?"

"황태자비 전하께서 좋아하시는 거로만 특별히 준비했습니다."

"악단. 음악은?"

"황태자비 전하께서 좋아하시는 음악으로 특별히 준비했습니다."

"화가. 화가!"

"예! 여기에 있습니다, 전하."

"어서 가서 사랑스러운 아티의 모습을 그림으로 남겨."

아드리안의 부산스러운 채근에 그들은 우왕좌왕하며 각자 위치로 돌아가 일을 하기 시작했다.

아드리안은 특히 화가를 졸졸 쫓아다니며 타박을 주었다.

"내 아티가 이렇게 생겼다고? 당신 눈이 어떻게 된 거 아닌가?"

"제, 제 실력이 미진하여……."

"아냐. 이 그림은 아주 훌륭하군. 마치 아티가 눈앞에 있는 것 같아."

온탕과 냉탕을 넘나드는 아드리안의 반응에 화가는 울먹이면서도 쉴 새 없이 그림을 그렸다.

멀찍이서 아드리안의 기행을 지켜보던 삼 인방의 표정은 점점 썩어만 갔다.

"쟤…… 왜 저러냐?"

에센이 질린다는 듯 표정을 구기자 테르니가 어깨를 으쓱였다.

"아드리안은 원래 이상하잖아~! 더 이상해졌나 봐."

"이상한 건 네가 제일 이상하고."

"엥? 여기서 내가 제일 정상인데?"

테르니의 말에 에센의 얼굴이 더욱 구겨졌다.

그리고 상종하고 싶지 않다는 듯 몇 발짝 뒤로 물러나기까지 했다.

"오늘은 대련해 주시겠지?"

디아노는 그저 반짝거리는 눈으로 아드리안을 쳐다볼 뿐이었다.

난리를 피우는 아드리안을 오비에도 후작 부부와 황제 부부, 그리고 위르겐 헬머 또한 멀리서 지켜보았다.

요제프 후작이 땀을 닦으며 어색하게 웃음을 지어 보였다.

"허허. 전하께서 참…… 우리 딸을 아껴 주십니다."

"사랑스러운 아티를 아내로 두었으니 당연히 모시고 살아야지 않나요, 호호. 주제 파악은 하는 것 같아 다행이네요."

황후의 신랄한 평가에 요제프 후작은 더욱 열심히 식은 땀을 닦았다.

"아하하, 그렇습니까……."

"암, 며늘아기가 아깝지."

게다가 황제마저 거들고 나섰다.

잠자코 대화를 듣고 있던 카밀라가 한마디로 상황을 종결시켰다.

"그래도 아티가 좋아하니까 된 것 아니겠어요?"

그 자리에 있던 어른들이 일제히 고개를 끄덕였다.

'라라. 어서 이혼했으면 좋겠는데.'

그 와중에 헬머는 오늘도 황태자 부부의 이혼을 꿈꿨다.

✦ ♛ ✦

왁자지껄한 여행에도 드디어 끝이 보였다.

난리를 피울 거라 생각했던 아드리안이 생각 외로 잠잠해서 모두가 제각기 즐거운 한때를 보냈다.

마리에가 황후에게 매달리며 외쳤다.

"다음에도 우리 다 함께 놀러 와요!"

"좋구나. 그때는 저쪽에 리조트를 세울 테니 놀 거리가 더 많을 거란다."

아드리안은 그들의 대화를 들으며 비릿하게 웃었다.

'꿈 깨시길.'

실수는 한 번이면 족하다.

아드리안은 다시는 이런 실수를 거듭하지 않으리라 다짐하고 또 다짐했다.

"재미있었어요. 그렇죠, 아드리안?"

"더 재미있었을 수도 있었겠지만, 뭐 나쁘지 않았어."

아드리안의 의미심장한 웃음에 아티는 고개를 갸웃했다.

그러는 동안 섬을 떠날 준비가 모두 끝났다. 그들은 모두 섬에 올 때 이용했던 대형 크루즈에 승선했다.

배에 오르려던 아티가 문득 뒤를 돌아보았다.

'왜 이렇게 조용하고 허전하지?'

머지않아 그 이유를 깨달을 수 있었다.

"어, 그런데 테르니 오라버니는요?"

"먼저 탔겠지. 원래 재빠르잖아."

"맞아요."

테르니라면 신나서 먼저 탔을지도 모르겠다고 생각하며 아티는 배에 올랐다.

부우우—!

우렁찬 기적 소리와 함께 배가 출항했다.

"잘 잤다~!"

밤늦게까지 놀던 테르니는 오늘도 늦잠을 잤다.

길게 기지개를 켠 테르니가 무언가 이상하다는 사실을 깨달은 건 얼마 지나지 않아서였다.

"뭐지? 왜 이렇게 조용하지?"

적지 않은 인원이 있어 늘 시끌시끌했던 저택이 어쩐지 고요했다.

터덜터덜 홀로 내려왔지만 역시 아무도 없었다.

"다들…… 어디…… 갔어?"

없다.

아무도 없다.

"!!"

까치집 머리를 하고 잠옷을 갈아입지도 않은 채 테르니는 헐레벌떡 저택을 나섰다.

그리고 보고 말았다.

저 멀리 사라지고 있는 배를!

테르니는 해변으로 달려가며 애타게 불렀다.

"아드리아아아아안!!"

하지만 그 목소리는 아드리안에게 닿지 않았다.

✦ ♔ ✦

선미에 나란히 선 두 사람은 시원하게 부는 바람을 맞으며 찬란한 바다를 눈에 담았다.

며칠간 묵었던 인공 섬이 점점 멀어지고 있었다.

그런데 갑자기 아드리안이 작게 웃는 것이 아닌가.

"아드리안. 갑자기 왜 웃어요?"

"아니. 그냥."

"그런데 오라버니가—."

테르니가 보이지 않는다는 말을 하려고 했지만, 아드리안이 아티의 손을 꼭 잡았다.

"다음에는 꼭 우리 둘만 오자."

"좋아요."

'복수 성공.'

아드리안은 짜릿한 쾌감을 느끼며 아티의 손가락에 입을 맞추었다.

"그때를 대비해서 체력을 길러 놓는 게 좋겠어."

"……아드리안!"

두 번째 신혼여행은 침실 밖으로 한 발짝도 나가지 않는 것도 좋겠다고 생각하며.

외전 2. 시리우스 제국에서

외전 2. 시리우스 제국에서

　사건의 시작은 이러했다.

　어느 날, 시리우스 제국에서 초대장이 하나 날아왔다.

　[시리우스 제국에 기쁜 소식이 있어 귀하를 초대하고자 합니다. 베로니카 황후의 42세 탄신일을 기념하는 파티를 개최하고자 하니, 부디 참석하여 축하해 주시길 바랍니다.]

　베로니카 황후의 탄신 파티.

　아펜슨 황실에 온 초대장은 오로지 루드밀라 황후를 위한 것이었다.

　그런데 이번에는 특별히 초대장이 한 장 더 도착했다. 그 초대장의 주인은 다름 아닌 아티였다.

　"시리우스 제국에서 저를 초대한다고요?"

놀라서 두 눈을 깜빡이는 아티가 귀여워서 루드밀라 황후가 웃었다.

"그렇단다, 아티. 시리우스 제국에서 보낸 거지만 정확히는 베로니카가 보낸 거지."

아티는 영문을 알 수 없었다.

결혼 전 잠시 베로니카 황후와 껄끄러운 일이 있었지만, 이미 정리된 일이었다.

"아티 네가 특별히 와 주었으면 하는 눈치더구나. 어떠니?"

루드밀라 황후가 은근한 목소리로 아티에게 물었다. 시리우스 제국으로 가는 긴 여정에 아티가 함께해 준다면 더없이 좋을 것 같았다.

하여 아티에게 항상 들러붙어 있는 아드리안을 어렵게 떼어 내고 부른 참이었다.

"그게……"

여전히 혼란스러운 표정으로 아티가 초대장을 내려다보았다.

정갈한 초대장엔 베로니카 황후의 친필 사인과 인장이 찍혀 있었다.

"저번 일로 사이가 소원해진 것도 사실이지 않니? 아무리 오해를 풀고 화해를 했다고 해도 말이야. 베로니카가 너와 친해지고 싶은 모양이더구나."

"네? 베로니카 황후께서요?"

"그래. 내가 며느리 자랑을 좀 했어야지. 후훗."

루드밀라가 거 보란 듯 거만하게 고개를 치켜들었다. 이젠 그 모습에 익숙해진 아티가 옅게 웃음을 터뜨렸다.

"하지만, 어머니. 아드리안이 허락할까요?"

"내가 같이 가는데 제까짓 게 뭐라고 반대하겠니?"

저기, 어머니 아들인데요…….

이미 자신의 아들은 안중에도 없는 듯 루드밀라 황후가 신나서 이야기했다.

"오랜만에 로넨도 볼 겸 좋지 않니? 듣자 하니 로넨이 베네데토가의 아카시아 양에게는 따로 초대장을 보냈다더구나. 호호호. 굉장하지 않니?"

"아카시아에게요?"

"그렇단다. 역시 소꿉친구는 좋은 것 같아. 그렇지 않니?"

아직 소꿉친구 로맨스를 포기하지 못했는지 루드밀라 황후가 두 눈을 반짝였다. 아티는 그저 허허 웃고 말았다.

"아무튼, 아카시아 양도 가게 되었는데, 아티 너도 같이 가는 게 좋지 않겠니? 계속 황궁에 갇혀 지내는 것도 좋지 않고 말이야."

"저번에도 여행 갔는데…….."

"어머, 그건 그거고! 이건 이거지!"

루드밀라 황후는 이미 아티도 함께 가는 것으로 마음을 정한 모양이었다.

"신혼여행은 마땅히 다녀와야 했던 여행이었고, 이건 일종의 황태자비로서의 의무라고도 할 수 있단다. 어떠니?"

답은 정해져 있고 너는 말하기만 하면 돼!

그 강렬한 의지가 잔뜩 담긴 눈동자에 아티가 못 이기는 척 고개를 끄덕였다.

사실 한 번쯤은 시리우스 제국에 가 보고 싶긴 했다.

"정말 가는 거지?! 오호호호. 당장 준비해야겠구나. 메리~!"

"그런데, 어머니. 정말 괜찮을까요?"

"어머, 아드리안 말이니?"

자신의 아들을 떠올린 루드밀라 황후가 차갑게 미소 지었다.

배 아파 낳은 자식이었지만 지금은 그저 귀엽고 사랑스러운 며느리와 함께할 수 있는 여행을 방해하는 훼방꾼일 뿐.

"걱정 말렴. 아드리안에겐 내가 직접 얘기해 두마."

자신만만한 루드밀라 황후를 보며 아티는 두 눈을 한번 굴렸다.

'괜찮겠지?'

전혀 괜찮지 않았다.

아드리안은 느닷없이 모후에게 불려 가서 들은 이야기에 인상을 찡그렸다.

"아무튼 그렇게 하기로 결정했단다."

"예?"

심지어 아드리안에게 선택권이란 존재하지 않았다.

"그렇게 하기로 했으니까 너는 따라올 건지 남을 건지

알아서 정하렴."

무심하기 짝이 없는 모후의 말에 아드리안이 불만 어린 눈빛으로 항의했다.

루드밀라 황후가 아티를 휘두르는 게 마음에 들지 않았다.

"아티는 제 아내입니다."

"누가 뭐라니? 내 며늘아기이기도 해."

"……."

"평소엔 아드리안 네가 질투를 하건 교묘하게 아티를 혼자만 독차지하건 그러려니 해 왔다만 이번만큼은 안 된단다."

루드밀라 황후가 웃는 낯으로 지그시 아드리안을 응시했다.

입은 웃고 있는데 눈은 전혀 웃고 있지 않았다.

'이번 일에 훼방 놓으면 절대 용서하지 않겠다.'는 모후의 강력한 의지를 확인한 아드리안이 입술을 잘근잘근 씹었다.

'시리우스라면 그 귀찮은 꼬맹이가 있을 것 아닌가.'

아티가 언젠간 자신을 떠날지 모른다는 불안감은 옅어졌지만, 그렇다고 해서 아드리안이 아티에 대한 독점욕을 놓은 건 아니었다.

"따라가겠습니다."

루드밀라 황후는 예상했다는 듯 우아하게 고개를 끄덕였다.

"그럴 줄 알았단다."

별말은 하지 않았지만 대화가 끝나자마자 아드리안이 인사도 없이 물러갔다.

나가는 아드리안의 살벌한 눈빛을 보며 루드밀라 황후는

쯧쯧 혀를 찼다.

"어휴, 도대체 저 녀석을 누가 낳았는지 모르겠다니까?"

◆ ♛ ◆

"아드리안, 왔어요?"

왔다는 소리도 없이 문을 벌컥 열고 들이닥친 아드리안
이 나를 끌어안았다.

갑작스러운 행동에 놀랐지만 왜 이러는지 알 것 같아서
가만히 안겨 있었다.

"들었어."

"아."

"나도 같이 간다."

아드리안의 말에 내가 활짝 웃었다.

"정말요?! 와아, 너무 좋아요."

내심 아드리안과 함께 가고 싶었던 터라 진심으로 기뻤다.

내가 반기니 아드리안의 표정이 묘해졌다.

싫은 것 같기도 하고 아닌 것 같기도 한 표정으로 나를 지
그시 보다가 아드리안이 나지막이 제기랄, 하고 읊조렸다.

"너무 귀여우니까 화도 사라지는군. 날 이렇게 만드는
건 너밖에 없을 거다."

다시 나를 꽉 끌어안은 아드리안이 불평했다.

부끄러우면서도 쑥스럽고, 이러는 아드리안이 귀엽기도
하고 한편으로는 뿌듯하기도 해서 나도 모르게 웃었다.

그러자 아드리안이 또 인상을 썼다.

"진짜 어디에도 내놓지 않고 내 품에만 숨겨 두고 싶어."

"아드리안이 원하면 좋아요."

"젠장, 그렇게 순순히 말하지 말라고."

정말로 그렇게 해 버릴지도 모른다는 생각이 들긴 했지만, 진심으로 괜찮은 걸 어떡하겠는가.

내가 웃어 버리니 아드리안이 결국 못 참겠다는 듯 나를 잡아당겼다.

입술이 겹쳐졌다.

부드럽고 따뜻한 숨결에 발끝에서부터 전율이 일었다. 한참을 그렇게 서로의 숨결을 탐하다가 이내 정신을 차렸다.

이제는 부부인데도 아직 이런 순간은 민망했다.

"흠. 그러니까, 아드리안이 같이 가서 정말 기뻐요."

수줍게 뺨을 붉히며 한 말에 아드리안이 몸부림을 쳤다.

"윽."

"왜 그래요? 괜찮아요?"

괴로워하는 아드리안을 보고 놀란 내가 고개를 갸웃하며 물었다.

그러자 아드리안이 무언가 결심한 듯 말을 꺼냈다.

"대신 부탁이 하나 있어."

"뭔데요?"

"웃지 마."

"······?"

"네가 웃어 주면 분명 온갖 벌레들이 꼬일 게 분명하다."

진지한 아드리안의 말에 뭐라 대답해야 할지 알 수 없었다.

'아무래도 아드리안은 내가 무슨 희대의 절세 미인이라도 되는지 아나 봐.'

혹여라도 내가 거절하지 않을까 노심초사하는 아드리안의 눈빛을 보며 나도 모르게 웃음이 새어 나왔다.

"그럴게요."

내 대답에 안심이 되었는지 아드리안이 나를 또 끌어안았다.

온종일 같이 있는데도 이렇게 딱 달라붙으려고 하는 모습은 여전히 익숙하지 않았다.

"이대로 침실로 갈까?"

"아직 낮인데요?"

"낮이면 뭐 어때."

은근한 눈빛에 얼굴을 붉히고 있을 때, 문을 박차고 불청객이 나타났다.

"아티!"

테르니의 등장에 아드리안의 표정이 와작 구겨졌다.

"아티, 아티! 다 들었어!"

"저 자식을……."

나는 다급히 테르니의 목덜미를 잡고 끌어내려는 아드리안을 말렸다.

"시리우스 제국 간다며?!"

"네, 그렇게 되었어요."

테르니를 따라 디아노와 에센도 안으로 들어왔다. 테르니가 신나서 내게 말했다.

"그럼 수행원으로 나 데려갈 거지?! 데려갈 거지?"

반짝이는 테르니의 눈빛이 부담스러웠다.

"큼큼."

그때, 갑자기 디아노가 손을 들었다.

"저도……."

테르니에 이어 자신도 데려가 줬으면 하는 디아노의 눈빛을 보고 곤란해졌다.

따로 우리 황태자 부부만 가는 게 아니라 루드밀라 황후도 동행하기 때문에 데려갈 수 있는 수행원의 숫자에 제한이 있었다.

어떻게 할까 고민하고 있는데, 같이 들어온 에센이 두 사람을 한심하게 보더니 내게 말했다.

"나는 수호 기사니까 당연히 따라가야겠지?"

절대 자신이 버림받을 리 없다는 눈빛에 어색하게 웃을 때였다.

아드리안이 나를 끌어안으며 셋에게 으르렁거렸다.

"셋 다 꺼져라."

테르니는 잔뜩 들떠 있었다.

사랑하는 내 동생 아티와 시리우스 방문이라니!

"우리 시리우스 제국에 가면 이거 꼭 보자! 여기가 제도의 인기 관광 명소래."

"아티, 아티! 우리 꼭 이 집 가서 젤라또를 먹어야 해! 이 집이 그렇게 잘한대!"

"여기 강변에서 보이는 해 질 녘 풍경이 그렇게 아름답대. 우리 아드리안 빼놓고 가 보자!"

시리우스에 대한 온갖 정보를 알아 와 미리 계획부터 짜는 테르니를 보며 아티는 난감했다.

'오라버니는 안 가는데…….'

테르니는 당연히 자신은 이 여정에서 빠질 일이 없다고 생각하는 듯했다. 과한 자신감을 보이며 아티의 짐까지 싸고 있었다.

"내 동생은 내가 제일 잘 알지!"

그런 테르니를 아드리안이 한심하다는 듯 바라보았다. 혀를 차던 아드리안이 아티에게 눈짓했다.

"언제 말해 줄 거야?"

"지금…… 하려고요."

"어서 해. 저 망상이 더 심해지기 전에."

이웃 나라에 방문하는 건데도 테르니는 지난번 신혼여행에 버금갈 정도로 짐을 꾸렸다.

그런 그의 곁으로 아티가 조심스럽게 다가갔다.

"아티, 우리—!"

"오라버니."

"응? 응?! 왜?"

발랄하게 대답하는 테르니를 보며 아티는 양심의 가책을 1초쯤 느꼈다.

"안타깝지만 오라버니는 함께 못 가요."

"......?"

방금 들은 말을 이해하지 못했다는 듯 테르니가 두 눈을 깜빡였다.

"하하. 내가 헛것을 들은 모양이야! 내가 함께 못 간다니, 귀가 좀 이상해졌나?"

"잘 들으셨어요. 같이 못 가요."

"왜에!"

테르니가 눈물을 글썽이며 되물었다.

"나 버리고 가는 거야?! 저번 여행에도 나를 버리고 갔잖아! 안 돼, 포기 못 해! 나도 같이 갈 거야!"

갑자기 커다란 가방에서 아티의 짐을 다 꺼낸 테르니가 그 안으로 쏙 들어갔다.

가방 속에 들어가 농성하는 테르니를 아티가 착잡한 눈빛으로 바라보았다.

'설명해도 떼를 쓰겠지.'

이미 아티는 테르니를 다루는 데 능숙해졌다.

우선 이 상황에 대해 합리적인 설명을 시도했다.

'이상한 사람이긴 해도 머리는 좋으니까 이런 식으로 말하면 기적적으로 수긍하기도 하니까.'

"이번 여정에 아카시아가 함께하잖아요. 시시뉴 공자가 보호자로 같이 간다고 해도 낯선 나라에 가니까 어린 애가 얼마나 스트레스를 받겠어요. 그래서 디아노 경을 같이 데려가려고요."

"에센은?! 에센도 가는 거야?"

"네. 에센 경은 아무래도 수호 기사니까…….."

"내가 아티 수호 기사 할래!"

테르니가 또 헛소리를 늘어놓자 아티가 자애롭게 대꾸했다.

"에센 경을 이기고 오면 수호 기사 시켜 드릴게요."

"힝."

테르니가 고개를 숙였다. 여전히 떼를 쓰고 있지만 아까보다는 상황이 나았다.

아티가 손을 뻗어 테르니의 머리를 쓰다듬었다. 그리고 웅크리고 앉은 테르니를 끌어안아 등을 토닥였다.

"아티. 나빠!"

"미안해요, 오라버니."

"나빠! 어떻게 날 버릴 수가 있어?! 나만큼 좋은 오빠가 어디 있다고!"

"그쵸, 우리 오빠가 세상에서 제일 좋은 오빠인데 말이에요."

'세상에서 제일 좋은 오빠'라는 소리에 테르니의 귀가 쫑긋했다.

"세상에서 제일 멋진 오빠니까 하나밖에 없는 소중한 여동생의 고뇌 어린 결정을 이해해 줄 거라고 생각해요. 오빠가 아니면 누가 날 이해하겠어요?"

"역시 잘 아는구나. 맞아! 아티에겐 나밖에 없지!"

테르니가 진지하게 고개를 끄덕였다. 아티가 빙그레 웃었다.

"이해해 주셔서 감사해요. 역시 오빠밖에 없다."

"맞아, 나밖에 없지! 역시 내 동생은 잘 아는구나!"

금세 기분이 풀린 테르니가 헤헤 웃으며 아티를 끌어안았다.

테르니를 달래며 아티가 마지막으로 준비한 회심의 당근을 던졌다.

"얌전히 기다리고 있으면 시리우스 제국 다녀와서 데이트해 줄게요."

"……!!"

테르니가 두 눈을 동그랗게 떴다.

"저, 정말?!"

"네."

아티가 싱긋 웃으며 덧붙였다.

"아드리안 없이, 단둘만의 데이트. 어때요?"

"좋아, 좋아!"

아티가 제안을 철회할까 봐 테르니는 서둘러 고개를 끄덕였다.

"아티와 데이트……!"

언제나 거슬리던 아드리안이 없는 단둘만의 데이트! 테르니의 뇌리에서 이미 시리우스 제국은 없어진 지 오래였다.

✦ ♕ ✦

시리우스 제국, 수도 아레온.

제도의 정중앙을 가로질러 쭉 뻗어 있는 대로로 커다랗고 웅장한 마차가 행진했다.

마차 위엔 아펜슨 황가를 상징하는 드래곤의 휘장이 바람에 휘날렸다.

아펜니노와 비슷하면서도 완전히 다른 도시의 풍경.

아티는 창밖을 바라보며 연신 자그맣게 감탄했다.

"아드리안, 저기 봐요. 유리 탑이에요!"

"응. 보고 있어."

"너무 예쁘다."

이미 몇 차례 시리우스를 방문했던 아드리안에겐 하나도 새로울 게 없는 풍경이었다.

아드리안의 눈엔 오히려 사소한 것 하나하나에 신기해하며 즐거워하는 아티가 더 새로웠다.

"역시 좋군."

무심결에 나온 말에 아티가 돌아보며 고개를 갸웃했다.

"네?"

"아니, 아무것도 아냐."

지루한 풍경도 네가 함께하니 신선하고 즐겁다는 말을 속삭이며 아드리안이 아티의 둥근 이마에 짧게 키스했다.

아티의 뺨이 금세 발그레해졌다.

제도를 가로지르던 아펜슨 황실의 마차가 이내 시리우스 제국의 황궁에 멈춰 섰다.

마차의 문이 열리고 에스코트를 받으며 내린 아티는 마중 나온 익숙한 얼굴을 보며 빙그레 웃었다.

"어머, 로넨이 직접 마중 나온 거니?"

루드밀라 황후가 기특해하며 로넨을 반겼다. 로넨은 이모의 관심이 달갑지 않은지 뚱한 표정으로 멀어지려고 했다.

그런 로넨의 노력이 무색하게 루드밀라 황후가 로넨을 안아 들었다.

아직 어린 로넨에겐 이모를 이겨 낼 힘이 없었다.

"오호호, 기특해라. 이모를 마중 나올 줄도 알고. 다 자랐구나, 우리 로넨."

"윽. 으윽. 놔, 놔주세요!"

"어머나, 쑥스러워하기는~!"

루드밀라 황후에게 된통 당한 로넨이 풀려나자 새파래진 안색으로 황태자 부부를 보았다.

치지직.

일순 아드리안과 로넨 사이에 불꽃이 튀었다.

여전히 사촌 형에 대한 존경이란 발톱의 때만큼도 보이지 않는 건방진 동생을 보며 아드리안이 픽 웃었다.

"오랜만이군."

"……."

대악마!

로넨은 아직도 자신의 천사인 아티가 아드리안과 결혼한

사실이 믿기지 않았다.

'역시 있을 수 없는 일이야.'

어떻게 아티가 아드리안과?

묵묵히 아드리안과 눈싸움을 끝낸 로넨의 시선이 홀린 듯이 한 사람에게 꽂혔다.

"누나!"

"로넨."

이름을 부르겠다던 로넨이 다시 누나라고 불렀다. 결혼해서 그런 걸까?

"오랜만이야, 누나!"

훌쩍 달려간 로넨이 아티의 품에 안겼다.

아티는 조금 당황했지만 오랜만에 보는 것인 만큼 로넨을 따뜻하게 안아 주었다.

그러자 로넨은 의기양양한 얼굴로 아드리안을 쳐다보았다.

'저 건방진 녀석이……'

아드리안은 자신을 대놓고 도발하는 하룻강아지 사촌 동생이 어이없었다.

"그동안 잘 지냈어? 나는 누나가 보고 싶어서 혼났어."

"잘 지냈지."

"진짜? 내가 보고 싶진 않았어?"

어떻게 대답해야 할지 몰라 아티는 두 남자의 눈치를 보며 망설였다.

로넨의 간절한 눈을 보면 그렇다고 말해 주고 싶은데 저 멀리서 '어디 한번 대답해 보시지.'라는 태도로 팔짱을

낀 채 이쪽을 주시하고 있는 아드리안이 부담스러웠다.

'질투가 많다니까.'

결혼 전에는 아드리안이 저렇게 질투가 많은 사람인지 미처 몰랐다.

그게 귀엽게 느껴지는 시점에서 자신도 망한 것 같지만.

"음. 그러니까……."

두 남자가 모두 아티의 대답에 집중하는 그 순간.

탁.

아티에게 달라붙은 로넨의 팔을 치며 아카시아가 등장했다.

"언니가 곤란해하잖아. 바보야!"

"뭐?"

바보라는 소리에 로넨의 눈이 샐쭉해졌다. 아카시아가 로넨을 떼어 놓고 아티에게 안겼다.

"언니는 내 거야. 넘보지 마, 바보!"

"뭐?! 누나는 내 거거든?!"

"언니는 나를 더 좋아해!"

"웃기시네, 아티는 나를 더 좋아해! 그리고 아펜니노에서 계속 붙어 있었던 주제에 양보 정신도 모르냐?! 나 아니었으면 시리우스에 오지도 못했을 게!"

"네가 아티 언니를 곤란하게 하니까 그렇지. 누가 그렇게 착 달라붙어 있으래. 적당한 사회적 거리 두기, 모르니?"

사이가 좋은 건지, 나쁜 건지 만나자마자 투닥거리는 아이들을 보며 아티가 하하 웃었다.

"얘들아, 진정하고……."

아티의 말에 둘 다 착한 어린이처럼 빙그레 웃다가 다시 서로를 노려보았다.

어느새 로넨은 누나라는 호칭은 저 멀리 갖다 버린 채 주장했다.

"아티는 내 거야."

"언니는 내가 더 먼저 좋아했어!"

아카시아도 물러서지 않았다.

그리고 그 둘 사이에 새롭게 끼어든 아드리안이 당당히 아티의 어깨를 제 품으로 끌어당겼다.

"내 부인이다."

아드리안의 한마디에 로넨이 분하다는 듯 주먹을 쥐었다. 아카시아도 분한지 두 주먹을 귀엽게 꽉 쥐었다.

두 어린애 앞에서 승리감에 취한 아드리안을 보며 아티는 조용히 고개를 절레절레 흔들었다.

'아드리안도, 테르니에게 물들었나 봐.'

✦ ♛ ✦

베로니카 황후가 직접 아펜니노에서 온 손님들을 환영했다.

"어서 와, 언니."

"베카, 불러 줘서 고마워. 덕분에 편하게 왔단다."

"언니를 부르는데 당연히 이 정도는 해야지."

"정말, 내가 동생 하나는 잘 뒀다니까."

사이좋은 자매는 당연히 서로를 극진히 대했고, 따로 꼭 왔으면 좋겠다고 초대장을 보낸 아티까지 살뜰하게 보살폈다.

"먼 길 오느라 고생했어요. 시리우스는 어땠나요? 아펜니노랑 비슷하면서도 전혀 다르죠?"

"네, 폐하. 덕분에 구경하는 재미가 있었어요."

"머무는 동안 편하게 구경하도록 해요. 내가 다 편의를 봐줄 테니."

"배려에 감사드립니다."

베로니카는 마치 시집간 딸이 돌아온 것처럼 온갖 선물을 바리바리 챙겼다.

시리우스에서 유행하고 있는 색다른 드레스와 시리우스식의 구두와 보석 일체를 보내더니 내친김에 별궁까지 가장 화려하고 풍경이 좋은 곳으로 내주었다.

"이렇게 해 주지 않으셔도 되는데……."

"내가 황태자비에게 마음의 짐이 있잖아요."

"아니요. 충분히 오해하실 만했어요."

"그렇게 말해 주니까 고맙네. 모처럼 온 것이니 편하게 지내요."

"네!"

베로니카가 미소 짓자 아티도 함께 미소 지었다.

아드리안은 아직 이모에게 마음을 풀지 않은 모양이었지만, 아티가 기뻐하니 따로 무슨 말을 하진 못했다.

'이모를 저렇게 쉽게 용서해 주다니…….'

'아드리안 저 지독한 놈.'

베로니카의 시선이 아드리안에게 닿자 아드리안이 인상

을 찡그렸다.

'분명 이모가 눈으로 욕했는데.'

눈으로 한 욕을 알아들은 아드리안이 항의하듯 보자 베로니카가 생긋 웃었다.

"황태자비가 무척이나 고생하겠군요."

"네?"

아티가 되묻자 베로니카가 고개를 절레절레 흔들었다.

끼리끼리 잘 만난 것 같았다.

✦ ♛ ✦

로넨에게는 엄청난 계획이 있었다.

'비록 아티가 눈이 멀어 대악마와 결혼했지만 나에게도 아직 기회는 있다.'

아티의 마음이 아드리안에게 있다는 증거가 없지 않은가?

로넨은 진지하게 계획을 세웠다. 아티가 모종의 이유로 아드리안과 결혼까지 하게 되었지만, 아티의 뜻이 아니라면…….

'내가 구해 줘야지!'

로넨은 오직 아티와 아드리안이 떨어지는 순간을 기다렸다.

아드리안은 대악마답게 쉽게 아티의 옆자리를 비우지 않았다. 그렇게 이대로 계획이 실패하나 싶은 순간!

그때, 아드리안이 움직였다.

"여기 있어. 내가 가져오지."

"아드리안이 직접 움직이지 않아도 돼요."

"아니, 여기 있어. 내가 다녀올 테니까."

처음부터 시리우스 방문이 달갑지 않았던 아드리안은 현재 심기가 매우 불편한 상태였다.

아티를 향한 사람들의 관심과 시선이 끊이질 않았다.

'이래서 오기 싫었던 건데.'

아펜니노에서는 아드리안이 무서워서라도 아티를 오래 쳐다보는 인간은 없었다.

하지만 이곳은 시리우스.

간 큰 외국의 인간들이 멋대로 아티를 훔쳐보는 걸 용납할 수 없었다.

'역시 더더욱 살기를 흩뿌려야…….'

벌레처럼 꼬이는 사람들을 어떻게 내쫓을까 아드리안이 고민하는 사이, 잠시 생긴 틈을 놓치지 않고 로넨이 환호하며 아티에게 다가갔다.

"아티, 아티!"

"어라, 로넨?"

"내가 전에 시리우스 황궁 안내해 주겠다고 했잖아. 기억하지? 시리우스 황궁 구경시켜 줄게! 가자!"

"응? 지금?"

아티가 말릴 새도 없었다. 로넨이 다급히 아티의 손을 잡아끌었다.

"로넨, 잠깐만! 아드리안이 기다릴 텐데……."

"대악마한텐 내가 말해 뒀어!"

아티는 아드리안의 성격상 허락했을 리 없다고 생각했지만, 로넨의 기세에 밀려 자리에서 일어났다.

그리고 잠시 후.

아티는 온데간데없고 빈자리만이 자신을 반기는 풍경에 아드리안이 분노했다.

✦ ♛ ✦

에센은 화가 머리끝까지 난 아드리안을 구경하며 바나나를 까먹었다.

"그러게, 둘만 있고 싶다며 수호 기사인 날 내쫓더니 잘하는 짓이다."

"입 다물어."

"싫은데?"

아카시아를 먹이기 위해 바나나 껍질을 까던 디아노가 다른 손으로 머리를 긁적였다.

"시리우스 황궁 내니까 납치당했을 가능성은 적지 않습니까?"

"아니, 이건 납치다."

"……?"

아드리안은 범인이 누구인지 눈치챘다.

'보나 마나 로넨이겠지.'

시리우스 황궁에 도착한 이후부터 묘하게 따라붙던 시선의 정체를 아드리안이 모를 리가 없었다.

"범인은 시리우스 꼬맹이겠지. 뻔하다. 문제는 아티를 어디로 납치해 갔는가인데."

아무리 귀빈이라고 해도 타국의 황궁을 마음대로 돌아다 닐 수는 없었다.

아드리안의 말을 들은 에센이 놀란 어조로 반문했다.

"웬일이래, 네가 그런 걸 신경 쓰고."

"아티가 신경 쓸 테니까."

당당한 아드리안의 대꾸에 에센이 혀를 찼다. 아드리안 을 이 지경으로 만들어 놓은 아티가 대단하다고 해야 할 지, 아니면 아티 때문에 그런 것까지 신경 쓰게 된 아드리 안이 대단해진 건지 알 수가 없었다.

이쯤 되니 에센은 아드리안의 칭얼거림을 들어 주고 싶 은 마음이 싹 가셨다.

"네 말대로 타국의 황궁이니 조심하는 게 좋겠지. 그러 다가 잡히면 국제 문제 아냐? 어차피 누가 데려간 건지 안 다며. 그럼 기다리면 되잖아? 로넨 황태자도 생각이 있으 면 베로니카 황후의 탄신 파티가 열리기 전까지는 돌려놓 겠지."

"그 꼬맹이가 생각이라는 게 있을 것 같나?"

아드리안은 회의적이었다. 그리고 다급했다.

"지금 당장 아티를 보지 않으면 죽을 것 같다고!"

에센은 아드리안을 상대하길 포기했다.

"네가 알아서 해!"

에센이 날라 버린 상황에서 디아노가 어색하게 웃었다.

아카시아 옆에 딱 달라붙어 있는 것이 쉽게 움직일 생각이 없어 보였다.

'내 옆에 있는 놈들은 왜 하나같이 이 모양이지?'

아드리안은 새삼 삶을 잘못 살아왔다는 회의감이 들었다.

역시 믿을 건 아티밖에 없다.

또다시 아티가 보고 싶어져서 괴로워지는 이때, 돌연 작은 손이 아드리안을 붙잡았다.

"같이 찾아요!"

아카시아가 해맑게 웃었다. 아드리안은 일순 아티가 왜 '아사모'의 회장이 된 건지 이해했다.

'아티를 닮았다면, 딸도 괜찮은 것 같아.'

아카시아도 귀여운데 아티를 닮은 딸은 더 귀엽겠지.

"고맙다, 아카시아."

아카시아의 작은 손을 꼭 붙잡으며 아드리안이 다짐했다.

첫째는 꼭 딸을 낳겠다고.

✦ ♛ ✦

"여기는 내 황태자 궁이야. 내가 제일 좋아하는 장소는 이곳인데, 여기서 보면 저기에 바다가 보여."

"이곳이 이따가 모후의 탄신 파티가 열릴 메인 파티 홀."

"짜잔, 예쁘지? 시리우스의 별이 가장 잘 보이는 천문관인데. 외국인 손님들은 여길 제일 좋아하더라고."

"이쪽이 황후 궁. 저쪽이 황제 궁이야. 저기는 허가가 있어야 들어갈 수 있으니까 보물관이나 가자."

로넨은 정말로 시리우스 황궁의 요모조모를 잘 꿰뚫었다.

모두 공부하기 싫어서 도망쳤던 오랜 도주 실력이 가져다준 재능이었지만, 이 사실을 알 리가 없는 아티는 그저 감탄했다.

"로넨, 너 정말 모르는 곳이 없구나."

아티의 칭찬에 로넨의 콧대가 더더욱 높아졌다.

'이쪽이라면 대악마가 쉽게 오지 못하니까.'

로넨은 일부러 아티를 인적이 드문 내궁의 정원 쪽으로 안내했다. 모든 게 순조로웠다.

'이대로 아티의 진심만 들으면 된다.'

살짝 긴장한 로넨이 아티를 바라보았다. 로넨의 시선을 눈치챈 아티가 먼저 운을 뗐다.

"로넨. 나한테 무슨 할 말이라도 있니?"

로넨이 두 손을 꼭 쥐었다.

"아티, 솔직히 말해 줘."

"그래."

"대악마랑 억지로 결혼한 거지? 협박이라도 받은 거야?!"

"……응?"

이게 갑자기 무슨 소리란 말인가.

"잠깐, 누가 억지로 결혼했다는 거야?"

"하지만, 싫어하잖아?"

"누가 싫어해?"

"아티가 아드리안을!"

"안 싫어하는걸?"

아티의 대답에 로넨이 인상을 찡그렸다.

"억지로 결혼한 거 아냐?"

"억지로라니, 그럴 리가 없잖아. 진짜로 사랑해서 결혼한 거야."

"말도 안 돼! 아티는 지금 속고 있어!"

로넨이 반박했다. 아티는 로넨을 달래며 차분하게 말했다.

"속고 있지 않아. 정말로 좋아하는걸."

아티가 옅게 웃자 또 천사가 이 땅에 강림한 것처럼 예뻤다. 로넨은 믿을 수 없었다.

"정말, 좋아한다고?"

"그래."

"왜?"

"왜냐고 물어도……."

아티가 머뭇거렸다. 대답을 듣지 못해도 아티의 뺨이 살짝 붉어진 것만 봐도 좋아한다는 걸 알 수 있었다. 로넨이 절망했다.

"그럼 나는 어떡해?"

제대로 차인 로넨이 울먹였다.

아티는 로넨을 달래며 무슨 말을 해 주면 좋을까 고민했다.

"우리 로넨에게도 나중에 아주 특별하고 소중한 사람이 찾아올 거야."

"그런 사람은 없어! 나한텐 아티뿐인걸."

"아냐, 분명히 찾아올 거야. 날 믿어. 두고 봐."

속아 준다는 마음으로 로넨이 아티의 말을 반쯤 믿었다.

"안 찾아오기만 해."

아티가 빙그레 웃었다.

"로넨은 모르지만 이미 찾아왔을 수도 있어."

"말도 안 돼."

로넨은 아티가 대충 아무렇게나 지어내서 이 상황을 모면하려고 한다고 생각했다.

무성의하다고 투정 부리려고 하는데 아티가 생긋 웃었다. 그리고 그때였다.

"찾았다!"

가느다랗고 발랄한 목소리가 울려 펴졌다. 어떻게 나타난 건지 모를 아카시아가 둘을 보며 활짝 웃었다.

"언니~!"

"아카시아~."

자신은 안중에도 없이 아티에게 달려드는 아카시아를 보며 로넨의 표정이 묘하게 변했다.

'깜짝이야.'

잠깐이었지만 저 못된 아카시아가 조금쯤 예뻐 보였다.

'다 기분 탓이겠지.'

인정하고 싶지 않았던 탓일까. 로넨이 아카시아에게 더 퉁명스레 말했다.

"야. 나는 안 보이냐?"

"응. 안 보이는데."

"저게."

아카시아의 상큼한 대답에 로넨이 막 인상을 썼을 때였다.

"나는 네가 보이는구나, 꼬맹아."

무시무시한 음성과 함께 아드리안이 등장했다.

"윽."

도망치려고 했지만 늦었다.

로넨은 그대로 붙잡혔다.

"이 교활한 꼬맹이. 감히 내가 없을 때 아티를 데려가?"

"누가 데려가? 아티는 내가 더 좋댔어. 그치, 아티?"

"이제 날조까지."

아티가 어색하게 웃었다. 그만하고 놓아줬으면 좋겠다는 듯한 아티의 눈빛에 차마 로넨을 쥐어박지도 못한 아드리안이 큰 한숨을 내쉬었다.

"널 보면서 깨달음을 하나 얻었다. 아들은 절대 낳지 말아야지."

"뭔 소리야!"

"그런 게 있어."

그래도 역시 딸은 좋은 것 같았다.

아드리안의 시선이 아티와 아카시아에게서 떨어질 줄을 몰랐다.

✦ ♔ ✦

어찌어찌 아티의 납치(?) 사건이 막을 내렸다.

아드리안은 반드시 이 사실을 베로니카 황후에게 알리고

싶어 했지만.

"곧 좋은 날이니 베로니카 황후 폐하를 봐서라도 그냥 넘어가죠."

아티가 천사인 바람에 곱게 묻어 주었다.

아티의 배려 덕에 혼날 일을 피한 로넨은 기가 살아서 더욱더 아티에게 찰싹 달라붙었다.

'저 자식을……'

떨어질 줄 모르는 로넨을 노려보며 아드리안은 후회했다.

'역시 아티가 반대하더라도 이모님께 말씀드리는 게 나을 뻔했군.'

늦지 않았으니 지금이라도 말할까 아드리안이 진지하게 고민하는 사이, 마침내 시리우스 여정의 목표였던 베로니카 황후의 탄신을 축하하는 파티가 시작되었다.

파티는 매우 성대했다.

전 세계에서 모인 사절단과 시리우스의 저명한 사람들이 한데 모인 파티는 그 자체로 화려했다.

시리우스 황제의 축사와 생일 선물 증정을 시작으로 참석한 모든 사람들이 베로니카 황후에게 인사와 선물을 건넸다.

아티와 아드리안도 아펜니노 황태자비 부부로서 함께 선물을 건넸다.

"어머나, 이게 그 유명한 장인 위르겐의 작품이로구나."

언니인 루드밀라 황후 덕에 익히 들어 알고 있는 작품을 보자 베로니카 황후가 반겼다.

"약소하게나마 준비해 보았습니다."

"약소하다니, 돈을 가져가도 쉽게 살 수 없다는 걸 내가 제일 잘 아는걸. 그치, 언니?"

"호호호."

루드밀라 황후가 특별히 베로니카 황후를 위해 제작된 다기 세트를 반짝이는 눈으로 보며 웃었다.

"고맙단다. 내일 귀빈들에겐 이 접시로 대접해야겠구나."

"감사합니다. 폐하."

기뻐하는 베로니카 황후를 보자 고심해서 선물을 준비한 아티가 뿌듯해했다.

자신도 모르게 활짝 웃었다가 아티가 흠흠 표정을 관리했다.

'안 웃기로 했었지.'

아드리안의 유일한 부탁이었다.

'괜히 웃지 않는다고 약속했나 봐.'

모르던 사실이었는데 아티는 굉장히 매우 잘 웃는 사람이었다. 그걸 본인도 이번 기회에 깨달았다.

"그래, 고맙단다. 파티 재미있게 즐기다가 가렴."

"감사합니다. 폐하."

"탄신 축하드립니다, 이모님."

베로니카 황후에게 축하 인사도 끝냈다. 아드리안은 남몰래 아티와 빠르게 퇴장을 할 계획을 세웠다.

자연스럽게 빠져나갈 수 있는 방법도 있었다.

그 녀석이 나타나기 전까지.

"아티!"

어김없이 나타난 로넨이 아티의 옆에 찰싹 달라붙었다.

아드리안은 심기가 불편해졌다. 아드리안이 대놓고 노려 보는데도 로넨은 꿈쩍도 하지 않았다.

"아티, 나랑 놀아 줄 거지? 자, 저쪽으로 가자!"

"로넨……."

아티가 아드리안의 눈치를 보며 곤란해했다. 그때 로넨 이 승부수를 띄웠다.

"아카시아도 데려올게."

"그래, 가자."

아카시아 이야기에 아티의 마음이 움직였다. 로넨이 슬 쩍 승리자의 미소를 아드리안에게 보여 주었다.

'저 녀석이?'

하지만 그런 하찮은 도발에 넘어갈 아드리안이 아니었다.

"아티, 이리와 봐! 내가 재미있는 거 보여 줄게."

"아티, 이것 좀 봐!"

"아티!"

하지만 로넨이 한시도 쉬지 않고 아티를 붙잡고 있자, 아 드리안의 인내심은 곧바로 바닥을 드러냈다.

'내일 당장 떠난다.'

아드리안은 파티가 끝나자마자 마법진으로 귀환할 계획 을 세웠다. 아드리안의 흑심은 까마득히 모르고 아티는 그 저 흐뭇하게 로넨과 아카시아를 보았다.

"후후. 귀여워."

아드리안의 부탁대로 웃지는 않았으나 아티의 입꼬리가 조금씩 움찔거렸다.

귀여운 두 녀석을 앞에 두고 웃지 않기란 너무 어려운 일이었다.

아티가 약속한 대로 웃지 않는다는 사실은 아드리안을 흡족하게 만들었지만 미처 예상치 못한 다른 문제가 생겼다.

웃지 않으면 아무도 아티를 신경 쓰지 않을 거라 생각했으나 아니었다.

오히려 사람들은 웃지 않는 아티를 보고 더 안달했다.

"도무지 웃지를 않으시는군."

"아펜니노의 황태자비라고 하셨나?"

"무심한 저 눈빛도 저렇게 아름다운데, 웃으면 얼마나 더 아름다우실까?"

"보기 드문 도도한 미녀로군."

"한번 말이라도 더 걸어 보고 싶어졌어."

아드리안은 철저하게 아티의 옆을 지키며 헛소리를 하는 귀족들을 노골적으로 노려보았다.

아드리안이 이렇게 철통 보안으로 아티를 지키고 있음에도 아티는 그것도 모르고 꼬맹이들을 보며 흐뭇해했다.

아드리안이 깊은 한숨을 내쉬었다.

"아드리안, 괜찮아요? 많이 피곤한가요?"

"아니, 괜찮아."

"피곤해 보여요."

아티가 걱정해 주자 불편했던 심기가 조금은 가라앉았

다. 아드리안이 아티를 끌어당겨 품에 안으며 조그맣게 투정을 했다.

"사람들이 다 너만 보고 있어."

"네? 아닐걸요. 아드리안을 보는 거예요."

"아니, 널 보는 거야."

지금 이 순간에도 사람들의 시선이 아티에게 꽂혀 있었다. 이렇게 사람들을 끌어당기는 사람을 얻었다는 뿌듯함보다 짜증이 더 먼저 치밀었다.

"다들 널 보지 못하게 만들고 싶어."

사람들을 장님으로 만들고 싶다는 아드리안의 말에 아티가 두 눈을 동그랗게 떴다.

그러고는 조그맣게 말하기를.

"그럼 그냥 면사를 쓸 걸 그랬나 봐요."

"아……"

아티가 내놓은 간단한 해결책에 아드리안이 허탈해했다.

미처 그 생각을 못했다.

두 사람이 그렇게 둘만의 이야기를 하는 사이, 로넨이 도끼눈을 뜨며 둘을 노려보았다.

당장 둘을 떼어 놓으려는 로넨을 붙잡은 건 아카시아였다.

"그만해. 충분히 했잖아."

"넌 아무것도 몰라."

"모르긴 뭘 모르냐? 계속 아티 언니 곤란하게 만든 거 옆에서 다 봤는데."

로넨은 정말 아카시아가 귀엽지 않았다.

'대체 이런 애가 뭐가 귀엽다고.'

하지만 그런 로넨의 생각과 달리 아카시아는 사람들의 관심과 애정을 한 몸에 받았다.

"귀여워라~."

"어디서 이렇게 귀엽고 사랑스러운 아가씨가 왔을까?"

로넨은 자신과 지나갈 때마다 아카시아에게 보여 주는 귀족들의 관심이 짜증 났다.

'다 나한테 잘 보이려고 하는 사탕발림이겠지.'

그것도 모르고 아카시아가 웃어 줄 때는 더 짜증이 났다.

"너 아무한테나 웃어 주지 마."

"뭐래? 내 맘이거든?"

"너 왜 나한테만 그렇게 까칠해?"

"내가 언제?"

아카시아가 고개를 갸웃했다. 로넨이 씩씩거렸다. 심통이 난 모양이었다.

'애도 아니고 왜 저런대.'

어른스러운(?) 아카시아는 로넨이 그러든 말든 신경 쓰지 않았다.

귀여운 데다 싹싹하기까지 한 아카시아를 싫어하는 사람은 없었다. 로넨이 사람들의 관심을 한 몸에 받는 아카시아를 뚱하게 쳐다보았다.

"저게 뭐가 귀엽다고."

이해할 수 없다며 투덜거리는 로넨을 보며 아티가 귀여워 죽으려고 했다.

'아무리 봐도 로넨이 아카시아를 좋아하는 것 같은데.'

그때였다. 어디서 튀어나온 건지 갑자기 나타난 어떤 공자 하나가 아카시아에게 다가갔다.

로넨은 그게 누구인지 단번에 알아보았다. 시리우스의 한 공작가의 영식이자 자신의 사촌이었다.

"제 이름은 레비입니다, 영애."

"저는 아카시아라고 해요."

"괜찮으시면 저와 춤추시겠습니까?"

"좋아요!"

로넨의 표정이 시시각각 변했다. 쟤가 왜 아카시아에게 관심을 갖지? 쟤는 왜 좋아하지? 미쳤나?

둘이 조그맣게 발을 맞추며 춤을 추기 시작하자 사람들이 좋아했다.

"잘 어울리네요."

"저 영애가 아펜니노에서 왔다고 했나요?"

"레비 공자가 반했나 봐요."

'반하긴 뭘 반해! 어울리긴 뭐가 어울려!'

모두가 즐겁게 보고 있는 그 장면을 로넨만 심기가 불편한 채로 바라보고 있었다.

로넨이 막 인상을 쓰고 있을 때, 아드리안이 로넨을 툭 건드렸다.

"꼬맹아, 넋 놓고 있다가는 빼앗긴다."

로넨이 눈썹을 들썩였다. 뭘 빼앗긴다는 건지는 모르겠지만, 자기도 모르게 발이 움직였다.

춤추고 있는 아카시아에게 다가간 로넨이 레비를 제지하고 아카시아에게 말했다.

"너, 나랑도 춤춰."

"뭐?"

로넨의 무례한 행동에 아카시아가 인상을 찡그렸다. 레비가 끼어들려고 했으나 로넨이 노려보자 조용히 물러났다.

"너 왜 그래? 내가 레비 공자랑 춤추고 있었잖아."

"네가 나랑 먼저 춤도 안 추고 멋대로 갔잖아."

"내가 너랑 왜 춤춰야 하는데?"

"춤춰야 되니까."

"왜?"

아카시아가 두 눈을 깜빡이며 물었다. 그게 너무 귀여워서 로넨은 지는 기분이 들어 분했다.

"아무튼 그런 게 있어!"

로넨이 손을 내밀자 아카시아가 이마를 찌푸렸다. 그래도 내치지 않고 로넨의 손을 잡아 주었다.

처음 잡아 본 손도 아닌데, 로넨은 왜 오늘따라 아카시아의 손을 잡는 게 이리 떨리는지 모를 일이었다.

두 사람이 춤을 추는 걸 보고 사람들이 서로 눈을 마주쳤다.

'둘이 설마?'

'혹시 로넨 황태자께서?'

상석에 있던 베로니카 황후와 루드밀라 황후도 즐겁게 보고 있었다.

"호호호. 소꿉친구가 역시 좋다니까!"

루드밀라 황후가 남몰래 자신의 바람을 떠올리며 웃었다. 비록 아드리안은 실패했지만 로넨은 성공할 거란 예감이 들었다.

"그러게. 귀엽네."

아들의 이런 모습을 처음 보는 베로니카 황후도 즐거워했다. 춤을 추던 로넨이 아카시아에게 말했다.

"넌 내 연적이었으니까, 그러니까 나중에 내가 좋아하는 사람 못 찾으면 나랑 결혼해야 돼."

"뭐래. 싫거든?"

로넨의 기적의 논리에 아카시아가 질색을 했다. 그래도 로넨은 개의치 않았다. 이상한 기분이었다. 아카시아가 자신 외의 다른 녀석이랑 노는 게 꼴 보기 싫었다.

"아무튼 넌 나랑만 놀아야 해!"

로넨의 선언에 아카시아가 인상을 찡그렸다.

디아노와 시시뉴가 이 선언을 도전으로 받아들여야 하나 고민하고 있을 때, 아티가 웃으며 로넨을 응원했다.

"로넨이 너무 귀엽지 않아요?"

"저게 귀엽나……?"

아티의 발언에 아드리안이 진지하게 고민했다.

역시 아티의 눈은 믿을 수가 없었다. 사람이 너무 순하고 선하다. 저게 어떻게 귀여워 보일 수 있지?

"난 역시 딸이 좋아. 아들은 싫다."

아드리안의 뜬금없는 발언에 아티가 놀라 두 눈을 동그랗게 떴다. 그리고는 작게 웃으며 말하기를.

"하지만 저는 아드리안을 닮은 아들을 갖고 싶어요."

수줍게 뺨을 붉히며 아티가 조심스럽게 밝힌 의견에 아드리안이 전의를 상실했다.

"어……. 그래, 아티가 갖고 싶다면…… 가져야지."

아티와 자신의 자식인데 딸인들 아들인들 무슨 상관이겠는가?

아티가 환하게 웃자 아드리안의 표정이 솜사탕 녹듯이 녹아 버렸다.

외전 3. 황태자의 새로운 취미

외전 3. 황태자의 새로운 취미

아드리안에겐 아주 오래된 취미가 하나 있었다.

바로 승마.

황실에선 그저 교양 중 하나로 자연스럽게 승마를 시켰을 뿐인데, 당시 아기였던 아드리안은 그대로 말과 사랑에 빠져 버렸다.

"말!"

그때부터였을 것이다.

황태자가 엄마 소리보다 말 소리를 먼저 한 그날부터 루드밀라 황후에게 한 가지 고민이 생겨 버렸다.

"오늘도 황태자가 마구간에 가서 말과 함께 있다고?"

"예, 너무 좋아하셔서 아무도 말리지 못한다고 합니다."

"이제 다섯 살인 애가 뭘 안다고 그런담."

"허허. 그래도 전하께서 벌써 말 하나를 길들이셨습니

다. 엄청난 재능입니다!"

"허, 참."

루드밀라 황후는 기뻐해야 할지 말아야 할지 몰라 고개를 내저었다.

모두 아드리안이 지금보다 나이가 들면, 다른 취미가 생겨 말 사랑이 잦아들 것이라 생각했지만 아니었다.

"황태자 전하, 이번 생신 선물은 어떤 걸로……."

"말."

"전하, 이번 생신 선물은 어떤……."

"말."

"전하, 선물……."

"말!"

아드리안의 올곧은 취향 덕분에 아펜니노에서는 황태자의 생일뿐만이 아니라 축하할 일이 있을 때마다, 말단 귀족부터 황제·황후 부부에 이르기까지 거의 모든 사람들이 말을 선물하는 게 당연한 일이 되어 버렸다.

그 덕분에 아드리안은 열 살에 황실 소유의 말보다 개인 소유의 말이 더 많아지는 기염을 토했다.

한 번은 용기 있는 누군가가 아드리안에게 물어보았다.

"왜 그렇게 말을 좋아하시는 겁니까?"

"무슨 소리지? 다들 좋아할 수밖에 없잖아."

"……."

"어떻게 저 윤기 흐르고 탄력 있는 근육과 맑은 두 눈동자를 좋아하지 않을 수 있지?"

"……."

"저 꼿꼿하고 우아한 자태를 봐라. 달리고 싶어서 안달이 난 저 다리의 꽉 찬 근육을 보라고. 어떻게 안 좋아할수가 있지? 말은 사랑이다. 말도 안 되는 소리를 하려거든 꺼져라."

이윽고 아펜니노의 모든 사람들이 아드리안 황태자의 말 사랑을 인정했다.

"황태자 전하의 말 사랑이 너무 지극해서 큰일이다!"

"분명 황태자비가 되실 분은 말에 밀리겠지……."

"앞으로 황태자비가 되실 분은 말과 전생에 원수를 진게 아닐까요? 말에게 남편을 빼앗기게 생겼네."

모두 누가 될지 모르는 황태자비를 동정하며 아드리안의 극진한 말 사랑을 지켜보았다.

얼마 지나지 않아, 드디어 황태자비가 생겼다.

그리고 결과는…….

"예? 말이요?"

아티는 사람들의 질문에 두 눈을 동그랗게 뜨고 반문했다. 그러고는 화사하게 웃으며 말하기를.

"전하께서 좋아하시면 저도 당연히 좋아하죠. 저는 정말로 괜찮답니다."

아티는 '아드리안의 취향이니 나와는 처음부터 상관없다.'라는 의미로 한 말이었지만, 그 대답을 들은 다른 사람들의 반응은 달랐다. 그들은 그저 감탄했다.

"크으, 천사다. 천사야."

"아펜슨 황가의 축복이다!"

"역시 황태자 전하에게 아까운 분이십니다."

모두가 칭찬했지만 정작 아티는 뭐가 뭔지 모르겠다는 듯 고개를 갸웃했다.

✦ ♔ ✦

황궁 어딘가.

햇볕이 잘 들지 않는 으슥한 복도에서 두 인영이 조우했다.

"그건 준비된 거겠지?"

검은 후드를 뒤집어쓴 남자가 낮은 목소리로 되물었다.

"암요, 암요. 당연히 준비가 되어 있고 말고요."

"다른 것들은? 내가 주문한 건 다 준비되어 있나?"

"네, 넵! 다 준비했습니다. 걱정 마십시오. 황태……. 아니, 손님."

"말조심해. 듣는 귀가 많다."

후드를 쓴 남자의 반듯한 이마가 구겨졌다.

주변을 살피고 인기척이 없는 것을 확인한 남자가 목소리를 낮춰 당부했다.

"아무도 이 사실을 모르게 해라. 알겠나?"

"넵!"

두 사람이 어둠 속에서 음흉한 미소를 지었다.

"네? 갑자기 승마장이요?"

아드리안이 고개를 끄덕였다. 아티는 갑작스러운 제안에 두 눈을 동그랗게 떴다.

바로 일주일 전, 시리우스 제국에서 베로니카 황후의 탄신 축하 파티가 끝나자마자 도망치듯(?) 마법진으로 초고속 귀국을 해 버린 두 사람이었다.

당분간은 어디에도 가지 말고 쉬자고 했던 것이 아드리안이었건만······.

'게다가 오늘은 일정이 있어.'

아티가 조심스럽게 입을 열었다.

"오늘은 마리에와 서점에 같이 가기로 했는데······."

아드리안의 표정이 굳었다.

"오후엔 황후 폐하와 티타임을 갖기로 했어요."

"······."

아드리안의 어깨가 축 늘어졌다. 노골적으로 슬퍼하는 아드리안을 보며 아티는 마음이 약해졌다.

"이번만 미루면 안 돼?"

"그게······."

"한 번만. 응?"

"윽."

아드리안이 조르듯이 ~~하자 아티는 거절하~~는 말이 나오지 않았다.

정말 치사했다.

'아무래도 자신의 얼굴이 엄청난 무기라는 걸 아는 것 같아.'

아티가 몸을 움츠리자 먹힌다는 걸 알아차린 건지 아드리안이 슬프게 중얼거렸다.

"아티를 위해 오늘 업무도 미리 해 놨거늘……."

"……."

"우리 데이트를 해 본 지도 오래되지 않나? 매번 테르니가 훼방을 놓는 바람에 단둘만 있는 시간은 적었지."

"……."

"오늘은 아티와 꼭 함께 있고 싶었는데……."

이렇게까지 하면, 더는 버틸 수가 없었다.

'황후 폐하와 마리에가 분명히 서운해할 테지만…….'

아티가 어쩔 수 없다는 듯 고개를 끄덕였다. 그 승낙의 표현에 아드리안의 얼굴에 바로 화색이 돌았다.

언제 죽을상이었냐는 듯, 아직도 아티의 가슴을 떨리게 하는 매력적인 미소를 지었다.

그리고 한 손으로 아티의 뺨을 감싸 쥔 아드리안은 가벼운 입맞춤을 한 뒤 떨어졌다.

이제는 익숙해질 법한데도 아티의 얼굴이 붉게 물들었다.

그조차도 어찌나 사랑스러운지, 아드리안은 승마장이 아니라 침실로 데려가고 싶은 걸 간신히 참아 냈다.

"그럼 모후와 마리에에겐 내가 말하겠다. 너는 외출 준비에 전념해."

"네, 그럴게요."

순순히 대답하면서도 눈이 마주치자 아티가 깜짝 놀라며 고개를 숙였다.

그 모습이 미치도록 귀여워서 아드리안은 최대한 이를 악물며 인내했다.

'내 아내가 너무 귀여워서 곤란하다.'

정말 어디에도 내보이지 않고 품에만 숨겨 두고 싶었다.

✦ ♔ ✦

승마장은 엄청나게 컸다.

자유롭게 말을 탈 수 있는 승마장뿐만이 아니라, 말 목 장과 마구간이 함께 붙어 있는 건물이라 그 자체로 새로운 도시처럼 보였다.

황궁과 멀지 않은 곳에 이렇게 거대한 장소가 있다니, 아 티는 새삼 놀랐다.

"정말 이 말들이 다 아드리안 소유예요?"

"응."

당연하다는 듯한 아드리안의 대답에 아티는 새삼 문화 충격을 받았다.

'역시 황족이란…….'

마리에의 로맨스 소설로만 가득한 서고를 봤을 때도, 루 드밀라 황후의 수집품이 모여 있는 전시 방을 봤을 때도, 카를로만 황제의 박물관을 봤을 때도 놀라웠지만 아드리안의 승마장은 충격적이었다.

'정말 대단해.'

승마장 한편에는 작은 묘지도 있었다.

"늙거나 사고로 죽은 말들은 장례를 치르고 여기에 묻어 줬어."

"다들 행복하게 무지개다리를 건넜을 거예요."

"무지개다리?"

신선한 표현에 아드리안이 웃었다. 승마장 관리자와 아드리안의 시종은 놀란 표정으로 아드리안을 보았다.

저렇게 온화하게 웃는 아드리안을 보는 게 처음이라, 자신들이 꿈을 꾸는 게 아닌지 너무나 헷갈렸다.

"내가 보는 것이 진정 아드리안 전하인가……."

"너무 놀라지 마오. 놀랄 일은 더 많이 있으니까. 나도 아직 자주 놀랍니다."

주위 사람들이 자신의 두 눈을 의심하며 웅성웅성했지만, 아드리안과 아티는 전혀 신경 쓰지 않았다.

아티를 처음으로 자신이 가장 아끼는 장소에 데려온 것이었다. 아드리안이 소년처럼 들떠서 이곳저곳을 소개시켜 주었다.

아티는 뭐가 뭔지 잘 모르겠지만, 그저 아드리안이 웃으면서 신나게 이야기하는 모습이 좋았다.

'이런 모습은 처음이야.'

좋아하는 것에 대한 이야기를 하는 아드리안이 얼마나 행복한지 알 수 있어서 마냥 좋았다.

"저길 봐, 아티."

"네."

아드리안이 가리킨 곳엔 넓은 초원을 달리는 하얀 말이 보였다.

척 보기에도 다른 말과는 속도부터 다른 건장한 말이 질주하고 있었다.

"저 녀석이 내가 갖고 있는 모든 말들을 경주에서 이긴 유일한 말이야. 아주 대단한 녀석이지. 저렇게 달리기도 쉽지 않은데, 어디 혈통인지 모르겠단 말이지. 서러브레드인 건 확실한데."

"정말 대단한 말인가 봐요."

"맞아. 내가 제일 아끼는 말이야."

기수와 말이 아드리안과 아티를 발견하자마자 이쪽으로 달려왔다. 아티가 무서워하자 아드리안이 감싸 주었다.

"전하, 오셨습니까."

기수가 말에서 내린 뒤 인사를 했다. 그러거나 말거나 아드리안의 시선은 말에게 가 있었다.

"자, 만져 봐. 아주 순한 녀석이거든."

"으으음."

전혀 순해 보이지 않았지만 아드리안이 해사하게 웃으며 권유하니 거절할 수 없었다.

어쩔 수 없이 아티가 조심스럽게 손을 뻗자, 말이 반응했다.

날뛰지 않을까 무서워하며 말을 천천히 쓰다듬자 윤기 나는 부드러운 털의 감촉에 깜짝 놀랐다.

말이 푸르릉거리다가 아티에게 관심을 보였다.

아티가 무서워하면서도 말과 친해지는 모습을 지켜보던 아드리안이 말했다.

"이 말을 너에게 줄게."

수줍게 내뱉은 아드리안의 말에 아티가 놀랐다.

방금 가장 아끼는 말이라고 하지 않았던가.

아드리안의 폭탄 발언에 옆에 있던 모든 사람들이 놀랐다.

아드리안이 가장 아끼는 말을 다른 사람에게 준다니?!

"있을 수 없는 일이 벌어졌다."

"오늘 세상이 멸망하나?"

"황태자 전하께서 드디어 불치병에 걸리신 걸까?"

모두가 웅성거렸다.

아드리안의 말 사랑을 잘 알고 있는 사람들의 눈빛이 일순 흔들렸다.

"저분 황태자 전하 맞아?"

"다른 사람 아냐?"

웅성거리는 승마장의 사람들은 아드리안과 아티에게 중요치 않았다.

둘은 전혀 다른 세계에 있는 듯 서로만을 바라보고 있었다.

'이를 어쩌지⋯⋯.'

대충 돌아가는 분위기만으로 아티는 아드리안이 자신에게 엄청난 선물을 했다는 걸 알아챘다.

아드리안 본인은 평소 말 덕후인 걸 크게 티를 내진 않았지만, 같이 생활하다 보니 대화할 때나 무의식적인 버릇으로 쉽게 눈치챌 수 있었다.

'……거절하면 상처받겠지.'

아티가 결심 끝에 말을 꺼냈다.

"정말 고마운데, 저 승마 못해요."

주눅이 든 채로 아티가 조그맣게 말하자 아드리안이 놀란 얼굴로 물었다.

"승마 못 배웠어?"

"배우긴 했는데 너무 어릴 적이라 하나도 기억 안 나요."

아티가 말의 콧등을 쓰다듬으며 이어 말했다.

"이렇게 멋진 말인데, 주인을 잘못 만나서 달리지 못하면 안타깝잖아요."

아드리안이 가만히 자신의 최애 말을 응시했다. 처음부터 아티에게 주겠다고 마음먹어 이름도 지어 주지 않은 녀석이었다.

"말은 마음에 들어?"

"네! 아주 잘생겼어요!"

아티가 생긋 웃자 아드리안은 좋아해야 하는 건지 말아야 하는 건지 조금 헷갈렸다.

'아티가 웃으니까 좋은데, 나 외의 다른 걸 칭찬하니까 싫기도 하고…….'

복잡한 마음을 곱씹던 아드리안이 마침내 결정했다.

"그럼 내가 승마를 가르쳐 줄게."

좋아하는 생물 옆에 좋아하는 사람이 있으니 환상적이었다.

아드리안은 이 기회를 놓치고 싶지 않았다. 게다가 승마를 가르쳐 준다는 핑계로 아티와 더 오래 같이 있을 수 있지 않겠는가?

'아티를 노리는 사람들이 너무 많아. 이 핑계면 완벽하다.'

아드리안은 계산을 끝낸 후 아티의 대답을 기다렸다.

"승마……."

아티가 얼떨떨한 시선으로 말을 보았다. 생전 처음 타 보는 것은 아니었지만 조금은 두려웠다.

"제가 잘 배울 수 있을까요?"

"내가 있으니까 할 수 있을 거야."

아드리안이 직접 가르쳐 준다는 것이 기쁘기도 했지만, 한편으로는 워낙 좋은 말을 선물 받은 터라 무섭기도 했다. 아티가 망설이다가 입을 뗐다.

"무서운데……."

"처음이라 그래."

"아드리안도 처음 승마 배울 때 무서웠어요?"

"아니."

"……?"

아티가 고개를 갸웃하자 아드리안이 아차 싶어서 말을 덧붙였다.

"나는 어렸을 때부터 말이 좋아서 계속 붙어 있었거든. 아무래도 다른 사람들과는 다르지 않을까?"

변명하듯 말을 이어 가는 아드리안을 보며 아티가 작게 웃었다.

아기 아드리안이 말을 타며 좋아했을 것 같은 모습을 상상하니 너무 귀여웠다.

'보고 싶다.'

나중에 애를 낳게 된다면 아드리안을 닮은 아이들도 말을 좋아하게 되는 걸까?

마음대로 상상해 보던 아티의 뺨이 발그레해졌다. 너무 자신만 혼자 앞서간 것 같았다.

"아드리안은 말의 어떤 점이 그렇게 좋았어요?"

"응? 그냥 좋잖아. 너처럼."

아티가 자기도 모르게 웃었다. 반사적으로 대답했던 아드리안이 아티의 미소를 보고 잠시 멈칫했다.

언제 봐도 아티의 미소는 좋았지만, 자칫 잘못하면 성의 없는 대답이라고 생각할지도 몰랐다.

"그냥 널 보고 있으면 좋은 것처럼 말도 좋았어. 설명하기가 어렵군."

"괜찮아요, 이해했어요."

"정말?"

"네."

아티가 또 웃자 아드리안은 가슴이 찡해졌다.

나는 이런 사랑스러운 부인을 대체 어떻게 얻은 거지? 평생 써야 할 운을 아티 얻는 데 다 써 버린 듯했다.

"재미있어요. 아드리안이 말을 좋아하는 건 알았지만 이렇게 좋아하는지는 몰랐거든요. 좀 더 이야기해 줘요."

"내 이야기가 듣고 싶은 거야?"

아티가 고개를 끄덕였다. 그게 또 너무 귀여워서 아드리안은 곤란해졌다.

'오늘은 내가 아끼는 말들을 소개해 주려고 데려온 건데…….'

이렇게 아티가 귀엽고 사랑스러우면 또 아티를 데리고 어딘가에 처박히고 싶어지지 않는가.

참, 부인이 너무 사랑스러워도 문제였다.

행복한 고민을 하며 아드리안이 입을 열었다.

"별로 할 이야기는 없는데. 그냥 좋아해서 하나둘 선물 받다가 보니 많아졌고 말이 많아서 승마장을 갖고 싶어졌고 그러다 보니 지금 이렇게 되었어."

"황후 폐하께 듣자 하니 승마장을 일곱 살 때부터 갖고 있었다던데 정말이에요?"

"승마장 자체는 그렇지. 처음에는 이렇게 크지 않았는데 개조하다 보니까 커졌어."

아드리안의 입으로 듣는 그의 이야기는 별다른 게 없어도 재미있었다.

아티가 좋아하자 아드리안은 괜히 쑥스러워졌다.

"저도 좋아해 볼게요."

아티가 두 주먹을 불끈 쥐었다.

"아드리안이 좋아하니까 저도 노력할게요."

건장한 말이 옆에 서 있을 때는 자신도 모르게 압도당해서 무서웠는데 지금은 그마저도 귀엽게 느껴졌다.

노력해 보겠다는 아티의 말에 아드리안은 감동을 받았다.

"날 위해서 그렇게나……."

역시 부인 하나는 기가 막히게 잘 얻었다.

✦ ♛ ✦

아티가 승마를 배운다는 소식에 사람들의 반응이 갈렸다.

"드디어 올 것이 왔구나."

루드밀라 황후는 담담하게 아티에게 승마복을 선물했고.

"에잉, 우리 귀한 새아가에게 승마를 가르친다니."

카를로만 황제는 대놓고 아드리안의 덕질 영업에 불쾌함을 드러냈다.

"내 아들놈이지만 무슨 생각인지 모르겠구나. 새아가에게 그런 격한 운동을 시키다니. 힘들면 언제든지 말해라. 내 도와줄 터이니!"

황제는 혹시나 아티가 승마를 배우다가 다치지 않을까 우려했다.

"엑? 승마?"

그중에서도 제일 질색한 건 마리에 공주였다.

"오빠가 직접 가르쳐 준다고?"

"응."

"미쳤나 봐. 다른 사람이 자기 말 쳐다보는 것도 싫어하는 사람인데. 정말 아티를 좋아하긴 좋아하나 봐."

마리에가 감탄했다. 어렸을 때 뭣 모르고 아드리안의 말을 한번 만졌다가 대판 싸운 기억이 뭉게뭉게 떠올랐다.

"오빠 성격에 제대로 잘 가르쳐 줄 수 있을 리가 없는데."

마리에의 걱정에 디아노가 동조했다.

"전하께서 가진 바 능력이 뛰어나신 건 사실이지만 누굴 가르칠 수 있을지는……."

"나도 잘 가르칠 수 있어, 내 동생!"

기회를 놓치지 않고 테르니가 자신이 가르쳐 주겠다고 나섰다.

"마음만 받을게요."

과연 아드리안이 잘 가르칠 수 있을까 의견이 엇갈리는 가운데, 첫 수업이 시작되었다.

예상외로 만반의 준비를 해 온 아드리안은 매우 잘 가르쳐 주었다.

"말은 예민한 동물이야. 초식 동물이라 겁도 많지. 그래서 예로부터 겁이 없고 용맹한 말을 최고의 군마로 쳤어."

아드리안은 말에 대해 가르쳐 주며 어떻게 말에게 접근하는지, 말과 어떻게 교감하는지부터 설명해 주었다.

"어느 순간에도 말 뒤로 접근하는 건 금지야. 잘못하면 말 뒷굽으로 차일 수 있어."

무엇을 하면 안 되는지, 말과 어떻게 소통을 하는지 하나하나 설명을 들으며 충분히 숙지한 다음에야 조심스럽게 말 위에 올라탔다.

"앉아 있는 것만으로도 어려워요. 이상한 기분이야."

"괜찮아, 하다 보면 좀 익숙해질 거야."

아티를 태운 말의 고삐를 잡고 아드리안이 천천히 말을 걷게 했다.

"어때? 아직도 무서워?"

아드리안의 목소리에 아티가 말타기에 열중하던 표정 그 대로 고개를 가로저었다.

시야가 높아서 무섭고 등받이가 없어서 중심을 못 잡을 까 봐 무섭긴 하지만 아주 재미있었다.

"엄청 신기한 기분이에요."

"그래?"

"그리고 말 위에 앉아 있으니까 제 키가 커진 기분이 들 어요."

아티의 이야기를 들으며 아드리안의 입가에 미소가 떠올 랐다. 이제는 까마득해져서 잊어버렸지만 처음 승마를 배 울 때 자신도 이랬을까 되돌아보게 되었다.

"이제 달리는 법을 알려 줄게."

아드리안이 순식간에 아티의 뒤에 올라탔다.

아드리안과 가까워지자 아티는 괜히 의식되어서 헛기침 을 했다. 이제 부부인데도 아직도 붙어 있는 게 부끄러웠다.

"꽉 잡아."

아티가 긴장한 순간 말이 달리기 시작했다. 처음엔 너무 무서워서 반사적으로 눈을 감았다가 어느 정도 속도에 익 숙해지자 아티가 조심스레 눈을 떴다.

"혼자 승마할 때 그렇게 눈 감으면 안 돼."

"하지만, 너무 빠른걸요."

"자, 이렇게 하면 돼."

아드리안이 고삐를 쥔 아티의 작은 손을 잡고 부드럽게

말을 제어하는 법을 알려 주었다.

말이 신나게 초원을 달리다가 멈춰 섰다.

"어때? 아직도 무서워?"

"아니요. 재미있어요!"

"그럼 이제 아티가 해 봐."

아드리안의 지도하에 아티가 말을 움직였다. 그때 갑자기 멀리서 익숙한 목소리가 둘을 불렀다.

"아티~! 아드리안!"

어떻게 알고 찾아온 건지 테르니가 다가오고 있었다.

"윽."

별로 좋지 않은 예감을 느낀 아드리안이 아티에게 제안했다.

"우리는 저쪽으로 가자."

아티가 고개를 끄덕이고 고삐를 쥔 순간이었다.

푸르릉.

갑자기 말이 날뛰었다. 돌연 일어난 일에 아드리안이 반사적으로 고삐를 죄었지만 아티의 몸이 급격히 기울었다.

"아티!"

심장이 철렁한 순간이었다.

다행히 아드리안이 아티의 팔을 잡는 데 성공했다. 하지만 말이 아직도 날뛰고 있어서 이대로면 둘 다 크게 다칠 것 같았다.

"윽, 아드리안……."

"아티!"

아드리안이 반사적으로 고삐를 놓고 붙잡은 아티의 팔을 끌어당겼다. 그리고 아티를 품에 안은 그 상태로 바닥을 굴렀다.

"윽."

평평한 줄 알았던 초원에 돌부리가 있었던 모양이었다.

구르면서 돌에 머리를 부딪친 아드리안의 이마가 찢어졌다.

말은 날뛰다가 어디론가 가 버렸다. 아드리안이 다급히 아티의 상태를 확인했다.

"아티! 아드리안!"

다급히 달려온 테르니가 둘을 보고 경악했다.

✦ ♛ ✦

별안간 일어난 사건으로 포인세티아 궁이 떠들썩해졌다.

"날 두고 가지 마! 나한텐 너밖에 없어! 아티, 제발!"

자신의 상처를 치료할 생각도 하지 않고 아드리안 황태자가 아티의 손을 꼭 부여잡았다.

"네가 없는 세상은 지옥이라고. 제발 깨어나 줘, 아티!"

절절한 아드리안의 목소리가 울려 퍼졌다. 사람들은 그런 아드리안을 보며 어쩔 줄을 몰라 했다.

"누가 말씀 좀 드려 봐."

"전하, 비전하께선 그저 약을 드시고 잠드신 것뿐입니다."

"다행히 아무 데도 다치지 않고 놀라셨을 뿐입니다."

그들의 말이 들리지 않는지 아드리안은 더욱 절절하게

아티의 옆에 매달려 있었다.

"아티! 이대로 날 두고 가면 안 돼!"

그런 아드리안의 옆에서 테르니도 같이 아티를 붙잡고 슬퍼했다.

"아티, 제발 깨어나 줘! 흑흑. 이 오빠가 잘못했단다."

이 소식을 접하고 뒤늦게 포인세티아 궁에 도착한 루드밀라가 놀라서 황궁의를 붙잡고 물었다.

"황궁의, 우리 아티가 심각한 상태인가?!"

"아닙니다, 폐하. 비전하께서는 그저 충격을 받으셔서 놀란 것뿐입니다. 처방해 드린 약을 드시고 잠드셨습니다."

"그런데 아드리안이 왜 저러고 있는 거지?"

"그건 저희도 잘……."

아티가 곧 죽기라도 하는 것처럼 아드리안이 애절한 얼굴로 아티에게 매달려 있었다.

심지어 상처도 치료하지 않은 아드리안을 보고 루드밀라 황후가 혀를 내둘렀다.

"어서 황태자를 데려가 치료하게."

"예, 폐하."

하지만 의료진이 다가오자 아드리안이 거칠게 저항했다.

"아티가 깨어나기 전까지는 한 발자국도 이 방에서 나가지 않을 것이다!"

"하지만, 전하. 황후 폐하께서……."

"아무리 모후라도 저와 아티를 떼어 놓을 수 없으십니다."

루드밀라 황후는 뿌듯함과 짜증스러움을 동시에 느꼈다.

인간이라고는 종류를 가리지 않고 빠짐없이 다 싫어했던 아드리안이 사랑꾼이 된 건 아주 좋았으나, 사랑꾼이 되다 못해 가끔은 머저리가 된 것 같았다.

'내 아들이 어쩌다가 저 지경이 되었지?'

루드밀라 황후가 고개를 절레절레 흔들었다. 어찌할 바를 모르는 황궁의들에게 다시 명령했다.

"그럼 저대로 치료해."

"예, 폐하."

다행히 이번에는 아드리안이 난동을 피우지 않았다.

"쯧쯧쯧."

그 모습을 본 루드밀라 황후가 혀를 찼다.

"누가 보면 아티가 다 죽어 가는 줄 알겠구나, 아들아."

"아티는 지금 심각한 상황입니다."

"황궁의 말로는 그냥 충격받아서 약 먹고 잠이 든 거라던데?"

"못 믿겠습니다. 아티가 눈을 뜰 때까지 옆에서 기다릴 거예요."

"그러고 싶으면 그렇게 하렴."

어차피 말린다고 아들이 자신의 말을 들을 것 같지 않아서 루드밀라 황후가 깔끔하게 허락했다.

그저 자신의 귀한 새아가가 불쌍했다.

'마음대로 쉬지도 못하다니.'

뒤이어 카를로만 황제가 도착하고 마리에 공주까지 도착했다.

"새아가!"

"아티!"

둘의 등장에 또 한 번 포인세티아 궁이 뒤집어졌다.

✦ ♔ ✦

황궁의들은 일련의 일들로 지쳐 있었다. 환자를 치료하는 일로 지친 게 아니었다.

과보호 보호자들을 말리느라 피로한 것이었다.

"아니, 우리 새아가가 정말 다치지 않은 게 맞는가?"

"다시 한번 정밀하게 진찰해 보게."

"안 다쳤는데 왜 못 일어나는 거야?"

아직 아티가 잠든 지 5시간이 채 지나지 않은 상황이었다.

몇 번을 반복해서 카를로만 황제와 마리에 공주에게 거듭 설명을 끝내 놓으니 그다음은 오비에도 가족이 출동했다.

의료진은 잔뜩 긴장한 상태였으나, 의외로 오비에도 가족은 금세 이 상황을 이해해 주었다.

또 한차례 폭풍에 휩싸일 줄 알았던 의료진들은 감격하며 안도했다.

"또 네 짓이구나."

오비에도 후작 부인 카밀라가 테르니의 머리를 한 대 쥐어박았다. 느닷없이 맞았는데도 테르니는 평소와 다르게 반항 한마디 하지 않았다.

"그러니까 아티 좀 놔두라고 했지."

후작 부인이 훈계를 하자 테르니도 깨달은 바가 있는지 고개를 끄덕였다.

"엄마, 아티 괜찮겠지?"

답지 않게 소심한 테르니의 대답에 카밀라 후작 부인이 한숨을 내쉬었다.

"크게 다친 곳은 없다고 하니 걱정은 말렴. 나머진 사람들에게 맡기고 돌아가자."

"응."

풀이 죽은 테르니를 보며 카밀라가 한마디 더 하려다가 말았다.

테르니가 이렇게까지 시무룩한 것은 드문 일이었다.

요제프 후작이 테르니를 데리고 먼저 나섰다. 카밀라는 루드밀라 황후에게 인사하면서 양해를 구했다.

"그래도 회복된 모습을 보고 싶으니 내일 중으로 한 번 더 오겠습니다."

루드밀라 황후가 기꺼이 허락했다.

다음 날.

금세 일어날 줄로만 알았던 아티가 아직도 잠들어 있었다. 당연히 포인세티아 궁의 분위기는 심각해졌다.

"정말 괜찮은 게 맞나?"

"약을 잘못 쓴 거 아냐?"

"죽고 싶지 않다면 목숨 걸고 해야 할 거다."

오비에도 식구들과 함께 입궁한 헬머는 아드리안을 보자마자 딱 이렇게 말했다.

"이혼하게."

"……."

아드리안의 표정이 미미하게 일그러졌다.

"이혼해."

"아직 아티가……."

"감히 라라를 다치게 하다니."

"아티는 다치지 않았습니다."

"아무튼 이혼하게."

헬머의 결론은 한결같았다.

아드리안의 인내심이 슬슬 바닥나려고 했다. 헬머는 아드리안이 어떻든 전혀 관심 없었다.

오로지 아티가 이 결혼을 물렸으면 하는 바람뿐이었다.

"그러니까 이혼 같은 거 할 생각이……."

"이혼하게."

"……."

"이혼하란 말이네."

아드리안이 조용히 칼에 손을 가져다 댔다. 이성이 말렸지만, 곧 한계였다.

'오늘 반드시 헬머를 죽이고 영원히 아티에게 비밀로 할 수밖에…….'

아드리안이 극단적인 선택을 하려는 순간.

"아저씨."

천사의 복음처럼 아티의 목소리가 두 남자에게 들려왔다. 언제 깬 것인지 아티가 눈을 비비며 둘에게 다가왔다.

"아티!"

"라라야!"

아드리안과 헬머의 환영을 받으며 아티가 두 눈을 깜빡였다.

"두 사람 무슨 일 있었어요?"

"아니, 없었어."

"없었단다."

순식간에 화기애애한 척을 하며 두 남자가 고개를 가로저었다.

"이상하다. 싸운 것 같았는데……."

아티의 말에 아드리안과 헬머가 뜨끔했다.

"네가 일어난 걸 봤으니 오비에도 식구들에게 연락을 해야겠구나."

헬머가 서둘러 나가고 아드리안이 아티를 걱정스레 바라보았다. 아티가 아드리안을 보며 웃었다.

"왜 그렇게 시무룩한 강아지처럼 있어요. 듣자 하니 제가 잠들어 있을 때 일어나라고 그렇게 울부짖었다죠? 정말 피곤해서 잠든 거예요."

"하지만, 네가……."

아드리안의 눈가에 눈물이 맺히더니 순식간에 툭 하고 떨어졌다.

절대 안 울 것 같은 남자가 자신과 관련된 일이라면 이렇게 약해지는 게 아티는 늘 신기하면서도 이상했다.

"괜찮아요, 정말로."

"진짜 괜찮은 거 맞지?"

"당연하죠. 이것 좀 봐, 다친 건 아드리안이잖아요. 이마 괜찮아요?"

아드리안이 자신의 이마를 슥 문지르고 고개를 끄덕였다. 정신없는 상황에서 의료진들이 이걸 치료하겠다고 달라붙었던 것이 이제야 기억났다.

"눈 밑에 꺼무죽죽한 것 좀 봐. 어제 잠도 안 잔 거예요?"

"네가 언제 일어날지 모르니까."

"그래도 잠은 잤어야죠."

"네 옆에 못 있게 했다고, 사람들이."

아드리안이 투정 부리듯 한마디 했다. 아티는 그저 웃겼다. 그리고 괜히 마음이 찡했다.

아드리안을 끌어안은 아티가 나지막이 말했다.

"고마워요, 나 구해 줘서."

아드리안이 울먹이는 목소리로 답례했다.

"고마워, 안 다쳐 줘서."

"그게 뭐예요."

아티가 이상하다며 웃었지만 아드리안은 진심이었다.

만약 아티가 다쳤다면······.

그다음은 상상하고 싶지도 않았다.

　황태자비 낙마 사건이 있고 난 뒤, 아드리안은 순순히 넘어가지 않았다.

　아티와 자신을 낙마시킨 말을 처분하고 말을 관리하던 담당자는 책임을 물어 해고했다.

　그리고 그대로 아드리안은 자신 소유의 경마장과 말들을 대부분 정리했다.

　"이제 다시는 말 같은 거 안 탈 거다."

　이를 지켜본 모든 사람들이 충격에 빠졌다.

　어렸을 때부터 황태자가 얼마나 말을 사랑하는지 누구보다 잘 알고 있었기 때문에 충격은 더 커졌다.

　"황태자 전하가…… 다른 사람으로 바뀐 건가?"

　"저게 누구야? 아드리안 황태자 맞아?"

　웅성대는 사람들을 뒤로하고 아드리안은 새로운 취미를 찾았다. 바로 아티의 초상화 수집이었다.

　"좀 더 우아하게 그리라고. 이게 뭔가? 실물을 발톱의 때만큼도 표현하지 못하는군."

　"이게 최선인가? 아티의 미모는 고작 이 정도가 아냐."

　"좀 더 영혼을 갈아 넣어 그릴 수는 없나? 우리 아티가 이 정도라고?"

　갑자기 대거 고용한 궁정 화가들이 오로지 황태자비의 모든 모습을 그리느라 여념이 없었다.

"아드리안, 이제 말 안 타요?"

"응. 안 타도 돼. 평생 타지 마."

"네? 하지만 승마 재미있었는데……."

아티의 강아지 같은 눈매가 축 처지자 아드리안이 심장을 부여잡았다.

말 같은 건 다시 타지 않겠다고 공언한 게 엊그제였지만 아드리안의 머릿속에 그런 건 이미 없어졌다.

"아티가 원한다면 타야지. 내가 준비해 놓을게. 엄청나게 안전하게 말이야."

아드리안의 말에 아티가 빙그레 미소 지었다.

"다행이네요. 말이 싫어진 게 아니라서."

천사 같은 부인의 말에 아드리안이 감동받았다.

역시 아티랑 결혼하길 잘했다.

외전 4. **청혼 상담**

외전 4. 청혼 상담

"공주 전하께서 식사를 거르시다니!"

"요새 서점에도 잘 안 가시는 것 같지 않아?"

"침실에 틀어박혀서 나오시질 않아."

"큰일이야. 큰일이라고!"

아펜니노 제국의 유일한 공주인 마리에의 변화에 루피너스 궁이 한바탕 들썩였다.

매사에 활달하게 재잘거리던 마리에가 방에서 칩거를 시작하자 궁 분위기가 전반전으로 축 가라앉았다.

"일단 공주 전하께서 좋아하시는 음식을 준비해 볼까?"

"혹시 누구 전하께서 구하고 계신 한정판 책 가지고 있는 사람?"

궁인들은 머리를 맞대고 어떻게 하면 마리에를 평소처럼 돌려놓을 수 있을지 고민에 빠졌다.

그렇게 이것저것 가져다 바쳤지만…….

"갑자기 왜들 이래?"

"기운 내세요, 공주님!"

"난 아무렇지도 않아. 가서 일들 봐."

괜히 일 안 하고 딴짓한다며 타박만 듣고 말았다.

〈특명, 공주 전하의 기분을 풀어 드리자!〉 계획이 수포로 돌아가자 그들은 머리를 맞대고 다시 고민하기 시작했다.

"원인이 대체 뭘까?"

"기운이 없어지신 게 언제쯤이었더라."

"일주일 정도 되었던가."

끙끙거리며 의견을 모아 보았지만, 마땅히 짐작 가는 사건이 없었다.

늘 그렇듯 그들의 공주님은 일주일 전까지만 해도 평소와 다름없이 느지막이 일어나 황제와 황후에게 문안을 드리고 곧바로 황태자비이자 친구인 아티를 만나 시간을 보냈다.

바로 옆에서 모시는 측근 시녀조차 이유를 알지 못했다. 별다른 사건이 벌어진 것도 아니니까.

한 시종이 곰곰이 생각하다 넌지시 물었다.

"그럼, 비전하께 한번 여쭤보는 게 어때?"

"그건…… 괜찮은 방법이다!"

언제나 상냥하고 자애로운 황태자비 전하라면 분명 이 문제를 해결해 주실 거야!

그렇게 대표로 선정된 궁인 세 명이 씩씩하게 황태자비

궁으로 향했다.

✦ ♛ ✦

갑자기 루피너스 궁의 사람들이 나를 찾아왔다.

"마리에가 요새 기운이 없다고?"

"네, 전하. 식사도 통 제대로 하지 않으셔서 걱정이 이만 저만이 아니에요."

"그리고 보니 요 며칠간 얼굴을 못 본 것 같아."

가끔 좋아하는 작가의 신간이 나오면 침실에 틀어박혀 정주행, 재주행 한다면서 나오지 않고는 해서 이번에도 그런 줄 알았다.

'확실히 무슨 일이 있기는 한가 봐.'

나는 얼른 찻잔을 내려놓았다. 한가롭게 차를 마시고 있을 때가 아니었다.

"내가 직접 가서 무슨 일인지 물어볼게."

"정말 감사드려요, 비전하!"

"역시 황궁의 한 줄기 빛!"

"우유 빛깔 비전하, 전하 없인 못 살아!"

나는 과하게 칭찬하는 루피너스 궁의 사람들을 보며 어색하게 웃었다.

"먼저 돌아가 있을래? 준비한 후에 찾아갈 테니까."

"네!"

우선 루피너스 궁 사람들을 돌려보낸 뒤 나는 외출 채비를 했다.

나갈 준비를 끝마친 후 복도를 걷고 있을 때였다. 맞은편에서 아드리안이 걸어왔다.

나를 발견하자마자 걸음이 빨라진 아드리안은 몇 번 눈을 깜빡이기도 전에 내 앞에 있었다.

"어디 가?"

"마리에가 기운이 없다고 해서요. 찾아가려고 했어요."

"걔가 기운이 없는데 네가 왜 가? 가지 마."

오늘도 마리에게 매정한 아드리안이었다.

"아드리안. 그러면 안 돼요. 동생이잖아요."

"걔도 나 오빠라고 생각 안 할걸?"

나는 아드리안의 팔을 붙잡으며 타일렀다.

"아드리안."

"계속 화내 봐. 화내는 것도 왜 이렇게 귀엽지?"

하지만 아드리안은 내 말을 귓등으로도 듣지 않았다. 나는 눈가를 찌푸리며 아드리안을 응시했다.

"계속 그러면 진짜로 화낼 거예요?"

"알았어. 가야 한다며. 빨리 다녀와. 같이 식사하게."

"네!"

보폭을 넓혀 그를 지나치려는 순간, 아드리안이 나를 붙잡았다.

"왜요?"

"잊어버린 거 있지 않아?"

"잊어버린 거?"

고개를 갸웃하자 아드리안이 짧게 웃으며 내 입술에 입을 맞추었다.

"작별 인사 해 줘야지."

나는 두 손으로 빨갛게 달아오른 뺨을 감추었다.

"적당히 놀고 들어와. 너 기다리다 말라 죽을지도 몰라."

"알았어요."

내 뺨을 쓰다듬은 아드리안이 나를 배웅했다.

나는 손등으로 뜨거운 뺨을 꾹꾹 누르며 툴툴거렸다.

"밖에서는 그러지 말라고 그렇게 이야기했는데."

못 말린다니까, 정말.

✦ ♛ ✦

루피너스 궁까지는 금방이었다. 궁 앞 정원에 들어서자마자 바깥에서 기다리고 있던 궁인들이 나를 맞이했다.

"어서 오세요, 비전하."

"기다리고 있었습니다!"

나는 또다시 고개를 갸웃했다. 도대체 마리에의 상태가 어떻기에 다들 이렇게 난리인 걸까.

루피너스 궁 사람들이 마리에를 소중하게 아낀다는 걸 알고 있지만 이건 좀 과하지 않나.

'빨리 가 봐야겠다.'

우리가 자주 시간을 보내던 정원의 그네를 지나쳐 건물 안으로 들어갔다.

심상치 않은 주인의 심리 상태를 반영하듯 건물 내부는 심히 적막했다.

　마리에의 침실 앞에 도착하자 그 앞을 지키고 있던 병사가 고개를 숙였다.

　"마리에?"

　마리에의 이름을 부르며 가볍게 노크를 했지만 들려오는 대답이 없었다.

　"공주님께서는 침실에 계십니다."

　"으음."

　안에 있다는 건데. 나까지 만나고 싶지 않을 정도로 상태가 심각한 걸까.

　쾅쾅, 나는 아까보다 더 세게 노크를 했다.

　"마리에."

　"……아티?!"

　문 너머에서 우당탕하는 요란한 소리가 들리더니 문이 벌컥, 열렸다.

　"아티이!"

　난데없이 와락 끌어안은 마리에 때문에 깜짝 놀라 나는 굳어 버렸다.

　"아티, 큰일 났어!"

　내 어깨를 붙잡은 마리에가 절박하게 외쳤다. 나는 그제야 마리에의 모습을 볼 수 있었다.

　평소답지 않게 산발이 된 머리카락과 핏기 없이 초췌한 얼굴.

"마리에. 얼굴이 왜 그래?"

"내 얼굴? 아니, 일단 들어와 봐!"

마리에가 내 손을 잡아끌더니 침실 안으로 데리고 들어왔다.

침실 꼴은 마리에의 얼굴과 다를 바 없었다. 며칠 동안 청소하지 않은 건지 아주 지저분했다.

'왜 궁인들이 사색이 된 채 나를 찾아왔는지 알겠네.'

다행히 아파서 그런 건 아닌 것 같았다.

나는 소파 위에 있는 물건들을 쭉 밀어낸 후 흥분한 마리에를 앉혔다.

"마리에. 요새 식사도 잘 안 한다며."

"밥이 목구멍으로 안 넘어가는 걸 어떡해."

"눈 밑이 거뭇거뭇한데, 잠은 좀 잤어?"

"잠이 안 와……."

비 맞은 고양이처럼 축 늘어지는 모습이 안쓰럽기 그지없었다.

나는 마리에의 머리를 쓰다듬으며 질문했다.

"대체 천하의 마리에를 굶기고 재우지도 않은 원인이 뭘까?"

"누구긴 누구겠어. ……디아노 베네데토, 그 답답한 인간이지!"

"디아노 경이 왜?"

"들어 봐, 아티. 이건 정말 심각한 문제야."

"으응."

나는 두 손을 가지런히 모으고 경청할 자세를 취했다. 마리에가 속상한 듯 한숨을 푹 내쉬며 이야기를 시작했다.

"디아노 그 인간은 대체 왜 그럴까?"

"뭐가?"

"날 좋아하는 것 같긴 한데, 티를 안 내잖아. 왜 그러는 거지?"

나는 두 손으로 입을 가렸다. 하마터면 웃음이 나올 뻔했다.

'연애 상담이네!'

그제야 마리에가 침실에서 나오지 않고 혼자 끙끙거린 이유를 알 수 있었다.

한번 털어놓자 그다음은 쉬운 모양인지 마리에의 불만이 술술 나왔다.

"나를 좋아하는 것 같기는 해. 우리…… 그래도 제법 잘 맞으니까. 아니다, 그냥 내 착각인가? 나 혼자만 그렇게 생각하는 거야?!"

"아마 아닐 거야."

"그 애매한 대답은 뭐야, 아티?"

"내가 디아노 경이 아니니까 함부로 얘기할 수가 없어서. 그런데 갑자기 왜 그렇게 생각한 건데?"

식음을 전폐할 정도로 두 사람 사이에 큰 사건이 있지 않았을까 하는 게 내 추측이었다.

그런 내 생각이 맞아떨어졌는지 마리에의 얼굴이 싹 굳었다.

"그건 바야흐로 일주일 전이었어."

소설책 마니아 아니랄까 봐 마리에는 이야기의 서문을 여는 것도 꼭 첫 문장처럼 말했다.

'일주일이면 궁인들이 말했던 시간이랑 일치해.'

마리에의 이야기에 모든 단서가 숨겨져 있다. 나는 열성적으로 고개를 끄덕였다.

"오랜만에 우리 작가님 신간이 나왔다고 해서 거리에 나갔지. 겸사겸사 디아노 경도 데리고."

"응."

"나 때문에 기껏 따라와 줬는데 그냥 보낼 수야 있나. 유명한 레스토랑에 데려가서 같이 식사도 했어. 맛있는지 잘 먹더라고."

그때가 생각난 건지 마리에가 흐뭇하게 웃었다.

"그리고 소화도 시킬 겸 근처 공원도 좀 걸었지. 마침 저녁놀이 지고 있어서 풍경이 아주 예뻤어."

"응."

"얼마나 로맨틱해? 그래서 내가 물어봤어. 디아노 경. 기분이 어때? 그러니까 뭐라고 했는지 알아?"

"뭐라고 했는데?"

마리에가 두 주먹을 꽉 쥐었다. 그러고는 이를 악문 채 씹어뱉듯 말했다.

"'황태자 전하와 대련하던 때가 떠오릅니다.'라고."

"……?"

"그러더라니까."

나는 두 손으로 머리를 감싸 쥐었다. 누가 들어도 오해할 만한 발언이었다.

'디아노 경. 왜 그랬어요!'

디아노 경이 가장 존경하는 사람은 바로 아드리안이었다.

그리고 그의 꿈이자 살아가는 낙은 바로 아드리안과 검술 대련을 하는 것.

그러므로 마리에의 질문에 대한 디아노 경의 대답은 바로 대련을 하는 것만큼 '최고의 순간'이라는 의미였다.

'……물론 전혀 그렇게 들리지 않지만.'

마리에에게는 그냥 대련이나 하러 가고 싶다는 말로 들렸을 것이다.

어찌 됐든 내게는 두 사람 사이의 오해를 풀어 주어야만 하는 의무가 생겨 버렸다.

"저, 마리에. 네가 생각하는 그런 의미는 아니었을 거야."

"데이트 중에 대련이나 하고 싶다는 무심한 남잔데, 무슨 의미가 있겠어."

"그게, 그러니까 디아노 경은 아드리안을—."

"여기서 갑자기 오빠 이름이 왜 나와? 으악, 듣기 싫어!"

아드리안의 이름이 나오자마자 마리에가 진저리를 쳤다.

결국 나는 디아노 경 대신 해명 한마디 하지 못하고 침실을 나서야만 했다.

✦ ♛ ✦

성가신 손님의 등장에 아드리안은 인상을 팍 구겼다. 아티가 돌아온 줄 알고 설렜다가 식어 버린 탓이었다.

"썩 꺼져."

"전하, 저 사실 고민이 있습니다."

"꺼지라니까."

"고민 상담 상대가 되어 주십시오."

"가."

"저 여기 앉을까요?"

막무가내로 밀고 들어온 디아노가 기어코 아드리안 앞에 착석했다.

그러거나 말거나 아드리안은 문가만 바라보며 아티가 돌아오기만을 애타게 기다렸다.

"오다 길 잃은 거 아니야? 데리러 가야 하나?"

"제 고민이 뭐냐면 말입니다……."

"이래서 눈을 뗄 수가 없다니까."

"이제는 슬슬 때가 된 것 같은데요."

"역시 찾으러 가야겠어."

"전하. 제 말 듣고 계십니까?"

디아노의 질문에 아드리안이 대놓고 인상을 구겼다.

"뭐라고 했냐?"

"전하아아아!"

"좋은 말 할 때 가라."

"전하께서 제게 이러실 수 없습니다! 잊으셨습니까? 전하께서 비전하께 구애하실 때 제가 옆에서 얼마나 열심히 조언해 드렸는데요. 테르니도 제가 막아 드렸잖습니까!"

디아노의 열띤 항변에 아드리안은 곰곰이 생각에 잠겼다.

'그러고 보니 그랬던 것도 같군.'

막상 큰 도움이 되지는 않았지만 말이다.

아드리안은 성가시다는 티를 팍팍 내면서도 자리에는 앉아 있었다.

그렇게 디아노의 고민 상담이 시작되었다.

디아노는 두근두근 조마조마한 마음으로 입을 뗐다.

"저, 청혼하려고 합니다."

"어, 그래."

"이미 우리 두 사람의 마음이 진하게 통했으니, 이제 결혼을 해야 하지 않겠습니까?"

"그래."

"어떻게 청혼하는 게 좋을까요?"

"그래, 그래."

"……전하."

"그래."

성의가 없어도 이렇게 없을 수가 없었다.

디아노는 자신의 인간관계에 큰 회의를 느꼈다.

에센 또한 귀찮다며 쫓아낼 게 뻔했고, 테르니는 사고라도 치지 않으면 다행이었다.

그래서 마지막으로 남은 아드리안을 찾아왔던 건데.

"전하, 너무하십니다."

흑. 서글프게 중얼거린 디아노는 잠자코 그곳을 빠져나갔다.

'대체 누구에게 상담한단 말인가.'

눈앞이 캄캄했다.

✦ ♔ ✦

며칠 후 아사모가 열렸다. 아무래도 디아노의 얼굴을 보기 싫었던 건지 마리에는 오늘 모임에 참가하지 않았다.

참여 인원은 많지 않았다. 아티와 디아노, 그리고 에센으로 이루어진 조촐한 모임이었다.

어찌 됐든 모임 인원들은 아카시아가 좋아한다는 디저트와 차를 준비해 함께 나눠 먹으며 아카시아에 관한 이야기를 소소하게 나누었다.

물론 이야기를 나누는 건 디아노와 아티뿐, 에센은 턱을 괸 채 차를 마시며 이야기를 듣기만 했다.

"그럼 오늘 자 아사모는 이만하도록 할까요?"

"예. 오늘도 유익한 시간이었습니다, 비전하."

"저도 즐거웠어요, 디아노 경."

아티가 웃으며 에센을 돌아보았다. 남 일처럼 차나 마시고 있던 에센이 깜짝 놀라며 캑캑거렸다.

"콜록! ……큼, 나도 즐거웠어."

"다행이네요!"

이제 아티 앞에서 내숭 떠는 에센은 별로 특별할 것도 없었다.

간만에 아드리안 없이 아티의 호위를 맡게 되어 기분이

좋던 에센은 저택에 볼일이 있었다는 사실을 뒤늦게야 깨달았다.

"아, 그러고 보니 본가에 일이 있었어. 급한 일인데, 지금 기억났네."

"그럼 어서 가 보세요!"

"그래도 궁까지는 데려다주고 갈게."

그때 디아노가 대화 중에 불쑥 끼어들었다.

"제가 모셔다드리겠습니다."

"네가? 왜?"

뜻밖의 질문에 디아노는 내심 당황했다.

"저도…… 검을 쓰는 사람이고, 나름대로 강하고……."

디아노가 시무룩하게 주절거리자 에센이 주저 없이 말을 끊었다.

"그래, 그럼 부탁해."

에센이 서둘러 떠나자 아티와 디아노가 덩그러니 남았다.

아티는 디아노가 평소처럼 행동하고 있지만 어쩐지 기운이 없다는 것을 일찌감치 눈치챘다.

"디아노 경. 무슨 고민 있어요?"

"아, 제 고민을…… 듣고 싶으십니까?"

"고민은 나누면 반이 되잖아요. 괜찮으니까 말해 보세요."

"정말 비전하는 황태자 전하께는 너무 과분하고 아까운 분이십니다. 정말, 정말로!"

"네, 네?!"

갑자기 디아노가 울분을 토해 내기 시작하자 아티가 크

게 당황했다.

"전하는 검술만 훌륭한 분이시라고요!"

"하하⋯⋯."

"그래서 제 고민이 뭐냐면 말입니다."

곧바로 침착을 되찾은 디아노가 기운 없이 손을 모으고 주절주절 고민을 늘어놓기 시작했다.

서두부터 강렬했다.

"청혼을⋯⋯ 하려 합니다."

"⋯⋯?"

"공주 전하께서도 저도, 서로에게 깊은 마음이 있으니 이제 청혼을 해도 되지 않을까요?"

"⋯⋯???"

"그래서 말인데, 여자들은 어떤 방법으로 청혼하면 좋아합니까?"

아티는 디아노의 말이 시작되는 순간부터 끝날 때까지 충격에서 벗어나지 못했다.

그럴 만도 했다.

'마리에는 서로 좋아하는지 아닌지도 확신 못 하고 있던데.'

그런데 디아노는 이미 서로가 서로를 좋아한다는 전제를 깔고 시작하고 있었다.

'어디서부터 잘못된 걸까?'

완전 연애 고자들이었다.

자신들이 삽질할 때가 더했다는 것도 깨닫지 못한 채 아티는 이 사태를 어떻게 해결해야 할지 열심히 고민했다.

"저기 디아노 경."

"네."

"디아노 경은 마리에를 좋아하지요?"

"당연합니다! 얼마 전 식사 후에 산책을 하면서 로맨틱한 고백을 건네기까지 했습니다."

"로맨틱한 고백이라면……?"

"황태자 전하와 대련할 때처럼 기쁘고 행복하다고 말씀드렸죠!"

'기쁘고 행복하다는 말은 안 했잖아요!'

마리에에게 진작 이야기를 듣지 않았다면 사태 파악을 제대로 하지 못할 뻔했다.

"후."

짧게 한숨을 내쉰 아티가 마음을 독하게 먹었다.

"디아노 경."

"예."

"마리에랑 만난 지 얼마나 됐어요?"

"요새 전하께서 편찮으시다 하셨습니다. 한…… 일주일?"

"마리에 안 아파요."

"예?"

"마리에가 디아노 경 피하고 있는 거라고요."

쿠쿵―.

디아노는 적잖은 충격을 받았다.

'설마, 전하께서 나를 가지고 논 것인가?'

분명 산책했을 때, '대련할 때가 생각난다.'라는 멋진 대답을 하자 마리에의 얼굴이 아주 새빨개졌다.

부끄럽지 않으면 사람이 어떻게 그렇게 빨갛게 달아오를 수 있단 말인가.

그래서 디아노는 자신의 마음이 잘 전해졌다고 믿어 의심치 않았다.

"비전하께서 잘못 알고 계실 겁니다. 공주 전하께서 그러실 이유가 없지 않습니까?"

"디아노 경은 너무 무던해요. 마리에의 섬세한 마음을 어루만져 주지 못했다고요."

"제가 뭘 잘못했습니까?"

"네!"

아티가 한 치의 고민도 없이 대답하자 디아노는 또다시 충격을 받았다.

"대체 뭐가 문제인 겁니까? 저는 도통 모르겠습니다. 부디 제게 가르침을 주십시오."

"잘 들어요, 디아노 경. 마리에는 로맨스 소설을 독파할 정도로 그쪽 지식에는 빠삭해요."

"예."

"당연히 사랑에 대한 낭만을 가지고 있는 소녀와 다름이 없죠."

"그래서요?"

"그러니까 좀 더 낭만적이고 달콤하게 마리에에게 말했어야 했다는 말이에요."

"저는 늘 낭만적이었습니다."

결국 또 도돌이표였다. 아티는 손으로 지끈거리는 이마를 짚었다.

이렇게 돌려서 말해 봤자 연애 고자인 디아노가 알아들을 리 만무했다.

"마리에는 디아노 경이 자기를 좋아하는지도 몰라요."

"예에?"

"하나도 안 낭만적이었단 말이에요."

"커헉."

누적된 충격에 디아노는 결국 무너지고 말았다.

언젠가 형님인 시시뉴가 그런 말을 한 적이 있었다.

"너랑 결혼할 사람이 불쌍하구나."

"어째서입니까?"

"둔한 데다가 눈치가 없지 않으냐. 네 마음을 전달하기도 쉽지 않을걸."

그때는 무슨 말인지 몰랐던 형님의 말이 이렇게 뼈저리게 와닿을 줄이야.

하지만 디아노는 어떻게 해야 마리에에게 진심을 전할 수 있는지 알지 못했다.

그는 아티에게 간절하게 매달렸다.

"비전하! 저를 살려 주십시오!"

연애 사업에 제삼자가 끼면 좋은 꼴 못 본다는 게 아티의 생각이었지만, 디아노가 너무 간절하게 매달렸다.

거기다 초췌해 보이던 마리에의 얼굴까지 떠올라 아티는 어쩔 수 없이 디아노를 도와주기로 했다.

"정공법으로 가요, 우리."

"정공법…… 이라면?"

"마리에에게 디아노 경의 진심을 그대로 전하는 거예요. 얼굴을 마주 보고요."

가장 중요한 건 역시 진심 아니겠는가.

아티의 조언에 골몰히 생각에 빠졌던 디아노가 이내 고개를 끄덕였다.

"예. 한번 해 보겠습니다."

디아노는 지체할 것 없이 루피너스 궁으로 향했다. 아티는 궁 바깥에 몰래 몸을 숨긴 채 디아노를 응원했다.

"두 사람, 잘돼야 할 텐데."

아마 서로 마음을 고백하고 오해까지 풀면 시간이 꽤 걸릴 것이다.

그렇게 생각한 아티는 나무에 몸을 기댄 채 루피너스 궁 입구를 빤히 쳐다보았다.

그런데, 들어간 지 채 몇 분도 되지 않아서 디아노가 나왔다.

"뭐, 뭐지?"

혹시라도 마리에와 함께 나오나 싶어 잠깐 기다렸지만, 디아노뿐이었다.

당황한 아티는 얼른 디아노 앞으로 달려갔다.

"마리에는요?"

"궁 안에 계십니다."

"왜 이렇게 금방 나왔어요?"

"그게, 전하께서 나가라고 하셨습니다."

"……?"

아티는 순간 귀를 의심했다.

'아니, 아직 꿈속인 걸지도 몰라.'

하지만 안타깝게도 눈앞의 어수룩한 디아노는 현실 속 인간이었다. 아티는 이마를 부여잡으며 고통을 호소했다.

"디아노 경. 대체 안에서 무슨 일이 있었던 거예요?"

아티의 물음에 디아노는 좀 전의 상황을 회상했다.

그는 거침없이 마리에의 방문 앞까지 도착한 후 예의 바르게 노크를 했다.

"전하. 디아노입니다."

"꺼져!"

"예? 예."

그러고는 다시 돌아 나왔다.

자초지종을 들은 아티는 이제 뒷목을 붙잡았다.

"그래서 그걸 그냥 나왔어요? 어떻게든 얼굴을 마주 보고 이야기했어야죠."

"하지만 전하의 명령에 불복할 경우, 황족 명령 불복죄로 엄중히 다루어집니다."

"……디아노 경."

이 고지식한 남자를 도대체 어쩌면 좋단 말인가.

포기하고 싶었지만 그랬다가는 마리에와 디아노가 영영 오해한 채로 살아가게 될 것이다.

'내가 구해 줘야 해!'

아티는 사명감을 안고 다음 계획을 세웠다. 디아노에게 먼저 준비시킨 후 그녀는 곧바로 루피너스 궁에 찾아갔다.

"마리에. 오늘은 식사했어?"

"했지. 내가 언제 굶는 거 봤어?"

"으응⋯⋯."

바로 어제까지만 해도 식음을 전폐했으면서 아무렇지 않은 척하는 모습이 아주 짠했다.

먼저 디아노가 찾아온 이야기를 꺼내지 않기에 아티도 일부러 모른 척했다.

"마리에. 계속 방에만 있으면 답답하지 않아?"

"아니, 괜찮은데⋯⋯."

"아냐. 밖에 나가서 산책이라도 하면 기분이 좋아질 거야. 마침 기사단에서 모의 대련을 한다더라고. 같이 구경하러 가는 건 어때?"

"⋯⋯모의 대련?"

"응. 마리에 너 공주 기사 로맨스 좋아하잖아."

"그거랑 그건 다르지."

마리에는 그렇게 말하면서도 한편으로는 살짝 솔깃했다.

'기사 로맨스, 좋지.'

기사단에 들를 일이 많이 없어서 기사단다운 모습은 1년에 몇 번 공식 행사 때나 볼 수 있었다.

"마리에. 같이 구경하러 가자. 응?"

"잠깐 정도야 뭐, 괜찮겠지."

결국 마리에는 유혹을 이기지 못하고 아티를 따라나섰다.

반짝반짝 내리쬐는 햇살 아래 연무장에는 숨 막히는 긴장감이 감돌았다.

'황태자비 전하께서 보고 계신다!'

'공주 전하도 계셔!'

갑자기 열린 모의 대련도 당황스러운데 참관인으로 황태자비와 공주까지 참석한다니 긴장하지 않을 수 없었다.

"흠. 언제 시작해?"

"곧 시작할 거야. 마리에."

나란히 앉은 두 사람은 곧 시작될 모의 대련을 기다렸다.

마리에는 자신을 바라보는 디아노의 시선을 느꼈지만 일부러 그쪽에는 눈길도 주지 않았다.

대련이 시작되었다. 한껏 실력을 갈고닦은 기사들이 땀을 흘리며 검을 맞부딪쳤다.

"와! 잘한다."

"재밌어, 마리에?"

마리에는 아티의 질문에 대답도 할 수 없을 정도로 대련에 푹 빠졌다.

'안 데리고 왔으면 섭섭할 뻔했네.'

하지만 오늘의 목적을 잊으면 안 된다.

아티는 은밀하게 디아노와 눈빛 교환을 했다.

'준비됐어요?'

'완벽합니다.'

그리고 대망의 디아노의 대련 순서가 왔다.

즐겁게 대련을 구경하던 마리에는 이번만큼은 표정 관리를 하지 못했다.

'역시 신경 쓰이겠지.'

아티는 마리에를 흘끔 쳐다보았다. 시선을 어디에 둘지 몰라 어쩔 줄 몰라 하고 있었다.

"마리에. 디아노 경 대련하는 거 본 적 있어?"

"그, 글쎄."

"나는 몇 번 아드리안이랑 대련하는 거 본 적 있는데, 엄청 잘하더라고. 기대된다, 그치?"

"그러게."

마리에는 관심 없다는 듯 턱을 괴면서도 자꾸 흘끔흘끔 디아노를 쳐다보았다.

'아무튼, 솔직하지 못하다니까.'

다칠까 봐 걱정되는 거면서.

머지않아 디아노의 대련이 시작되었다.

상대는 기사단 내에서 가장 체격이 우람하고 거친 검술을 구사하기로 유명한 사람이었다.

디아노의 체격 또한 웬만한 성인 남자들을 압도할 정도지만 상대와 비교하면 다소 작아 보이기까지 했다.

하지만 검을 쥔 디아노의 눈빛은 굴하지 않고 오히려 형형하게 빛났다.

평소 어수룩하던 모습은 온데간데없었다.

챙―!

검끼리 맞부딪치는 소리가 강렬하게 연무장을 울렸다.

다른 기사들의 경기 때와는 달리 마리에는 옷자락을 쥐며 안절부절못했다.

이미 디아노의 실력을 잘 아는 아티는 비교적 평온하게 대련을 구경했다.

챙, 채챙―!

몇 번의 공방이 오고 간 후, 상대편 기사는 땀범벅이 된 채 숨을 거칠게 몰아쉬었다.

반면 디아노는 숨결 하나 흐트러짐이 전혀 없이 방어 자세를 취했다.

"먼저 공격해도 돼."

"그럼 거절하지 않지!"

말이 끝나기 무섭게 상대 기사가 쿵쿵 무거운 걸음으로 달려들었다.

날카로운 검이 끼긱 맞물린 그 순간이었다.

"!"

상대 기사의 검이 뚝 부러지더니 파편이 어디론가 날아갔다.

그 종착지는 바로 마리에.

마리에는 날아오는 검 조각을 차마 끝까지 보지 못하고 두 눈을 질끈 감았다.

모두가 예상치 못한 돌발 상황에 얼어 있을 때, 오로지

한 사람만이 움직였다.

"……괜찮으십니까?"

낮게 깔린 음성에 마리에는 천천히 눈을 떴다.

햇빛마저 가려 버린 단단한 등이 가장 먼저 눈에 들어왔다. 그다음은 돌아보는 디아노의 얼굴이었다.

"디, 디아노 경."

"괜찮으신 것 같아 다행입니다."

그 짧은 사이 마리에 앞까지 달려오느라 기운을 소모한 탓에 디아노는 식은땀을 흘리고 있었다.

마리에는 디아노가 단숨에 쳐 낸 검 조각을 멍하니 바라보았다.

"내가 졌다, 제피 경. 오늘 연습 대련은 이쯤 하는 게 좋겠군."

"그, 그래. 그보다 디아노, 자네—."

"그만 돌아가."

그렇게 연습 대련이 허무하게 끝나고 기사들은 머쓱하게 뒷머리를 긁적이며 자리를 떴다.

아티는 아직도 멍한 마리에를 걱정스럽게 바라보았다.

"마리에, 괜찮아? 일단 돌아가서 쉬자."

디아노의 멋진 검술 실력으로 마음을 돌려 보려던 계획이 수포가 되었다.

우선은 놀란 마리에를 진정시키는 게 좋을 듯했다.

마리에는 아티가 이끄는 대로 멍하니 걷다가 문득 우뚝, 걸음을 멈추었다.

"마리에?"

"아티. 나 해야 할 일이 생각났어."

"응?"

"먼저 가 있어."

"마리……!"

아티의 말이 끝나기도 전에 마리에가 뒤돌아 달리기 시작했다.

연무장을 향해 달리던 마리에의 걸음이 점점 느려졌다.

기사들이 모두 빠져나가 황량한 연무장 가운데, 익숙한 등이 보였다.

"디아노 경!"

"아, 마리에 공주 전하."

"아까는, 뭐야, 다쳤어?!"

성큼성큼 다가간 마리에가 디아노의 손을 붙잡았다.

뭔가에 찢겨 나간 듯 손바닥에서 피가 흘러내리고 있었다.

"설마 아까 손으로 검을 잡은 거야?"

"별거 아닙니다."

"그건 내가 판단해."

마리에는 울먹이며 디아노의 손을 부여잡았다.

자신 때문에 다쳤다고 생각하니 속상해서 미칠 것 같았다.

"이 바보야. 더 심하게 다쳤으면 어쩔 뻔했어?"

"괜찮습니다."

"다 괜찮대. 죽어도 괜찮다고 하겠네!"

"예. 괜찮습니다."

한 치의 흔들림도 없는 단호한 대답에 마리에의 말문이 턱 막히고 말았다.

"뭐, 뭐야. 진짜."

"전하께서 무사하시니까 상관없습니다."

"언제는 나랑 있는 것보다 대련하는 게 좋다며."

"예……?"

"망할 오라버니랑 대련하는 게 더 좋다고 했잖아!"

"그, 그건. 오해입니다."

디아노가 허둥지둥 당황하며 오해를 풀려고 했지만, 마리에는 고개를 저었다.

"됐어. 어쨌든 아까 대련 중이었는데 포기하고 나 구하러 왔잖아."

"예에……."

"대답이 왜 그래. 아니야?"

"맞습니다."

"그러니까 됐어. 어서 치료나 하러 가자."

아직도 뾰로통한 얼굴이었지만, 마리에의 뺨이 발그레했다.

디아노는 그런 마리에를 가만히 내려다보다가—.

털썩, 무릎을 꿇었다.

"디아노 경? 뭐 하는 거야?"

"무릎을 꿇었습니다."

"그러니까 무릎을 왜 꿇냐고."

디아노는 모든 과정을 생략한 채 본론을 꺼냈다.

"저와 결혼해 주십시오, 전하!"

"……고백은? 고백은 어디 갔어?"

"사랑합니다!"

"여기서? 흙먼지 풀풀 나는 연무장에서?"

"그, 그럼—."

"됐어. 그럼 반지는? 반지는 어디 있어!"

"그건 집에……."

"왜 안 들고 왔어, 이 바보야!"

"오늘 청혼할 줄 몰라서……."

"몰라, 다 망했어!"

마리에는 화를 내면서도 웃고 있었다. 오로지 절절매는 디아노만이 어쩔 줄 모를 뿐.

그 모든 광경을 지켜본 아티는 흐뭇한 미소를 지었다.

"잘됐다!"

과정은 전혀 예상치 못했지만 결과만 좋으면 된 것 아닌가.

두 사람의 행복한 순간을 지켜보는 아티의 뒤로 그림자가 졌다.

"뭐가 잘돼?"

"아, 아드리안! 저 두 사람 행복해 보이지 않아요?"

아드리안의 시선이 한 쌍의 바퀴벌레로 향했다가 도로 아티에게로 돌아왔다.

"뭐, 그럭저럭."

"에이, 반응이 그게 뭐예요. 저 두 사람 잘되게 하려고 내가 얼마나 열심히 노력했는데."

"그랬어?"

아드리안은 툴툴거리는 아티의 뺨을 다정하게 매만졌다.

마리에와 디아노가 결혼하든 말든 그건 솔직히 알 바 아니었다.

아드리안에게는 그저 눈앞의 아티가 귀여워 미치겠다는 사실이 중요했다.

"수고했어, 아티. 그런 의미로 우리 침실로 갈까?"

오늘도 침실밖에 모르는 아드리안을 보며 아티는 작게 한숨을 내쉬었다.

"그래요, 가요."

"……뭐?"

아티는 뜻밖의 대답에 놀란 아드리안의 손을 꼭 붙잡고 반대편으로 향했다.

'새로운 연인을 위해 자리를 피해 줘야지.'

바야흐로 모두가 행복한 결말이었다.

외전 5. 황궁의 진정한 실세

외전 5. 황궁의 진정한 실세

아펜니노는 현재 고요한 전쟁을 치르는 중이었다.

이름하여 〈아티엔느 쟁탈전〉!

모두가 고개를 갸웃하게 만드는 어리둥절한 전쟁.

그렇지만, 당사자들은 누구보다 진지했다.

"오늘 새아가의 스케줄이 어떻게 되지?"

"점심은 황제 폐하께서 선약을 잡으셨습니다, 황후 폐하."

"아니, 그 인간이! 안 되겠다, 당장 크리스텐 궁 시종장을 불러오너라. 오늘 새아가는 나와 함께 장인 헬머의 새 컬렉션 시리즈를 감상해야 한단 말이다!"

한편 크리스텐 황제 궁.

"뭐? 황후가 새아가와 나의 점심 약속을 방해하려고 해?"

"네, 오늘 새로운 컬렉션 감상식이 있으시다고……."

"이 몸이 전에도, 지지난번도, 지지지난번에도 양보하지 않앉느냐. 황후도 너무하다. 네가 생각해도 그러하지 않느냐?"

"예, 좀 너무하시긴 하온데⋯⋯."

"짐도! 새아가와! 담소를 나누고 싶단 말이다!"

"폐, 폐하, 진정하심이⋯⋯."

"짐도 딸 같은 며늘아기와 산책 좀 해 보자! 저번에 오비에도 후작이 단란하게 가족 산책을 했다며 내게 자랑하는데 얼마나 부러웠는지 아느냐?"

"그건 자랑이 아니라, 그저 형식적인 보⋯⋯. 아, 아닙니다."

그리고 마리에 공주의 루피너스 궁에서도.

"아니, 모후랑 부황은 진짜 너무한 거 아냐? 나한테 진정한 친구라곤 아티 하나밖에 없는데 굳이 불러내서 아티랑 담소니 뭐니 해야겠냐고!"

"고, 공주 전하."

"지금 아티가 나랑 새 책 사러 가 준 지 벌써 세 달이 지났어! 모후랑 부황 때문에!"

"새 책은 못 사셨어도 자주 붙어 다니셨⋯⋯. 크흠, 큼. 그렇죠. 새 책, 사는 거 중요하죠."

"씨이, 다들 너무해!"

"공주님께서 화나셨다. 디아노 경 빨리 불러와, 빨리!"

오비에도 가문의 영애였던 아티엔느가 황태자비가 된 지도 벌써 1년이 넘었지만, 황가 사람들의 며느리, 아내, 새언니 사랑은 점점 더 깊어만 갔다.

모두 아티를 독차지하지 못해서 불만이 가득한 가운데.

누구보다 가장 불만에 찬 이가 하나 있었으니.

"내, 아내, 인데……."

까득, 절로 이가 갈리는 상황에 분노를 참아 내며 아드리안이 깊은 한숨을 몰아쉬었다.

오늘도 비어 있는 아티의 자리.

외로운 점심 식사.

아직 신혼인 황태자는 진노했다.

"아드리안! 오늘도 아티에게 버림받았구나! 꼴좋다, 깔깔. 나에게서 아티를 빼앗아 가더니 죗값을 받……. 꽥!"

식사하는 데 거슬리는 방해물(테르니)을 치워 버리고 아드리안은 진지하게 이 상황을 개선해야 할 필요성을 느꼈다.

결혼만 하면 아침부터 저녁까지 물샐틈없이 붙어 있을 줄 알았더니, 난데없는 방해자들이 아티와의 소중한 시간을 갉아먹고 있었다.

'반역, 해 버릴까…….'

아드리안의 얕은 인내심은 이미 바닥났다.

"억울하면 네가 황제 하든가?"

아드리안이 시도 때도 없이 아티를 데려가는 부친에게 항의하자 들은 말이었다. 그 말 때문에 최근 그 충동이 더 심해졌다.

"미쳤냐? 진정해. 어차피 너 황태자야."

에센은 한심하게 혀를 찼고.

"마리에도 난리인데……."

디아노는 깊은 한숨을 내쉬었다.

아티를 독차지하고 싶어 하는 황실 식구들의 불만은 나날이 커졌지만, 정작 죽어 나가는 건 릴리 궁의 정보를 빼오는 역할을 맡은 아랫사람들이었다.

"나도 좀 알려 주게."

"우리 다 어차피 같은 처지 아닌가?"

"아이고, 죽겠다."

"대체 비전하는 이 상황을 어찌 견디고 계신 건지……."

그리고 이 모든 상황을 통제하고 있는 릴리 궁의 진정한 실세.

"오호호호호홋. 아티엔느 황태자비 전하의 다음 스케줄을 알고 싶다고요? 그건, 비밀이랍니다."

마담 루시.

모두가 은연중에 알고 있었다.

마담 루시를 사로잡는 자야말로 진정한 이 〈아티엔느 쟁탈전〉의 승리자가 될 수 있다.

꿀꺽.

너도나도 뇌물을 바치고 아부를 하는 와중에도 마담 루시는 흔들림 없이 꼿꼿했다.

"오호호호홋."

하지만, 그런 루시도 유일하게 유하게 구는 상대가 있었으니.

"루시."

"카밀라~!"

사나흘에 한 번꼴로 황궁에 방문하는 오비에도가(家).

"마침 비전하께서도 기다리고 있어. 어서 가자."

황족에겐 냉정하지만 오비에도에겐 무한한 호의를 보이는 루시.

아티엔느를 향한 치열한 쟁탈전은 도무지 끝이 보이지 않았다.

✦ ♛ ✦

"후……."

아티는 책을 읽다가 두 눈을 깜빡거렸다. 한숨을 내쉬는 모습이 제법 피곤해 보였다.

"요즘 계속 그러네."

피곤이 풀리지 않는다.

그럴 수밖에 없었다.

황실 식구들이 시도 때도 없이 찾는지라 개인 시간이 전무한 데다 황태자비로서 기본 소양을 익히느라 바빴다.

아티엔느 행세를 처음 시작하면서 많은 것을 배우긴 했지만, 그건 결국 속성으로 익힌 것에 불과했다.

아티의 탓은 아니었지만, 몰락 귀족으로 살면서 그녀가 받은 교육 수준은 빈말로라도 좋다고 하지 못했다.

'그동안 못 배운 만큼, 더 열심히 익혀야 해.'

자격이 없는 만큼 더 열심히 해야만 했다.

열의만큼 배우는 속도는 빨랐지만, 요즘 들어 힘에 부쳤다.

그건 아티를 시도 때도 없이 찾아 대는 황실 식구들 탓이었다.

'오늘도……'

아침은 황후와,

점심은 황제와,

오후는 마리에 공주와.

심지어 아드리안과 있을 시간조차 부족했다.

'부족한 나를 좋아해 주는 황실 가족들의 마음은 정말 고맙지만……'

공부할 시간이 없었다.

오히려.

"그런 것을 왜 익히려 하니?"

황후.

"새아가, 넌 이대로도 완벽하단다."

황제.

"공부? 그런 걸 왜 해? 안 해도 돼! 나도 안 하는데!"

마리에.

"그냥 내 옆에만 있어."

아드리안까지.

이놈의 황궁 식구들은 아티에게 공부할 시간에 자신과 더 놀아 달라는 태평한 소리만 해 댔다.

"어휴."

너무 피곤해서 가끔은 다 치우고 쉬고 싶은 마음이 들긴 했지만.

"그래도 황태자비로서 할 수 있는 건 다 해야지."

아티는 의지를 다졌다.

"아자……!"

✦ ♛ ✦

"오늘도 아름다우십니다, 전하."

"하, 하하……."

"그런 모습조차 아름다우십니다. 황태자 전하께서도 필시 이런 모습에 반하신 거겠죠!"

"하……."

아티는 어색한 웃음을 흘렸다.

연신 아부를 해 대던 화가는 그런 건 눈에 들어오지도 않는 듯 그림을 그리느라 여념이 없었다.

낙마 사건 이후, 아드리안은 취미로 하던 승마를 그만두었다. 그리고 새로이 갖게 된 아드리안의 취미.

아티의 초상화 수집.

아드리안이 작정하고 지은 갤러리 홀 전부에 그동안 하나씩 차곡차곡 모아 온 아티의 초상화가 걸려 있었다.

그 덕에 난다 긴다 하는 제국 전역의 모든 화가가 황궁에 몰려와 곳곳에 배치되어 아티의 모습을 그려 댔다.

하루 종일…….

"전하, 불편하시면 물릴까요?"

"아니에요, 이것도 익숙해졌답니다."

"불쌍한 비전하…….."

마담 루시가 측은한 시선으로 아티를 보았다. 아티는 그저 옅게 미소 지었다.

황태자가 수집하고 있는 아티 초상화 컬렉션 중 일부는 묘하게 형성된 황궁 암시장을 통해 황제 궁, 황후 궁, 마리에 공주 궁, 그리고 다른 어딘가(?)로 팔려 나가기도 했다.

덕분에 화가들은 열과 성을 다해 아티의 초상화를 그려 댔다.

그런 뒷사정을 모르는 아티는 그저 '다들 정말 열심히 하는구나. 나도 본받아야지.'라고 생각할 뿐이었다.

"비전하, 오늘은 이만 황태자 전하께 가 보시는 건 어떠세요?"

"아드리안에게?"

"예. 요즘 비전하와 단란하게 보내는 시간이 부족해서 괴로워 보이셨거든요. 우후훗."

"엥. 그럴 리가요…….."

아드리안은 오늘도 웃는 얼굴로 배웅해 주었다. 아티가 미심쩍어하자 루시가 필살기를 꺼내 들었다.

"후후, 절 믿고 한번 가 보세요."

"그럼, 루시 말대로 가 볼게요."

그러고 보니 아드리안과 점심 식사를 함께하는 건 오랜만이었다.

한결 밝아진 표정으로 웃는 아티를 보며 루시도 흐뭇하게 미소 지었다.

아드리안은 오늘도 혼자 점심 식사를 하기 위해 식당에 앉아 있었다.

"이 짓도 하도 하니까 익숙해지는군."

아니, 말은 그렇게 했지만 전혀 익숙해지지 않았다.

그는 오늘 자신에게서 아티를 빼앗아 간 황제를 떠올리며 이를 갈았다.

그때.

또각.

멀리 있어도 알아들을 수 있는 익숙한 구두 소리와 함께 나타난 한 사람.

아드리안은 아티를 보고 멍청한 표정을 지었다.

"선약이라도 있으신가요?"

"있어도 취소해야지."

아드리안이 정색하며 말했다.

"나한테 너보다 중요한 약속은 없으니까."

아드리안을 아는 사람들이 들으면 귀를 의심할 만한 대사였다.

하지만 이제 아친놈(아티에게 미친놈)이 된 아드리안에게 그런 건 아무런 상관이 없었다.

반갑게 일어나 아티를 자신의 옆으로 데려온 아드리안은 좋아서 어쩔 줄 몰라 하다가 문득 의아함을 느꼈다.

"그런데 웬일이지?"

"네? 뭐가요?"

"오늘 선약…… 있지 않았나?"

아티는 분명 오늘 점심 약속이 있었다.

아드리안은 매일매일 누가 자신에게서 아티를 빼앗아 가는지 그 좋은 머리로 단 1초도 잊지 않고 있었다.

'루시가 가 보라고 한 거지만…….'

아이처럼 기뻐하는 아드리안을 보니, 아티는 솔직하게 말하고 싶지 않았다.

'그렇다고 거짓말을 하겠다는 건 아니지만.'

"아니, 좋은데, 이래도 되나 싶어서 묻는 거야."

한풀 꺾인 기세로 아드리안이 변명했다. 아티는 문득 위세가 등등했던 옛날의 아드리안이 떠올랐다.

정말 많이 변했다.

자신에게 칼을 들이밀던 인물과 눈앞에서 안절부절못하는 남자가 동일 인물이라니. 믿기지 않았다.

아직도 가끔은 꿈을 꾸고 있는 것만 같았다.

너무 바라서 현실처럼 생생하게 꾸는 꿈.

아티가 잔잔하게 미소 지었다.

"보고 싶어서요."

우뚝.

아드리안이 굳었다. 멍청한 표정을 짓는 아드리안을 보며 아티가 웃었다.

봄처럼 피어나는 화사한 미소를 마주하며 아드리안이 침

음했다.

"젠장……."

갖고 논다, 아주.

아드리안은 숨을 몰아쉬었다.

보고 싶어서 왔다는 아티의 말에 여러 감정이 치밀어 올라 한데 뒤섞였다.

기쁘기도 하고, 행복하기도 하면서, 치미는 독점욕에 이대로 붙잡고 어딘가로 사라져서 둘만의 세상으로 떠나고 싶은 충동까지 일었다.

내심 자신보다 황실 식구들과 더 많은 시간을 보내는 아티를 보며 아티는 자신이 전혀 보고 싶지 않은 걸까 투덜거리곤 했는데, 그 서운한 마음이 단번에 녹아내렸다.

아티가 의도한 건 절대 아니겠지만, 아드리안은 새삼 깨달았다.

자신을 쥐락펴락할 수 있는 유일한 인간이 있다면 그게 바로 자신의 부인이라는 사실을.

아드리안이 진짜 이 요망하고 사랑스러운 부인을 어떻게 해야 할지 고뇌하며 이마를 짚고 있을 때, 식당 입구로 누군가가 들어왔다.

"전하, 여기 계시다고……."

자연스럽게 들어오던 디아노가 아티를 보고 깜짝 놀라 한 걸음 물러났다.

"와, 아티다!"

그 뒤를 따라 들어오던 눈치 없는 테르니가 안으로 돌진

하려는 순간!

탁.

에셴이 잽싸게 테르니의 목덜미를 붙잡았다.

"와라."

"이거 놔, 에셴! 아티, 아티! 날 구해 줘~!"

에셴에게 붙잡혀 사라지는 테르니.

그 뒤를 따르려다가 디아노가 잠깐 아티를 향해 입 모양으로 무언가를 말했다.

'방금 아펜니노를 구하신 겁니다, 비전하.'

"……?"

흐뭇한 표정으로 둘을 보던 디아노가 쓱 가 버렸다.

"음."

저게 무슨 말이지?

두 눈을 깜빡이며 고민하던 아티가 그냥 웃었다.

'뭐, 좋은 게 좋은 거겠지.'

저 사람들이 헛소리하는 거야 하루 이틀이 아니니까. 오랜만에 이렇게 떠들썩하게 지내니까 느낌이 색달랐다.

황실 식구들과 만날 때 알게 모르게 했던 긴장 같은 것도 없어진다.

내 집 같은 편안함.

나도 정말 황태자비가 다 되었구나.

아티가 웃으며 아드리안을 보았다.

그러는 사이, 두 사람의 앞에 음식이 가지런하게 놓였다.

"먹어요, 아드리안."

"그러지."

"먹여 드릴까요?"

"……."

아티의 장난스러운 말에 아드리안이 조용히 고개를 끄덕였다. 그 모습을 본 아티가 작게 웃었다.

"자, 아~."

"아."

그렇게 둘만의 오찬이 시작되었다.

✦ ♛ ✦

"뭐?! 오라버니가 아티와 단둘이 점심 식사를 했다고?!"

마리에의 질투 어린 외침이 루피너스 궁에 울려 퍼졌다.

심지어 오늘 점심 식사의 순서는 마리에였다. 마리에는 억울해졌다.

"내 차례였는데!"

이 상황은 다른 궁에서도 펼쳐졌다.

"단둘이!"

"오찬이라니!"

"부러워!"

"두 분 폐하께선 부러워하실 게 아닌 거 같으신데……."

시종장이 한마디 했으나, 카를로만 황제와 루드밀라 황후는 귓등으로도 들은 척하지 않았다.

마침 함께 있던 황제와 황후는 머리를 맞대기 시작했다.

"이럴 게 아니오, 당장 찾아가서 합류하는 게……!"

"체통을 지키세요, 폐하."

"하지만, 새아가가……!"

"그러고 보니 아이들에게 들은 게 있습니다. 요즘 새아가가 잠을 제대로 못 잔다더군요."

"뭣이?!"

아티의 수면 시간은 국가 중대사였다.

"어째서 그렇단 말이오? 아드리안이 범인인가? 내 이놈을!"

"아닙니다. 아침, 점심, 저녁으로 폐하와 저를 상대하느라 그렇다고 하더군요. 마리에도 난리고."

잇따른 과도한 일정에 보다 못한 루시가 찾아와서 루드밀라 황후에게 언질을 주고 갔다.

루드밀라 황후는 차마 아티의 고충을 외면할 수 없었다.

지금 이 만남도 아티를 위해서 주선한 것이고.

"어허. 새아가가 잠을 못 잔다니……."

카를로만 황제의 얼굴에 안타까움이 번졌다.

이건 다 황후와 마리에와 아드리안 탓이었다.

자신은 아주 짧은 시간 동안만 아티와 만났을 뿐인데, 나머지가 욕심을 부려서 아티의 건강을 축내게 했다.

황제는 결코 황후와 마리에와 아드리안 모두가 똑같은 생각을 하고 있다는 사실을 알지 못했다.

그럼에도 불구하고, 카를로만 황제는 자신에게 할당된 아티와의 시간을 포기할 생각이 없었다.

자신의 숨통과도 같은 시간이다!

그걸 어떻게 포기한단 말인가!

그건 황후도 마찬가지였다. 마리에 공주도 마찬가지일 거고, 아드리안 황태자는 더 그렇겠지.

"그래서 말입니다만, 모처럼 아티에게 숨통을 트여 주고 싶어서요."

"무슨 묘수가 있는 것이오?!"

"이왕 이렇게 된 거 방법은 하나뿐 아니겠습니까?"

황제와 황후는 시선을 교환했다.

둘은 이제 눈빛만 봐도 서로의 마음을 아는 상태였다.

쫙!

두 사람의 손이 허공에서 경쾌하게 부딪혔다. 하이 파이브.

"좋소, 역시 당신은 천재구려."

"호호. 아시면 잘하세요."

"어허. 황후! 짐이 그대에게 못한 적 있소?"

"없죠."

"짐은 언제나 일편단심 황후뿐이라오."

"말이나 못 하면."

화기애애한 황제 부부.

"······나 돌아갈래."

억울한 나머지 황후에게 자신의 점심 약속을 빼앗아 간 아드리안에게 한마디 해 달라고 하소연하러 찾아왔던 마리에는, 부모의 꿀 떨어지는 애정 행각에 오스스 소름 돋은 팔을 쓰다듬으며 돌아갔다.

"주책이야, 정말."

✦ ♛ ✦

다음 날.

아드리안은 유난히도 일찍 눈을 떴다.

푸른 새벽빛이 커튼 사이로 새어 들어오고 벌레마저 울지 않는 시간.

잠든 아티를 품에 안은 채로 아드리안은 서서히 다가오는 아침을 맞이했다.

매일 이렇게 똑같은 하루가 시작되었다.

그러나 매일 다른 하루의 시작이기도 했다. 어제와 오늘은 같지만 달랐다.

매일 한 편의 새로운 이야기를 써 내려가는 이 기분.

'이것이 행복인가.'

감정이 없는 건 결코 아닌데, 아드리안은 제가 느끼는 이 감정의 이름을 정의 내리는 게 제법 어려웠다.

모든 게 아티와 연관되어 있고, 전부 아티가 만들어 준 것이니까.

아티는 그것을 '행복'이라고 정의했다. 그러므로 아드리안도 이 기분을 '행복'이라고 불렀다.

영원히 지속됐으면, 무심코 바라고 마는 시간.

해가 떠오르고 때맞춰 아침 햇살이 두 사람을 맞이한다.

아드리안은 이 풍경이 퍽 마음에 들어서 일부러 커튼을 반쯤 열어 놓았다.

햇살을 받아 빛나는 아티의 잠든 모습은 언제나 그렇듯 고요하고 사랑스러웠다. 제법 성스럽기까지 하다.

'결혼이 무덤이라 떠들던 놈들은 다 뭘 모르는 놈들이다.'

역시 결혼하길 잘했다.

하루라도 더 빨리 결혼했어야 했는데. 가령, 만나자마자 라든가.

"으음."

아티가 뒤척이고 이내 그녀의 눈꺼풀이 파르르 떨렸다.

아드리안은 그 모습을 흐뭇하게 지켜보았다.

먼저 일어나서 잠든 아티를 지켜보는 건 남모르는 아드리안의 취미 중 하나였다.

이 순간은 누구에게도 양보할 수 없는 오롯이 혼자만의 시간.

잠든 눈꺼풀에 짧은 입맞춤을 남기고, 아티가 일어나기를 기다리며 언제나와 같은 소소한 행복을 만끽하고 있을 때.

우르르, 쾅쾅!

갑자기 행복을 박살 내는 소리가 들려왔다.

'이게 무슨 소리지?'

근데 알고 싶지 않다.

아는 척하는 순간 불행이 시작될 거라는 걸 자각한 아드리안이 최대한 문밖에서 시작된 소란스러움을 무시했다.

똑똑.

무시하자.

"전하. 기침하셨습니까?"

무시하자…….

"전하……. 폐하께서……."

"젠장."

왜 아침 댓바람부터 이런단 말인가?

아드리안은 이를 으득, 갈며 자리에서 일어났다.

혹여나 아티를 깨울까 봐 아주 조심스럽게 일어나 그대로 가운을 걸쳐 입고 문 앞에 섰다.

문을 여는 건 본능이 막았다.

"무슨 일이냐?"

눈치 없는 시종장이 말했다.

"오늘 중요한 일정이 있으니 무조건 참여하시라는 폐하의 명이십니다."

"뭐?"

갑자기 이게 무슨 헛소리지?

"무슨 중요한 일정?"

"황실 가족 나들이입니다."

"……?"

아드리안은 잠시 할 말을 잃었다.

"황실 가족 나들이……?"

기억에 없는 일정이었다. 갑작스럽게 황제가 추진하는 일이겠지.

물론 황실 가족 나들이라는 게 있기는 했다. 아드리안과 마리에가 아장아장 걸어 다니던 아가 시절의 일이었다.

그런데, 갑자기 여기서?

'이건 또 무슨 개수작……'

"그런 연유로 해가 서쪽 신전에 닿아 있을 때, 황실 소유의 호수로 나들이를 가신다고 합니다."

"거절한다고 전해라."

"반드시 참석해야 하는 나들이 인원은 두 분 폐하, 황태자 전하와 황태자비 전하, 마리에 공주님과 디아노 경입니다."

"……."

"전하, 지금부터 준비하셔야 합니다."

다급한 시종장의 말에 아드리안은 어이가 없어서 웃었다.

"하."

진짜 가지가지 한다.

✦ ♛ ✦

"아티, 어떠니? 오랜만에 나오니까 좋지?"

"네, 정말 좋네요."

"호호. 여보, 봐요. 아티가 좋아하는 것 좀."

"우리 새아가가 정말 마음에 드는 모양이구나."

"그럼, 그럼. 이런 날도 있어야지. 두 분과 다르게 아티는 정말 아침부터 저녁까지 열심이니까."

"그래, 마리에 너랑 정말 차이 나는구나."

"아, 모후!"

단란한 분위기 속 황실 가족이 한마디씩 하며 웃는다. 한 편의 희극을 보는 듯한 기분으로 아드리안은 자신의 가족을 보았다.

다들 아주 신나 있었다.

"언제부터 그렇게 가족 행사를 챙기셨다고……."

누가 보면 아드리안이 아니라 아티가 두 사람의 자식처럼 보이는 화목한 풍경 속에서 아드리안은 혀를 찼다.

"아드리안, 표정 펴렴. 왜 그렇게 인상을 쓰고 있어?"

"내버려 둬, 엄마. 원래 저러잖아."

"넌, 넌. 곧 시집갈 애가 말투가 그게 뭐야? 어? 철이 좀 드나 했더니……."

"다른 사람 앞에선 안 그럴 거거든?"

"잘도 그러겠다. 안에서 새는 바가지가 바깥에서는 안 새겠니?"

"그래서 지금 내가 바가지라는 거야?! 고작 나를 바가지라고 하다니! 도자기 정도는 해 줘야지! 엄마, 실망이야!"

"저, 저……!"

"아티, 가자!"

아티와 자매처럼 어울려서 호수로 가는 마리에를 보며 루드밀라 황후가 한숨을 내쉬었다.

"저 철없는 것……."

시집보낼 생각을 하니 머리가 지끈거렸다.

"허허. 괜찮지 않소, 황후. 보기 좋기만 하네."

"당신은 좀 빠져요. 당신이 마리에를 너무 오냐오냐하니까 쟤가 저러는 거 아니에요?"

"아니, 짐이 뭘 어쨌다고……."

"지금 몰라서 하는 말이에요?"

황후가 눈을 치켜떴다. 아드리안은 괜히 황제와 한 세트로 엮여서 잔소리를 들을까 봐 그들과 거리를 벌렸다.

카를로만 황제는 이 좋은 날, 죽을상을 하며 이어지는 잔소리를 들었다.

'아들, 도와줘라.'

'아버지, 황위나 주세요.'

'에잉, 배은망덕한 놈.'

두 부자의 눈빛 대화는 그걸로 끝이었다.

그때였다.

"아드리안."

마리에와 놀던 아티가 웃는 얼굴로 아드리안에게 다가왔다.

"아드리안."

"응."

마리에는 조금 떨어진 곳에서 디아노와 걷고 있었다. 절대 아티를 안 놔줄 것처럼 데리고 가더니 웬일일까.

아드리안은 조금 의아했지만 뭐가 됐든 상관없다고 생각했다.

그나저나 저 철없는 녀석이 곧 결혼하는 것도 믿기지 않는데, 그 상대가 디아노라니. 더 비현실적이었다.

아드리안은 아직도 두 사람이 도대체 왜 서로를 좋아하는지 알 수 없었다.

"이 좋은 날에 왜 그렇게 인상을 쓰고 있어요."

"……좋아서."

"좋으면 웃어야죠."

사랑스러운 아티를 끌어당겨 품에 안으며 아드리안이 툴툴거렸다.

"단둘이면 웃었겠지."

"저는 다 같이 나오는 것도 좋아요."

아티는 천사다. 이런 부인을 얻다니 자신은 전생에 나라를 구한 게 틀림없었다.

"오랜만에 이런 시간을 보내는 것도 너무 좋네요."

"……네가 좋다면 나도 좋아."

저 인간들과 이 시간을 공유한다는 사실만 아니면, 다 좋았다.

모르겠다. 아티가 좋다면 좋은 거다. 아드리안의 세계는 이제 아티가 중심이 되어 돌아가니까.

"두 분 폐하께서도 좋으신가 봐요. 정말 멋있어요. 저렇게 나이 들었는데도, 한결같이 서로를 사랑하시는 모습이."

그런가?

아티의 말을 듣고 보니 새삼 자신의 부모가 대단하긴 했다.

황실 역사에 전무하다시피 한 서로 사랑해서 결혼한 커플. 게다가 변심하지 않고 서로를 위하며 금슬이 좋은 부부가 있다?

불륜이 판을 치고 양쪽 부부가 서로 정부를 두는 것이 흔한 이 귀족 세계에서?

역사서에서도 대서특필할 정도로 희귀한 일이었다.

'하지만, 그렇다고 해도.'

그런 두 사람을 부럽게 바라보는 아티를 보니 아드리안은 괜히 심술이 났다.

지금 내가 앞에 있는데 누굴 보는 거야?

"부러워?"

"네, 네?"

속마음을 들킨 것 같아 부끄러워진 아티의 뺨이 붉게 달아올랐다.

흐드러지게 핀 꽃도, 선선하게 불어오는 바람도, 퍼지는 꽃의 향기도, 푸르게 빛나는 아름다운 호수도, 모두 그 앞에서 빛을 잃는다.

아드리안은 새삼 자신이 아티를 사랑한다는 사실을 되새겼다.

이 모든 게 아티가 있으므로 의미 있다는 사실도.

"너만 변하지 않으면 돼."

아마도 이것은.

"나는 언제나 너만 보니까."

영원히 사랑하겠다는 맹세.

아티의 뺨이 더더욱 붉어졌다. 감동을 받은 건지 눈가가 붉어진다. 울 것 같은 표정.

하지만 그것보다 아드리안의 시선을 빼앗는 건…….

"……네."

행복하게 웃는 아티의 모습이었다.

아드리안은 홀린 듯 아티를 바라보다가 역시 이 미소라면 자신은 그게 무엇이라도 감수할 수 있을 것 같다는 생각을 했다.

설령, 이 세계가 멸망하는 걸 막아야 한다고 해도.

◆ ♛ ◆

황실 가족이 나들이를 갔다는 소식이 들려왔다.

하루 종일 아티를 볼 수 없자 테르니는 생각했다.

"나도! 나도!!"

나도 아티와 나들이!

어렸을 때는 자주 갔는데 커서는 단 한 번도 가 보지 못했다.

테르니는 어떻게든 아티와 가족 나들이를 가고 싶었다. 자신만으로는 힘들겠지만…….

"엄마! 아빠! 나들이 가자!"

온 가족 총출동이라면 아티가 빠질 수 없겠지.

"후후후."

테르니가 음흉하게 웃었다.

◆ ♛ ◆

"오비에도에서 휴가요?"

"그래, 오랜만에 가족끼리 단란하게. 어떠니, 아티?"

카밀라의 제안에 아티의 표정이 밝아졌다.

며칠 전에 다녀온 황실 가족 나들이가 제법 즐거웠기 때문이었다.

"그럼 아드리안도 같이 가나요?"

"아니! 이건 우리 오.비.에.도.만의 휴가니깐!"

테르니가 끼어들었다. 카밀라가 일순 한심하다는 눈빛을 보냈지만 테르니는 굴하지 않았다.

"그러니까 오비에도가 아닌 아드리안은 못 껴. 알았지? 너 혼자만 와. 이건 우리 오비에도만의 휴가니까."

"저는 좋아요."

테르니도 테르니지만, 아티는 양어머니와 양아버지가 함께한다는 사실이 기껍게 다가왔다.

두 분의 자식이 된 다음, 거의 바로 황실로 시집을 가서 함께 보낸 시간이 적었기 때문이었다.

"그래, 두 분 폐하께는 내가 말할 테니 너는 황태자 전하께 말해 놓으렴."

"아니에요, 어머니. 제가 모두에게 말씀드릴게요."

"할 수 있겠니?"

카밀라가 걱정스럽게 바라보자 아티가 두 손을 불끈 쥐었다.

"네!"

"힘들 텐데……."

아무리 가끔 입궁한다 해도 카밀라는 황실의 분위기를 누구보다 잘 알았다.

'괜찮으려나.'

안 괜찮았다.

"뭐?"

아드리안은 뒤통수를 맞은 듯한 충격에 말을 잇지 못했다. 아티가 설레는 목소리로 재잘거렸다.

"가족 휴가래요. 저 이런 거 처음이에요. 오붓하게 다녀올게요."

차마 처음이라는 아티에게 가지 말라는 말은 나오지 않았다.

하지만 아티와 떨어질 수 없어!

"같이 가."

"네?"

"나도 같이 가."

다른 때라면 좋다고 할 아티였지만, 이미 신신당부를 받았기 때문일까?

"미안해요, 아드리안. 이건…….."

아티가 거절했다.

아드리안은 충격에 빠졌다.

그리고 다음 날.

"뭐?! 어딜 가겠다고?! 안 된다, 새아가!"

오전에 황제가 마른하늘에 날벼락을 맞았고.

"아니, 너는! 황실 가족인데! 아니지, 그래도 가족끼리 오붓하게 다녀오는 건 좋다만. 아니! 새아가! 나를 두고 가다니!"

오후에는 황후가 청천벽력과도 같은 소식에 기함했다.

마리에는 다행히 결혼 준비로 바빠서 이 난리 통에 끼지 않을 수 있었다.

다만.

"어흑흑, 우리를 두고 어딜 가려는 것이냐, 새아가. 이건, 이건 있을 수 없는 일이다……! 요제프! 복수하겠어!"

"아가야, 혹시 내가 뭔가 잘못한 게 있는 거니? 그래서 이런 시련을 주는 것이냐? 내가 잘못했다. 뭔지 모르겠지만 다 잘못했다."

"……."

아티가 오비에도 가족 휴가를 가는 날. 황궁에는 한바탕 눈물 바람이 불었다. 이 모습을 멀찍이 떨어져서 지켜보던 에센이 한숨을 내쉬었다.

"누가 보면 아티가 전쟁 나가는 줄 알겠네."

✦ 👑 ✦

아티가 없는 날.

황궁은 침체된 분위기에 휩싸였다. 누가 보면 국가 비상 상태라도 되는 줄 알 정도로 극히 심각한 분위기였다.

"황태자비 전하 한 분 안 계시는데 이런 분위기라니……."

시종들이 부르르 떨었다. 넋이 나간 황실 식구들은 둘째

치고 아랫사람들의 분위기도 축 처졌다.

　고작 한 사람이 사라진 건데, 그 사람의 영향력을 실감하게 되는 날이었다.

　[아드리안에게.

　아티는 내가 받아 간다.

　—괴도 T가]

　와작.

　아드리안의 손안에서 서신이 처참하게 구겨졌다.

　"괴도 T 같은 소리 하고 있네."

　당장 달려가서 테르니를 붙잡아 울분의 대가를 치르게 해 주고 싶었지만, 그 옆에 아티가 있다는 생각에 곧바로 침울해졌다.

　"하, 보고 싶은데."

　이렇게 꼼짝없이 나흘을 참아야 하는 건가?

　그리고 그 순간, 번뜩이는 생각이 들었다.

　'내가 왜 그 생각을 못 했지?'

　아드리안이 벌떡 일어났다.

✦ ♛ ✦

　테르니는 기분이 좋았다.

　오랜만에 방문한 영지. 이티와의 추억이 담긴 저택. 그리고 무엇보다 아티와 함께하는 시간!

　"재미있게 놀아야지. 어렸을 때의 추억부터 새로운 추억까지! 맨날맨날 놀아야지. 흥흥흥."

신나서 기분이 날아가는 테르니를 두고 카밀라가 한숨을 내쉬었다.

제 아들이지만, 머리에 뭐가 들었는지 알 수 없었다.

"쟤 세 살 때부터 수도 저택에서 자랐는데, 어렸을 때 여기서 자랐다니 무슨 소리를 하는 걸까요, 여보?"

"……내버려 두자."

아들의 기행이 하루 이틀인가.

익숙해진 두 사람이 대충 무시하고 있을 때였다.

오전에 도착해 짐을 풀고 가볍게 식사를 마친 오비에도 가족은 오후가 되자 해변으로 나왔다.

눈이 시릴 만큼 짙푸른 바다.

하얀 모래가 곱게 갈린 백사장을 거닐며 이 시간이 멈춘 듯한 여유로움을 만끽하려던 그때.

"……?"

두둥.

오비에도 소유의 해변에 낯선 인영들이 등장했다.

그리고 그 낯선 인영을 확인한 테르니가 눈이 튀어나올 것처럼 놀랐다.

"뭐야! 왜 저기 아드리안이 있어!"

아드리안을 위시한 카를로만 황제와 루드밀라 황후. 세 사람은 부끄러움도 없는지 당당하게 해변을 걸어왔다.

"어, 어?"

아티를 포함한 모든 오비에도가 고장 난 것처럼 굳었다.

"오호호, 카밀라. 이런 데서 보니 너무 반가워."

"요제프, 짐을 두고 가니 좋던가?"

어색한 기류.

어떻게 된 일인지 눈치챈 카밀라가 웃고 있는데, 현실을 받아들이지 못한 테르니가 소리쳤다.

"아드리안, 이게 무슨 짓이야! 아티가 같이 오면 안 된다고 한 말 못 들었어? 이건 오비에도만의 휴가라고!"

"우리도 휴가 온 건데?"

"뭐?"

"우리도 휴가 온 거라고. '우연히 같은 장소'에 휴가 오게 되었네?"

아드리안이 당당하게 말하며 웃었다.

"그게 뭐야! 말도 안 돼!"

"뭐가 말이 안 돼? 휴가를 같이 올 수 없다고 했지, 우리가 따로 여기로 휴가 오면 안 된다는 말은 안 했잖아?!"

"이건 사기야!"

테르니가 울며 바닥에 누워 뒹굴었다. 카밀라는 익숙한 아들의 추태를 무시하고 일어났다.

'이렇게 될 줄 알았지.'

그 황실 식구가 단 며칠만이라도 아티를 혼자 둘 리가 없었다.

"이왕 이렇게 된 거 두 분 폐하 모두 지희 저택으로 모시지요."

"하하, 그래도 되겠나?"

"이왕이면 같이 노는 게 좋긴 하지."

능숙하게 상황을 수습한 카밀라가 아티를 보았다. 편안하게 있던 아티가 저도 모르게 살짝 긴장한 모양새였다.

테르니면 몰라도…….

'이 상태로는 내 딸이 힘들겠는데?'

카밀라가 요요히 웃었다.

✦ ♔ ✦

오비에도 영지에서 만족스러운 휴가를 보내고 돌아온 어느 날.

한 명 빼고 모두가 즐겁게 보낸 휴가로 오비에도와 황실 식구는 화기애애한 분위기였다.

"복수할 거야. 용서 못 해, 아드리안. 반드시 이 치욕을 갚을 거야."

아, 한 사람은 빼고.

"오라버니."

아무도 신경 쓰지 않는 테르니에게 유일하게 관심을 주는 이는 아티뿐이었다.

"아티! 역시 날 생각해 주는 건 내 동생밖에 없구나! 으헝헝헝."

"이러고 있으면 지나다니는 사람이 불편해하니까, 이쪽으로 오세요."

"응! 으헝헝. 내 동새애앵."

익숙하게 테르니를 달래는 아티를 보며 아드리안이 혀를 찼다.

"그냥 버리지."

아티가 처연하게 웃었다.

그러고 싶긴 하지만, 달래 놓지 않으면 무슨 짓을 벌일지 모르는 인간이다.

귀찮아도 조금 상대해 주는 편이 좋았다.

'그리고……'

이제 이러고 있는 것도 익숙해졌다.

요 며칠 휴가에 나들이에 몸은 피곤했지만 정신적으로는 알게 모르게 쌓여 있던 스트레스가 많이 풀렸다.

아티가 숨을 깊이 내쉬었다.

"후……."

카밀라가 떠올랐다. 언제나 자신을 생각해 주는 가족. 양어머니가 해 준 말에 마음이 찡해진 아티가 마음을 다잡았다.

"좋아, 해 보자."

변화는 어느 순간을 기점으로 찾아왔다.

너도나도 아티를 찾아 대던 황실 식구들이 어느 순간 잠잠해지기 시작했다.

그렇다고 황실 식구들이 아티와의 시간을 이예 갖지 않는 건 아니다.

하지만, 분명 뭔가 바뀌고 있었다.

"뭔가, 뭔가 일어나고 있어."

이유를 알 수는 없지만, 항상 아티를 사수하기 위해 물밑 작전을 펼치느라 죽어 나가던 아랫사람들은 누구보다 이 변화를 빠르게 느끼고 있었다.

황제도, 황후도, 마리에 공주도.

약속을 먼저 잡아야 한다면서 조급한 얼굴로 아티의 스케줄을 알아 오라고 했던 모두가 편안하게 웃으며 시간을 보내고 있었다.

"대체…… 무슨 일이 벌어지는 거지?"

✦ ♛ ✦

아티는 그동안 황실 식구들이 보내온 제안을 거부하지 않았다.

스케줄이 아무리 빡빡하더라도, 자신을 보고 싶어 하고 함께하고 싶어 하는 황실 식구들의 제안을 거부하기가 미안했기 때문이었다.

하지만.

"오호호홋, 역시 비전하세요!"

루시의 칭찬에 아티가 웃었다.

"다, 어머니 덕분이죠."

황실 식구들이 오비에도 가족의 휴가를 몰래 따라온 날. 카밀라는 아티를 따로 불러서 이대로면 네가 힘들 거라며 작은 팁을 알려 주었다.

그리고…….

"황제 폐하."

"어허. 아버님이라 부르래도."

"아버님."

"……!"

아티가 진짜 아버님이라고 불러 줄지 몰랐는지, 카를로만 황제가 두 눈을 부릅떴다.

놀란 황제를 보고 아티가 조마조마 마음을 졸였다.

아티는 아무리 그래도 하늘과도 같은 황제 폐하에게 아버님이라고 부를 생각도, 그만한 담력도 없었다.

그래서 그동안 황제가 아무리 제안을 해도 꿋꿋하게 '폐하'라고 칭했는데…….

치솟는 광대. 새어 나오는 웃음. 기뻐하는 황제를 보며 아티가 같이 미소 지었다.

"아버님과 저 단둘일 때는 이렇게 부를게요. 아버님과 저만의 비밀이에요."

"새아가……!"

황제가 감격했다.

며느리가 천사라니.

아들놈은 잘못 낳았지만, 자신이 자식 복이 있었다. 암, 며느리도 자식이지.

"그럼 아예 아버지라고 불러 수면 안 뇌겠느냐?"

당연히 거절당할 거라 예상하고 한 제안이었다. 아티가 살포시 미소 지었다.

"아버님이 잘하시면 그렇게 불러 드릴게요."

"……! 내가 뭘 잘못하고 있단 말이냐!"

"아뇨, 잘못하고 있다는 게 아니라……."

아티가 조심스럽게 말했다.

"요즘 황후 폐하와 매일 다투시잖아요. 저는 두 분 폐하 모두를 좋아하는데, 자꾸 그러시니까 속이 상해서요. 저도 아드리안과 두 분처럼 나이 들고 싶다고 생각했거든요."

"……!"

황제는 큰 깨달음을 얻었다.

"내 황후를 잘 타이르마. 걱정하지 말아라. 이제 모범을 보일 터이니. 그러니……."

"네, 아버님."

"그렇지, 그래!"

카를로만 황제의 광대가 승천했다. 딸에겐 구박만 받는데, 뒤늦게 생긴 며느리가…… 천사였다.

그 상황은 황후 궁에서도 벌어졌다.

"고민이 있어요, 폐하."

"갑자기 고민이라니! 무슨 일이니, 새아가."

"요즘 아드리안과……."

이어지는 한탄은 주로 아드리안과 사이가 멀어진 것 같아서 애정이 식은 것일까 두렵다는 말이었다.

물론 진심은 아니었다.

"그러고 보니 두 사람이 요즘 같이 지낼 시간이 부족했구나."

황후가 곰곰이 생각하다가 말했다. 생각이 난 것이었다. 아드리안에게서 아티를 빼앗았던 시간이.

"음."

물론 며늘아기와의 시간은 더없이 즐거웠다.

아무리 며느리라고 해도 딸만 못 할 것이라 여겼는데, 실제로 생기니 딸보다 좋았다.

'하지만, 이대로면……'

황후는 자신이 젊었을 적을 떠올렸다. 사랑만으로 모든 걸 극복할 수 있을 거라 생각하고 결혼했던 철없는 시절.

황궁에 들어와 얼마나 외로움에 사무치며 힘들어했던가.

"내 그 불안을 잘 알지."

사랑 하나만 보고 왔는데, 그 사랑마저 예전만 못한 것 같다고 느껴졌을 때의 불안은…….

다시 떠올려도 아찔한 것이었다.

"아드리안, 이놈. 내가 혼내 주마."

"아, 아니에요. 폐하. 그러시면 오히려 더 사이가 멀어지지 않을까……."

사실 아드리안과 사이가 멀어진 적이 없었으므로 아티가 다급히 말렸다.

"그래? 어휴, 우리 새아가가 착해서 어찌할꼬."

"하, 하하."

황후는 결심했나.

"내가 두 팔 걷어붙이고 너희 신혼이 불타오르도록 돕겠다. 나만 믿거라, 새아가."

"네. 믿을게요!"

기대감에 가득 차 눈을 반짝이는 아티를 보며 루드밀라 황후가 의지를 불태웠다.

"역시 제가 의지할 수 있는 분은 황후 폐하밖에 없어요!"

"황후 폐하가 뭐니, 어머니라고 부르렴."

"어, 어머니?"

달그락, 쨍—!

아티의 한마디에 순간 놀란 루드밀라 황후가 찻잔을 깨뜨렸다.

난리가 났지만 황후는 방금 벌어진 일에 더 정신이 팔려 있었다.

"괜찮으세요? 어머니?"

"어, 응, 응."

자신을 어머니라 부르는 며느리, 나쁘지 않을지도.

✦ 👑 ✦

황실의 두 어른이 체면을 차리고 안정을 되찾자 아티의 스케줄은 순식간에 여유로워졌다.

"왜 나랑은 안 놀아 줘?"

마리에가 툴툴거렸다.

"나한테 친구는 마리에밖에 없는 거 알면서."

"그건 아는데, 왜 안 놀아 주냔 말이야!"

"대신 이렇게 결혼 준비 도와주고 있잖아. 안 그래?"

"흥."

아티의 유려한 말에 삐진 척 고개를 돌렸지만, 마리에는 이미 기분이 풀려 있었다. 이건 그냥 투정이니까.

'진정한 우정을 나누는 친구가 생기면 해 보고 싶은 일'의 반도 아직 못 했지만, 이러고 있으니까 그냥 같이 있는 것만으로 좋았다.

"그러고 보니 요즘 모후랑 부황이 조용하네? 무슨 일 있나?"

마리에의 말에 아티가 은은하게 미소 지었다.

"양으로 만족시킬 수 없다면 답은 질이다."

저쪽이 해 달라는 대로 해 줘도 만족하지 못하면 네가 주도권을 잡아야 한다는 카밀라의 조언.

마침 아티도 그 부분을 생각하고 있었기에 적극 수용했다. 그리고 우여곡절 끝에 황궁은 평화를 되찾았다.

"뭐야, 아티. 너. 되게 여유로워 보이네. 뭐 있어?"

"아니, 아무것도 없어."

"아닌데? 뭔가 있는 거 같은데? 말해 봐, 뭐야?"

"비밀."

"아~ 우리 사이에 비밀이 어디 있어."

"아아, 간지럼 태우지 마!"

"이리 와! 말하라고!"

마리에가 아티를 잡아 간지럽혔다.

아티도 가만히 있지 않고 마리에의 옆구리를 간지럽혔

고, 두 사람은 그렇게 서로를 간지럼 태우며 쫓고 쫓기다가 방을 엉망진창으로 만들었다.

보석과 귀한 장신구들이 널브러진 드레스의 산에 드러누운 두 사람이 힘이 다 빠진 채로 숨을 헐떡였다.

"아, 막상 결혼하려니까 기분 이상해. 아티, 너도 이런 기분이었어?"

"글쎄. 나는…… 잘 모르겠네. 그냥 뭐든 다 좋았거든."

"그게 뭐야, 재수 없네."

"하하."

하지만 어쩔 수 없었다. 상황이 마리에와는 너무 달랐으니까.

결혼을 앞두고 우울해진 건지, 마리에가 조심스럽게 물었다.

"결혼해도 우리는 절친이지?"

"당연하지. 비록 마리에 네가 궁 밖으로 나가지만, 그렇다고 우리가 못 보는 건 아니잖아."

"그래도 궁에 있을 때만큼은 못 보잖아."

"디아노 경 출근하면 같이 오든가."

"오, 그거 좋네. 그래야겠다."

마리에와 깔깔 웃다가 아티가 마리에를 보았다.

언제나 당당하고 아름다운 공주님. 친절한 궁의 주인이 자신의 친구가 될 줄은, 전혀 몰랐다.

"행복하게 잘 살아, 마리에."

"당연하지."

가장 절친한 친구에게 축복을 받으며 마리에가 씩 웃었다.

"고마워, 아티."

"나도."

두 사람이 마주 보고 웃다가 문득 마리에가 아티를 붙잡았다.

"오늘 같이 자자."

"내일이 결혼식인데?"

"그러니까, 같이 자자. 응?"

'아드리안이 서운해하겠지만…….'

아티는 오늘만큼은 마리에의 어리광을 받아 주고 싶었다.

"그래, 같이 자자."

결혼을 앞둔 친구와 보내는 밤. 아티는 기꺼이 함께하기로 했다.

둘은 늘 그러하듯 소설 이야기도 하고 맛있는 저녁도 먹고 베개 싸움도 했다. 마리에가 소설에 나온 거라서 해 보고 싶었다나.

그렇게 지쳐서 나란히 누웠을 때, 마리에가 나지막하게 말했다.

"네가 내 친구라서 정말 다행이야."

"나도."

"우리 부모님 잘 부탁해."

마리에가 조금 머뭇거리다가 못마땅한 목소리로 덧붙였다.

"못난 오라비도."

"나도 잘 부탁해. 앞으로도."

행복한 밤이었다.

✦ ♛ ✦

〈아티엔느 쟁탈전〉은 이로써 막을 내렸다. 황제와 황후의 안정적인 생활, 그리고 마리에 공주의 결혼까지.

그 누구보다 최전선에서 구르고 있던 시종과 시녀들은 사실 황궁의 진정한 실세는 황태자비일지도 모른다고 생각했다.

그렇게 마리에와 디아노의 결혼식 날이 밝았다.

"신랑은 신부를 평생 사랑한다고 맹세하겠습니까?"

"예!"

우렁찬 디아노의 목소리에 하객들이 웃었다.

"신부는 신랑을 평생 사랑하겠노라 맹세합니까?"

"네."

수줍은 마리에의 맹세.

아티는 그 모습을 흐뭇하게 바라보았다. 그리고 이를 불만스럽게 바라보는 이가 있었으니.

"왜 그래요?"

"……."

아드리안이 아티를 지그시 바라보았다.

"……?"

"……."

결국 아드리안이 먼저 입을 열었다.

"왜 나한텐 아무것도 안 하는 거지?"

"뭘요?"

아드리안이 두 눈을 가늘게 떴다. 아랫놈들도 아는데 아드리안이 모를 리가 없었다.

아티가 황제를 구슬리고, 황후마저 구슬려서 이 황궁에 평화를 가져왔다는 걸.

그런데 왜 자신에겐 아무것도 안 해 주는가?

"서운해요? 제가 아드리안을 빼먹은 것 같아서?"

"……아니라고는 말 못 하겠군."

아티가 작게 웃었다.

아드리안이 삐진 게 제법 귀여웠기 때문이었다.

"제가 왜 아드리안한테는 아무것도 안 했냐면……."

아티가 작게 속삭였다.

"아드리안은 항상 절 원했으면 좋겠거든요."

"……!"

아드리안이 놀란 눈으로 아티를 보았다.

자신을 혼자 두고 마리에와 함께 하루를 보냈을 때는 얄밉더니, 오늘은 또 이렇게 달다.

어디 숨겨서 자신만 보고 싶게 만드는 이 존재를 진짜 어떻게 하면 좋을지 모르겠다.

분명 부글부글 끓던 감정이 머리끝까지 올라왔는데, 일순간 평온해졌다.

아드리안이 아티를 끌어당겼다. 순순히 자신의 품에 안기는 아티. 이 온기, 존재감.

아드리안은 묵직하게 내려앉는 아티의 모든 것을 가만히 느꼈다.

"마리에가 첫 아이는 꼭 머리만 디아노 경을 닮은 딸을 낳고 싶대요. 눈동자는 무조건 붉을 테니, 머리카락만은 디아노 경을 닮은 게 좋겠다고요."

"너는?"

"저는 아드리안 닮은 아들이 갖고 싶어요."

아드리안은 상상해 보다가 인상을 찡그렸다. 자신을 닮은 아들? 하나도 안 귀여울 거 같았다.

"나는 딸. 널 닮은."

아티가 두 눈을 동그랗게 떴다.

"그건 불가능하지 않을까요?"

"눈은 어쩔 수 없어도 생김새는 닮을 수 있지."

아티의 이마, 코, 뺨. 그리고 입술을 매만지다 아드리안이 자신의 입술을 포갰다.

결혼식은 끝나 가고 있었지만, 두 사람은 이미 그런 것 따위 하나도 중요하지 않았다.

"사랑해."

"저도요."

"답은 그것뿐이야?"

아티가 작게 웃었다.

"사랑해요."

"나도."

외전 6. 이야기가 끝난 후, 그 남자는

외전 6. 이야기가 끝난 후, 그 남자는

"미카엘, 네가 어찌, 이 아비에게……. 미카엘, 미카엘……!"

"……."

"내가 널 어떻게 키웠는데……. 천인공노할……!"

피눈물을 쏟으며 절규하는 아비의 목소리와 함께 미카엘은 천천히 눈을 떴다.

아직 아침도 오지 않은 새벽이었다.

얼마나 잤던가. 시간을 확인한 미카엘은 한 손으로 얼굴을 쓸어내리며 한숨을 내쉬었다.

잠든 시간은 불과 삼십 분도 채 되지 않았다.

하물며 꿈자리도 뒤숭숭한 탓에 피로를 풀고자 했던 목적은 조금도 이루지 못했다.

결국 미카엘은 수면을 포기하고 상체를 일으켰다.

전 후작이자 그의 부친인 달리어 라울 네벨의 죄상이 밝혀져 유배된 지 벌써 이 년.

곧바로 가브리엘을 데리고 영지로 내려온 미카엘은 예상치 못한 난관에 부딪히고 말았다.

생각했던 것보다 영지의 전반적인 상황이 엉망이었기 때문이다.

부친이 일일이 확인하지 않은 부분은 온통 비리투성이라 곧바로 직무에 몰두할 수밖에 없었다.

시간은 빠르게도 흘러갔다.

다른 생각을 할 겨를도 없이 일에만 몰두한 결과 파멸 직전이었던 네벨 영지는 어느 정도 안정기에 접어들었다.

숨을 돌릴 수 있는 짬이 나자, 미루어 두었던 부차적인 문제들이 미카엘을 좀먹었다.

자신을 향한 군중들의 뒷말이었다.

친아비를 팔아먹은 놈.

천륜을 저버린 패륜아.

인간쓰레기의 자식.

쉬쉬하면서 저들끼리 속닥였지만 결국 미카엘의 귀에까지 흘러 들어왔다.

모두가 그런 것이 아니라 일부의 힐난일 뿐이었지만, 원래 악한 말의 힘이 더욱 강한 법이었다.

그러나 한 점 후회도 없었다.

'과거로 돌아가더라도 똑같은 선택을 하겠지.'

온갖 비리를 일삼고 누군가를 진창으로 처박는 데 망설

임 없는 작자가 죗값을 치르게 하려면.

다시 책상으로 가 아까 보던 서류를 확인하던 미카엘은 문득 창밖을 바라보았다.

어느새 찾아온 아침. 하늘색 꽃망울을 매단 나뭇가지가 창을 두드리고 있었다.

일로만 가득 찼던 머릿속에 다른 존재가 끼어들었다.

고요한 가운데 혼자 시간을 보내고 있노라면 누군가의 옅은 웃음이 그리워질 때가 있었다.

마치 지금처럼.

하지만 그 사람은 이제는 이름을 부를 수 없는 먼 존재였다.

"라라…….."

아무도 없으니 남몰래 입에 담아 보았다.

소심하고 착하던 그의 비밀 이야기 친구.

먼저 찾아보지 않아도 황태자비에 대한 소식은 심심찮게 들려왔다.

그녀는 황실 사람들의 애정을 받으며 행복한 일상을 보내는 듯했다.

잘 지내고 있다니 그것만으로도 미카엘은 미소 지을 수 있었다.

'당신은 행복해야만 하는 사람이니까.'

엘라디스토를 반역으로 몰아 그녀의 가족을 죽음으로 내 몬 인간의 아들인 자신이 이런 생각을 하는 것조차 손가락 질받을 일이라는 것을 알지만…….

미카엘은 따라붙는 상념을 떨쳐 내려 고개를 저은 후 다시 활자에 집중하려 노력했다.

그때였다.

똑똑.

노크 소리가 들리더니 집사장이 들어와 그에게 보고했다.

"주인님. 수도에서 서신이 도착했습니다."

"……수도?"

뜻밖의 서신.

고요했던 미카엘의 삶의 호수에 파문이 이는 순간이었다.

'반가운 소식일까, 그도 아니면…….'

미카엘의 머릿속이 복잡해졌다.

✦ ♚ ✦

오늘도 나는 엘라디스토 공방에 들러 장인 아저씨들의 작업 현황을 확인했다.

"첼스탄 아저씨. 이번 의뢰작 마감일 얼마 안 남은 거 아시죠?"

"하지만 영 마음에 안 들어서—."

"아무리 그래도 또 깨부수면 안 돼요!"

"하지만 공방주……!"

"마감일 사흘 남았어요. 저는 분명 말씀드렸어요?"

"라라, 라라야!"

첼스탄 아저씨가 애타게 나를 불렀지만, 나는 매정하게 뒤돌았다.

'못 말린다니까, 다들.'

걸핏하면 마음에 들지 않는다며 작품을 깨부수는 장인 아저씨들을 단속하는 것도 내 몫이었다.

성격 괄괄하기로는 지지 않는 아저씨들이라 통제할 사람은 공방주인 나밖에 없었다.

장인 아저씨들이 예술혼을 불태우는 건 좋지만, 너무 과한 나머지 의뢰 일정에 맞추지 못하는 건 곤란하단 말이지.

한참이나 공방 곳곳을 돌아다니며 장인 아저씨들을 단속하고 나니 시간이 제법 흘렀다.

종일 물레가 돌아가는 공방은 가만히 서 있는 것만으로 땀이 날 정도로 더웠다.

손등으로 이마에 맺힌 식은땀을 닦으려니 호위로 함께 왔던 에센이 내게 손수건을 건네었다.

"여기, 손수건."

"감사해요, 에센 님. 많이 덥죠?"

"별로. 땀은 훈련할 때 더 많이 흘리니까."

"역시 기사님들은 대단해요."

"대단하긴. 어서 땀 닦아."

쑥스러운지 시선을 피하는 에센을 보며 웃다가 문득 한 가지 사실을 깨달았다.

하루 종일 한 사람의 얼굴이 보이지 않았다.

"혹시 헬머 아저씨 본 아저씨 있어요?"

"그 양반 오늘 출근 안 했어! 아니, 아, 안 했습니다."

퉁명스럽게 대답하던 파론 아저씨가 옆을 힐긋 보더니

갑자기 말을 더듬기 시작했다.

유령이라도 본 듯 표정이 심상치 않아 옆을 보았지만 내 옆에 있는 건 에센뿐이었다.

'왜 그러신담?'

의아하긴 했지만 지금 문제는 그게 아니었다.

"헬머 아저씨도 참! 의뢰가 얼마나 많이 쌓여 있는데!"

발을 동동 구르며 국내외 의뢰를 떠올린 나는 결국 무단 결근한 헬머 아저씨를 찾아 공방을 나섰다.

✦ ♛ ✦

헬머 아저씨의 집 앞에 도착한 나는 에센을 돌아보았다.

예정대로라면 공방 일을 살펴본 후에 곧바로 황성으로 돌아가야 했는데, 예기치 못하게 헬머 아저씨의 집까지 오고 말았다.

"죄송해요, 에센 님. 공방에서도 계속 기다리셨는데, 여기까지 따라오시고……."

"죄송할 게 뭐가 있어. 수호 기사가 호위하는 건 당연한 일인데."

그렇게 말하던 에센은 잠깐 고민하는 듯하다가 입을 열었다.

"그럼 주변이나 좀 돌아보고 오지, 뭐. 한 시간 뒤에 오면 돼?"

"네."

"나중에 봐. 어서 들어가고."

내 마음이 불편할까 봐 배려해 주는 에센의 마음이 느껴졌다.

'아저씨와 편히 이야기하라는 의미겠지?'

헬머 아저씨의 집 안에 들어서자마자 코를 찌르는 술 냄새에 나는 인상을 찌푸리며 코와 입가를 틀어막았다.

"아저씨."

내 기척을 느낀 건지 숙취로 머리를 부여잡은 헬머 아저씨가 비척비척 걸어 나왔다. 찔리기는 한 건지 아저씨는 황급히 변명을 늘어놓기 시작했다.

"그게 말이다, 라라야. 이 아저씨 말을 들어 봐라. 그게, 옆집 한스 녀석이 마시자고 하도 졸라 대는 게 아니냐? 당연히 안 된다고 말했는데—."

"그런데 한스 아저씨가 '삼십 년 지기 친구 사이에 술 한 잔도 같이 못 마셔 주냐, 이 야속한 친우야.' 하면서 꺼이꺼이 우셨고, 그래서 어쩔 수 없이 어울렸다는 말씀이시죠?"

"그, 그래."

어쩜 이렇게 변명이 토씨 하나도 변하지 않을까.

나는 한숨을 푹 내쉬며 말했다.

"한스 아저씨 여행 가셨대요."

"그러냐……?"

"거짓말이에요."

"……."

헬머 아저씨가 입을 벙긋거리다 결국 꾹 다물고 말았다.

할 말이 없으시겠지. 아저씨야말로 거짓말쟁이니까.

집의 창이란 창은 다 열어 술 냄새가 진동하는 실내를 환기했다.

갑작스레 불어닥친 바람에 헬머 아저씨는 불만스러운 듯 인상을 찌푸렸지만 뭐라 하지 못했다.

"그런데 헬머 아저씨. 대체 이사는 왜 안 가시는 거예요? 저택도 받으셨으면서."

이미 귀족이었던 헬머 아저씨는 장인으로서의 국가 공적을 인정받아 또다시 작위와 수도 내 저택을 하사받았다.

그런데도 아저씨는 줄곧 지내던 이 허물어지기 직전의 낡은 저택을 떠날 생각이 없어 보였다.

"익숙한 게 좋은 거다, 라라."

"깨끗하고 쾌적한 게 더 좋죠."

"사실 나중에 라라 네가 이혼하면 거기서 같이 살려고 했지. 그 전엔 안 들어가."

말도 안 되는 말을 진지하게 하는 헬머 아저씨의 모습에 나는 웃음을 터트렸다.

"아저씨, 농담도 참."

"진담인데."

"네, 네."

"진담이라니까?"

아무래도 매일같이 〈안티 이혼 프로젝트〉를 부르짖는 테르니와 종종 어울리다 보니 헬머 아저씨도 물든 듯했다.

말세였다.

'역시 친구는 가려 사귀어야……'

모든 일의 원흉인 테르니를 떠올리니 절로 진저리가 쳐졌다.

그때 아저씨가 내게 물었다.

"크흠. 황태자 전하께서 잘해 주시더냐? 괴롭히진 않고? 힘들면 언제든 말하거라. 네가 돌아올 곳은 언제든 준비되어 있으니."

"잘해 주세요. 괴롭히지도 않고요. 힘든 것도 없어요. 다 좋아요, 다."

다 좋지만, 단점이 딱 하나 있다면.

'밤마다 안 재우는 것 정도일까……'

그 탓에 게으른 황태자비로 보일까 봐 얼마나 걱정인지 모른다.

부끄러운 생각에 갑자기 얼굴이 화끈거렸다.

그러거나 말거나 헬머 아저씨는 이상한 데 꽂혀서 비련의 여주인공처럼 중얼거리기 시작했다.

"그래……. 다 좋다고……? 이 아저씨 같은 건 까맣게 잊어버리고……?"

"헬머 아저씨까지 왜 그래요. 테르니 오라버니랑 그만 노는 게 좋겠어요."

바보력이 옮겠어.

그러자 헬머 아저씨가 정말로 이해가 되지 않는다는 듯 항변했다.

"왜. 그 인간이 말은 좀 많아도 사람은 괜찮다."

"……."

이미 테르니의 영향력이 아저씨를 물들인 후였다. 도무지 손쓸 엄두가 나지 않았다.

헬머 아저씨에게 음주를 줄이라고 한바탕 잔소리를 퍼붓고 난 후 밖으로 나섰을 땐 사십 분 정도가 흐른 후였다.

당연하겠지만 아직 약속 시간이 되지 않아 에센은 없었다.

'잠깐 산책이나 할까?'

공방 일로 나올 때는 눈에 띄지 않기 위해 평민 복장을 하니 괜찮을 것 같았다.

시녀가 되기 전에는 매일같이 돌아다녔던 익숙한 길이기도 하고.

헬머 아저씨의 낡은 저택은 평민 거주 구역인 랜트리 거리에 있었는데, 지금처럼 낮에는 대부분 일터에서 일하고 있기 때문에 인적이 드물었다.

"이 골목 지나면 빵집 있었는데, 아직도 있으려나?"

이왕 나온 김에 옛날에 자주 가던 빵집에 들러 쿠키나 사 갈 생각으로 골목에 발을 들였을 때였다.

어둑한 골목 안쪽으로 두 명의 인영이 보였다.

'어째…… 분위기가 심상치 않은데.'

골목 벽에 기대어 낄낄대는 남자들은 질이 그렇게 좋아 보이지는 않았다.

뭔가 낌새가 좋지 않아 돌아서 갈 생각으로 뒷걸음질을 칠 때였다.

퉤.

순식간에 내 앞으로 성큼성큼 다가온 남자가 침을 뱉으며 나를 내려다보았다.

"뭐야. 왜 도망쳐?"

"네?"

당황하며 되묻자 껄렁껄렁하게 다가온 다른 남자가 살벌하게 웃으며 물었다.

"뒷걸음질 쳤잖아. 야, 내가 더럽냐?"

그냥 보내 줄 생각은 없는지 두 남자는 눈을 희번덕거리며 킬킬킬 웃었다.

랜트리 거리에 이런 시정잡배들이 있을 줄이야.

지나가는 사람이 있으면 도움을 구할 생각으로 뒤를 바라보았지만, 아무도 없었다.

소리를 지르면 집에 있는 사람이 한 명 정도는 나올 테지만, 눈앞의 이 남자들이 그사이에 나를 가만둘까?

"눈 땡그랗게 뜨니까 좀 귀엽네?"

"시키는 대로 하면 무시한 건 용서해 줄게, 이쁜아."

낄낄낄.

나는 불쾌한 웃음을 흘리는 두 사내를 노려보듯 올려다보았다.

그 순간, 마리에가 내게 해 주었던 말이 떠올랐다.

"아티. 기억해. 혹시라도 너한테 집적거리는 영식이 있다면—."

하나, 둘……

"차 버려. 정중앙을!"

퍽!

"크억!"

급소를 공격당한 남자가 몸을 웅크리며 내게 손을 뻗었다. 나는 서둘러 뒤돌아 달렸다.

"야, 저 여자 자, 잡아……!"

"아, 알았어!"

내게 공격당하지 않은 다른 남자가 쫓아오는 소리가 들렸다.

'역시 두 사람은 무리였나!'

얼마 도망치지도 않았을 때였다. 대로변의 골목에서 한 남자가 걸어 나왔다.

나는 앞뒤 가리지 않고 절박하게 부탁했다.

"도와주세요, 신사님!"

그런데 들려온 답은 예상과는 달랐다.

"……라라?"

머리 위에서 들리는 익숙한 음성에 멍하니 고개를 드니 마찬가지로 익숙한 얼굴이 보였다.

"미카엘 님?!"

너무나도 반가운 얼굴이 그곳에 있었다.

수도에서 온 서신의 발신인은 황제였다.

3대가 중앙 정계에 진출할 수 없다는 벌을 받았으나, 그 토록 총애했던 미카엘을 안쓰럽게 여긴 황제가 다시 그를 수도로 불러들인 것이다.

그런 황제의 배려와 관심은 감사하지만, 미카엘은 수도 로 돌아올 생각이 없었다.

그럴 염치도 자격도 없다고 생각했으니까.

'나는 행복하면 안 돼.'

누군가를 죽음으로 몰고 갔던 자의 자식이었다. 그러니 평생 속죄하면서 사는 것이 도리였다.

결심은 확고했지만 무려 황제의 친서에 거절의 답을 할 수는 없지 않은가.

그렇게 미카엘의 수도행이 결정되었다.

그러나 순탄치만은 않았다.

"나도 데려가. 안 그러면 굶어 죽을 거야!"

"가브리엘."

"데려가! 나만 이 시골구석에 처박아 두고 오라버니만 수 도에 가겠다고? 그 꼴을 어떻게 봐? 나도 데려가란 말이야!"

자기를 데려가지 않으면 굶어 죽겠다고 소란을 피우는 가브리엘을 데려올 수밖에 없었다.

괜히 두고 갔다가 사고라도 치면 통제할 사람이 없을 테니 그게 더 큰 일이지 않은가.

수도의 네벨 저택을 모두 정리하고 내려갔기에 거처가 없던 미카엘은 여관에 짐을 풀었다.

"고급 여관도 있는데, 왜 이렇게 후진 곳으로 온 거야?"

그렇게 낡은 여관이 아닌데도, 왜 고급 여관으로 가지 않았냐고 짜증 내는 가브리엘을 두고 미카엘은 밖으로 나왔다.

수도에 온 김에 처리할 일이 있었다.

2년 전 네벨 가문의 재산을 처분하며 서류상 문제가 있다고 보좌관에게 전해 들었던 장소를 향해 발걸음을 옮길 때였다.

"……!"

막 골목을 빠져나온 미카엘 앞에 어떤 여자가 다급하게 달려오더니 멈춰 섰다.

"도와주세요, 신사님!"

너무나도 그리웠던, 누군가의 맑은 음성에 순간 시간이 느리게 흐르는 듯한 착각이 들었다.

"……라라?"

라라가 이런 곳에 있을 리가 없는데. 황성에 있어야 할 텐데.

그런데 눈앞의 레이디는 분명 라라였다.

'환상인가?'

애타게도 바랐던 나머지 스스로 그려 낸 환각일지도.

그런 멍청한 생각을 하는 와중에도 몸이 먼저 움직였다.

미카엘은 곧바로 그녀를 쫓던 사내를 제압하고, 주변 골목에 숨어 있던 다른 남자도 함께 붙잡아 근처 치안대에 넘겼다.

"정말 감사드려요, 미카엘 님. 미카엘 님이 아니었다면 큰일 났을지도 몰라요."

"아닙니다."

미카엘은 오히려 감사의 인사를 듣는 이 상황이 민망했다. 정말 감사를 받을 처지가 아니었다.

'애초에 나설 필요가 없었으니까.'

당사자인 아티는 눈치 못 채고 있겠지만, 이미 그녀의 주변에는 비밀 호위 기사들이 쫙 깔려 매복 중이었다.

모습을 드러내면 정체를 들키게 될 테니 즉각적으로 나서지 못했을 터.

예상컨대 저들은 돌아가게 된다면 곧바로 아드리안 황태자에게 깨지고 말 것이다. 예견된 미래에 호위들이 안타깝게 느껴졌다.

반가운 얼굴을 숨기지도 않은 채 아티가 활짝 웃으며 물었다.

"이런 곳에서 미카엘 님을 뵐 줄은 몰랐어요."

"저도 그렇습니다."

황태자비가 평민 거주 구역에 있을 줄이야.

그러나 미카엘은 자세한 사정을 묻지는 않았다. 주제넘은 질문이 될 테니까.

그랬는데, 아티는 아무런 거리낌 없이 자신이 이곳까지 오게 된 이유를 말해 주었다.

"사실 이 근처에 헬머 아저씨 집이 있거든요. 헬머 아저씨, 아시죠?"

"네. 장인 위르겐 말씀하시는 거죠?"

"네. 아저씨를 만난 뒤 잠깐 주변을 둘러보려다가 그만."

"그래도 혼자 돌아다니는 건 위험합니다."

"원래 여기서 살기도 해서 괜찮을 줄 알았어요. 앞으로는 조심해야겠어요."

"네. 부디 그러셔야 합니다."

아티를 위르겐 헬머의 저택까지 데려다주는 길.

마치 예전으로 돌아간 것처럼 두 사람은 도란도란 이야기를 나누었다.

황성의 숲에서 비밀 이야기를 하던 그 시절처럼.

"아, 그런데 미카엘 님. 수도로 돌아오신 거예요?"

"아니요. 용건이 있어서 잠깐 온 겁니다. 내일 바로 돌아갑니다."

"그렇군요……."

아쉽다는 듯 말꼬리를 흐리는 아티의 반응에, 미카엘은 내심 기뻤다.

그러면 안 되는데, 이 상황이 그저 좋았다.

'하지만 여기까지만.'

스스로의 마음에 제동을 걸며 미카엘은 그림 같은 미소를 지었다.

어느덧 장인 위르겐의 저택이 보였다. 그리고 그곳에서 기다리고 있는 에센과 눈이 마주쳤다.

그는 곧바로 달려오려다가 미카엘을 발견하고는 인상을

찌푸린 채 그 자리에 서 있었다.

미카엘은 한 발짝 물러나며 인사했다.

"그럼 저는 이만 가 보겠습니다. 조심히 돌아가십시오, 황태자비 전하."

"좀 더 오랫동안 이야기할 수 있으면 좋을 텐데, 금방 돌아가셔야 해서 아쉬워요."

"……네, 그렇네요."

"미카엘 님도 조심히 돌아가세요. 그리고, 먼 곳에서도 언제나 행복하길 바랄게요."

아티의 그 말에, 미카엘의 표정이 굳고 말았다. 도무지 표정 관리를 할 수 없었던 것이다.

어떻게 행복을 빌어 줄 수 있단 말인가. 적의 자식에게…….

아무 의미 없는 말일 거라고 생각하면서도 미카엘은 미련하게 묻고 말았다.

"제가…… 행복해도 될까요?"

미카엘의 질문에 아티가 이해가 되지 않는다는 듯 고개를 기울이더니.

"네? 당연하죠!"

햇살처럼 웃었다.

역시 그녀는 그의 구원이었다.

✦ ♛ ✦

여관으로 돌아온 미카엘은 잔뜩 심통이 난 가브리엘을

상대해야 했다.

예상대로 그녀는 함께 온 사용인들을 들들 볶고 있었다.

"이게 뭐야. 수도까지 올라왔는데 왜 여관에 처박혀 있어야 해?!"

"애초에 그럴 거라고 말했잖아."

"오라버니! 그래도 의상실에도 못 가게 하는 건—."

"정숙하거라, 가브리엘. 우리의 처지를 잊지 마."

"처지, 그놈의 처지! 도대체 내가 뭘 잘못했는데? 잘못한 건 아버지잖아!"

자신이 저질렀던 일들은 새까맣게 잊고서, 가브리엘은 모든 탓을 아버지에게 돌리고 있었다.

가브리엘은 포기하지 않고 미카엘의 팔을 붙들고는 불만을 늘어놓기 시작했다.

"가브리엘, 제발 잠자코 있을 수 없겠어?"

"2년이면 오래 참았잖아!"

"……."

"난 수도에 있을래. 그 지긋지긋한 영지에 돌아가기 싫단 말이야. 응? 오라버니."

그런 큰 일을 겪었는데 가브리엘은 그대로였다.

결코 변하지 않을 거라는 건 알았지만, 그녀의 오빠로서 미카엘의 심정은 참담했다.

끝까지 가브리엘을 책임지겠다고 생각했던 미카엘이었지만, 그 결심을 철회할 수밖에 없었다.

미카엘은 오랫동안 했던 고민의 종지부를 찍었다.

아펜니노의 황성.

알현실에 들어선 미카엘은 황좌에 앉은 황제와 독대할 수 있었다.

"아펜니노의 태양께 축복과 광명을."

"어서 오거라, 미카엘. 먼 길 오느라 수고했다."

"폐하의 은덕에 무탈히 도착하였습니다. 그간 강녕하셨습니까?"

"그래. 귀여운 며늘아기 덕분에 시간이 어찌나 빨리 가던지."

아티를 떠올리며 황제가 주책없게 웃자 곁에 서 있던 앨버트가 헛기침으로 주의를 주었다.

그 신호에 체통을 되찾은 황제가 근엄하게 물었다.

"그래서, 네 답이 무어냐?"

"송구하오나 폐하께서 원하시는 답을 드릴 수 없습니다."

"정녕 돌아오지 않겠다는 말이냐?"

"예. 제게는 과분한 자리입니다."

"허허. 이토록 완고하니, 거듭 권하는 것도 짐의 체면이 상하는 일이고……."

웃고 있지만 황제는 입맛이 썼다.

그러나 미카엘의 결심이 완고해 보여 설득의 여지가 없었다.

"정 네 뜻이 그렇다면 강요하지 않겠다."

"하해와 같은 폐하의 성은에 감사드립니다."

"성은은 무슨."

여전히 아까운 마음에 미련 가득한 눈으로 미카엘을 바라보고 있을 때였다.

미카엘이 조심스레 입을 뗐다.

"외람되오나 폐하. 폐하께 한 가지 부탁을 드리고자 합니다."

"부탁?"

호오. 황제는 턱을 쓸었다.

그가 아는 미카엘은 사사로운 부탁을 하는 성격이 아니었기 때문이었다.

"말해 보거라."

"제 누이에 대한 일입니다."

"흠?"

"누이를 수도원에 보내고자 합니다."

황제는 내심 놀라고 말았다. 미카엘이 그런 부탁을 할 줄은 전혀 상상도 못 했기에.

황후는 아니었지만 황제는 가브리엘의 성격을 대충 알고 있었다.

규칙을 지키며 신앙생활만 해야 하는 수도원 생활을 가브리엘이 견딜 수 있을 리가 없었다.

'오호라. 그래서 내게 부탁한 것이로군.'

오라비인 자신이 수도원에 보낸다면 어떤 패악질을 부려

서라도 나오고 말 테지만 황명이라면 이야기가 다르다.

줄곧 누이에게만은 무르게 대하던 미카엘이 무슨 계기로 이런 결심을 하게 되었는가.

"괜찮겠느냐?"

"예."

한 치의 망설임도 없이 미카엘이 답했다. 황제를 올려다보는 그의 눈빛은 굳건했다.

오랫동안 고민한 끝에 내린 결론이었다.

그 결심을 읽은 황제는 흔쾌히 고개를 끄덕였다.

"그래. 내 너의 부탁을 들어주마."

"감사합니다, 폐하."

황제에게 인사를 한 후 미카엘이 알현실을 떠났다.

황제는 그 뒷모습을 바라보며 한숨을 푹 내쉬었다.

"아깝군. 정말 아까워."

탐욕스럽던 네벨 후작의 자식이라기에는 너무 유능했다. 아래에 둔다면 필시 큰 인물이 될 터인데.

제국의 훌륭한 인재를 눈앞에서 놓친 황제가 쓰게 입맛을 다셨다.

그리고 그날, 미카엘은 곧바로 영지로 돌아갔다.

✦ ♛ ✦

여느 때와 다름없는 어느 평범한 날이었다. 내 앞으로 편지 한 통이 도착했다.

[친애하는 황태자비 전하께.]

정갈한 글씨를 눈에 담은 나는 환하게 웃었다.

"잘 지내고 계시나 보네."

나는 망설임 없이 펜을 들고 답장을 적어 나갔다.

[……저도 잘 지내고 있답니다.]

그러니 내게 죄책감을 느끼지 않길.

[미카엘 님도 행복하신 것 같아 다행이에요.]

그리고, 부디 행복하길.

외전 7. 에셴의 하루

외전 7. 에센의 하루

에센의 하루는 이른 새벽부터 시작되었다.

기사가 되기 위해 아주 어린 시절부터 하루도 빠짐없이 수련했던 버릇이 남아 있었기 때문이었다.

아펜니노 최강의 기사가 되고 싶었던 어린 날에야 포기하고 싶은 마음을 억누르며 투덜거리면서도 새벽에 일어나 훈련을 마쳤지만, 어느 정도 경지를 이루고 나서는 하나마나 한 훈련이었다.

이미 황태자 아드리안을 제외하고는 제대로 된 적수가 없다고 평가받는 지금.

그런데도 에센은 이른 새벽 몸을 일으켜 연무장으로 나갔다.

이유는 여러 가지였다.

항상 해 오던 거라 빼먹으면 찜찜했고, 아침 훈련으로 몸을 풀어 줘야 하루가 편했으며, 마지막으로는……

"저길 봐! 황태자 부부셔!"

"아침부터 산책이라도 나오신 걸까?"

멀리서 들려오는 시녀들의 웅성거림에 일순 에센의 검 끝이 흔들렸다.

"오늘도 사이좋으시다."

"정말 황태자 전하께서 지극정성이지 않니? 비전하는 복도 많으시지."

"맞아, 맞아. 저렇게 완벽한 분이 쥐면 터질까 불면 날아갈까 아끼고 사랑해 주시다니."

"근데 따지고 보면 황태자 전하께서 더 복이 많으시지. 우리 비전하는 진짜 천사시니깐."

"후후, 황실의 보배시지!"

집중력이 단번에 흐트러졌다. 휘두르던 검을 거두고 에센이 이마를 짚었다.

왜 쓸데없이 귀가 밝아서 이 사달이 나는 걸까?

"……후우."

에센도 알고 있었다. 자신의 뛰어난 청력은 전혀 문제가 없다는 걸.

검을 거두고 시녀들이 웅성거리는 쪽으로 발걸음을 돌렸다.

대놓고 자랑이라도 할 셈인지 별로 멀지 않은 곳에서 두 사람의 모습이 시야에 들어왔다.

아드리안과 아티엔느.

두 사람은 다정하게 산책을 하고 있었다. 아티엔느의 보폭에 맞추어서 아드리안이 천천히 걷고 있는 꼴을 보고 있으려니 우스웠다.

아드리안은 사랑을 배우고 난 다음부터 완전히 자아가 소멸한 것처럼 살고 있었다.

온 세상이 아티를 중심으로 돌아가는 것처럼 구는데 어찌나 얼간이 같은지, 옆에서 지켜보는 것이 역겨워서 힘들었다.

웃기는 건, 또 그렇다고 인간이 변했느냐?

그건 아니었다.

오로지 아티와 관련된 일만 완전히 다른 인간이 된 것처럼 굴고 있을 뿐, 나머지는 여전히 에센이 23년 동안 봐 온 아드리안의 모습 그대로였다.

아티 앞의 온순한 아드리안만 보고 아드리안을 얕잡아 보았다가 아티 모르게 뒤에서 박살 난 인간이 한둘이 아니었다.

참으로 테르니와 쌍으로 꼴 보기 싫은 모습이 아닐 수 없었다.

"재수 없는 놈."

누가 폭군의 씨앗 아니랄까 봐.

아펜니노의 미래가 어두웠다.

에센은 지난날 자신이 당했던 부당한 대우를 떠올리며 잠시 열 받았다.

그러는 와중에도 아티와 아드리안은 다정하게 정원을 산책하고 있었다.

그러다 아드리안이 멈춰 서더니 꽃 한 송이를 직접 꺾어 아티에게 주었다.

　꼴값이었다.

　꽃을 받고 웃는 아티는 멀리서 봐도 예뻤다. 그 탓일까? 미쳐 버린 건지 아드리안이 또 뭔가를 하려고 했다.

　아티가 화들짝 놀라서 아드리안을 말리는 게 보였다. 딱히 둘의 대화 내용을 듣지 않아도 에센은 알 수 있었다.

　아드리안이 또 어떤 새롭고 신박한 미친 짓을 벌이려는 게 틀림없었다.

　"진짜 어쩌다가 저런 불쌍한 중생을 구제하며 살게 된 거지?"

　아티가 불쌍해졌다.

　덩달아 저 꼴을 지켜보고 있는 자신도 불쌍해졌다.

　별다를 것 없는 하루하루가 마치 자신들을 위해 준비된 것처럼 온갖 유난을 떨어 대는 더러운 커플 놈들.

　"푸흐, 황태자 전하 또 혼나시는 것 좀 봐!"

　그나마 아티 때문에 완전히 맛이 가 버린 아드리안을 구경하는 건 재미있었으나…….

　아니, 사실 재미없었다.

　"쯧. 오늘 훈련은 글렀다."

　저 꼬락서니를 보고 있자니 입맛이 썼다.

　괜스레 심경이 복잡해지는 게 그냥 들어가서 잠이나 더 자는 게 나을 성싶었다.

"헉, 저기 에센 님이다!"

"우와."

"빛밖에 안 보이는데 에센 님이 어디에 있다는 거죠?"

어렸을 때부터 에센은 항상 사람들의 주목을 받고 자랐다.

"오늘도 아름다우십니다, 에센 님."

"과연 아펜니노 제일의 미모."

경건한 미모 찬양은 기본이요.

"에센 님, 여길 봐 주세요!"

"아, 꺼져."

"저한테도 욕해 주세요!"

비틀린 애정 표현은 덤이라.

사람들의 관심은 익숙했으나 귀찮았다. 모조리 무시하고 쳐 냈으나. 오히려 그런 무심한 태도가 사람들을 더 안달 하게 했다.

"지긋지긋한 인간들."

에센은 자신의 껍데기만 보고 다가오는 인간들을 혐오했다.

안 그래도 이 외모 때문에 인생에서 가장 수치스러운 '황 태자의 약혼녀'라는 흑역사를 강제로 갱신당했던지라 그 혐오는 날이 갈수록 강해지기만 했다.

결국 모든 게 다 이 외모 때문에 벌어진 일 같았다.

자신이 이렇게 곱상하게 생기지만 않았다면 여장도 하지

않았을 테고, 그럼 아티도 아드리안과 엮일 일이 없었을 텐데…….

만약을 가정하는 일만큼 부질없는 일은 없었으나, 사고가 그런 쪽으로 흐르는 걸 막을 수 없었다.

거울만 보면 그런 생각이 들었으니까.

"왜 하필 아티와 비슷해서."

눈동자 색, 하다못해 머리 색이라도 달랐으면…….

"하, 뭐라는 거냐."

됐다. 일이나 하자.

그래도 애써 긍정적으로 생각하자면 그 덕에 아티의 수호 기사 자리를 사수할 수 있어서 그건 좋았다.

애초에 기사가 되고 싶었던 것도 결국 누군가를 지켜 주는 존재가 되고 싶기 때문이었으니까.

뭐, 그다지 자신과는 안 어울리지만.

"에센 님!"

수호 기사 정복을 입고 출근하자 마침 산책을 끝낸 건지 막 릴리 궁으로 돌아온 아티가 에센을 반겼다.

"안녕, 아티."

"네! 안녕하세요, 에센 님."

아티가 환한 미소로 에센을 맞이해 주었다. 절로 마음이 따뜻해지는 미소였다.

"아드리안은?"

"아드리안은 정무를 보러 갔어요."

"그래?"

아티가 한숨을 내쉬었다.

"들어 보세요, 에센 님. 아까 산책하다가 꽃이 너무 예쁘다고, 아드리안 눈동자를 닮은 붉은 꽃이 한가득 피어서 좋다고 하니까 아드리안이 글쎄, 화원에 있는 모든 꽃을 붉은 꽃으로 바꾸려고 하는 거 있죠? 말리느라 혼났어요."

"……어, 그랬구나."

"불과 한 달 전에 릴리 궁 후원에 있는 모든 꽃을 푸른 꽃으로 바꿨잖아요! 제 눈동자를 닮은 꽃이라면서! 에센 님도 기억나시죠?"

"어, 기억나지."

"이번엔 아예 반은 푸른 꽃, 반은 붉은 꽃 하자고 하는데 대체 그 식물들은 무슨 죄……."

대충 대답해 주면서 에센은 인상을 찌푸리는 아티의 옆얼굴을 응시했다.

아티는 계속 아드리안의 팔불출 등신짓을 하소연했다.

에센은 아드리안이 등신이라는 게 별로 놀랍지 않아서 한 귀로 듣고 한 귀로 흘렸다.

그저 아드리안의 등신짓을 진심으로 받아 주고 진심으로 걱정하는 아티의 하늘과도 같은 넓은 마음이 놀라웠을 뿐.

"아무튼 아드리안은……."

벌써 아드리안과 아티가 결혼한 지도 몇 년이 되었다.

모든 게 놀라울 만치 제자리를 찾아가고 익숙해져 가는데 괜찮을 줄 알았던 에센은 전혀 괜찮지 않았다.

에센은 아티를 바라보았다. 아드리안에 대해 이야기를 하는 아티를. 곤란해하면서도 좋아서 어쩔 줄 모르는 아티를.

심장이 욱신거렸다.

그러는 사이, 이야기를 마친 아티가 후련한 미소를 지었다.

"아, 정말. 하소연 들어 주셔서 감사해요, 에센 님 아니었으면 어디다가 이런 이야기를 할 수 있었을지 모르겠어요."

"뭘, 들어 주기만 하는데."

"역시 에센 님은 천사인 게 분명해요!"

아니라고 하고 싶었지만, 아티만의 천사로 산 지 너무 오래되어서 에센은 그냥 웃고 말았다.

처음 아티가 자신을 천사라고 불렀을 땐, 대체 무슨 오해를 해야 저런 콩깍지가 쓰이나 했는데 지금은 언제까지고 아티의 천사로 남아 있고 싶은 마음이었다.

인간의 마음이란 참 간사하지.

"비전하, 오늘 업무는……."

자신에게 하소연을 마치고 한결 편안한 기색으로 아티가 자신의 소임을 시작하는 걸 보며 에센은 묘한 기분을 느꼈다.

"아, 그럼 이에 대해서는……."

일하는 아티를 지켜보다 에센이 조용히 밖으로 나왔다.

✦ ♕ ✦

인간의 마음이라는 건 왜 이렇게 귀찮은 걸까.

누구보다 가장 가까운 곳에서 좋아하는 사람의 행복한 모습을 지켜볼 수 있기만 하면 충분히 만족할 수 있을 줄 알았는데 아니었다.

　괜찮을 줄 알았는데, 가끔은 괜찮지 않았다.

　때때로 아티를 행복하게 해 줄 수 있는 게 자신이 아니라는 걸 자각하는 순간마다 괴로워졌다.

　피식, 에센이 자조했다.

　"헛된 꿈을 꾸고 있구나."

　공허하게 하늘을 올려다보다가 에센이 시선을 내렸다.

　그래도 옆에 있는 저 자식보단 자신이 나았다.

　"용서 못 해, 아드리안. 오빠의 위엄을 보여 줄 테다. 흑흑. 내 동생. 훌쩍. 이 오빠가 얼마나 보고 싶을까. 우리 아티는 내 건데! 불쌍한 내 동생! 기다려! 이 오빠가 구해 줄게!"

　아티의 결혼과 동시에 맛이 간 테르니는 우리 아티는 내 거라는 둥, 오빠로서 절대 이 상황을 용납하지 못하겠다는 둥, 용서 못 한다는 둥, 아드리안에게 들키면 진짜 제대로 얻어맞을 짓을 계획하고 있었다.

　이름하여, 이혼 프로젝트.

　"진짜 대단한 놈이야, 저건."

　아티와 아드리안을 이혼시켜서 아티를 오비에도의 품으로 되돌리겠다는 테르니의 야심 찬 계획이었다.

　"에센! 내 동료가 되어라!"

　"꺼져."

　"아, 왜! 너도 둘이 이혼하길 진심으로 바라고 있잖아!"

　"그렇다고 너처럼 쪼잔하게 뒤에서 계략을 펼치고 싶진 않다."

"뭐?! 쪼잔하다니, 어떻게 그렇게 심한 말을! 정정당당하게 계략을 펼치는 거거든?!"

"그게 문제가 아닐 텐데."

아드리안 귀에 들어가는 날이면 비 오는 날 먼지가 털리도록 맞을 텐데, 어떻게 저렇게 당당할 수 있을까. 한편으로는 신기했다.

또 한편으로는 저렇게 허황된 꿈을 진심으로 꿀 수 있다는 게 부럽기도 했고.

"허황되다니! 이 프로젝트에는 거대한 희망이 있어!"

"무슨 희망?"

"무슨 희망이냐면 말이지!"

테르니가 당당하게 말했다.

"아티는 아드리안보다 나를 더 사랑해!"

"……."

에센은 할 말을 잃었다.

그건 네 희망 사항이겠지.

"아무튼 아티는 나를 사랑해!"

테르니가 당당하게 주장했다.

"어릴 때부터 오빠오빠 하면서 졸래졸래 쫓아다녔다구! 지금은 간악한 아드리안이 우리 사이를 방해하고 있지만 아티도 곧 진정한 우애에 눈을 떠서 아드리안을 버리고 돌아올 거야! 난 믿어!"

에센은 여러 가지를 지적하고 싶었다.

첫째, 둘은 어릴 때 같이 지낸 적이 없다. 고로, 오빠오빠 하며 졸래졸래 쫓아다닌 일 따위 없었다.

둘, 아드리안과 아티를 방해하는 건 테르니였다.

셋, 설령 천지가 개벽해서 아티가 아드리안을 버린다고 해도 '진정한 우애' 같은 거에 눈을 떠서 테르니에게로 돌아갈 일은 없었다.

"아무튼 그러하니 에센! 너도 나와 함께해라!"

"됐어, 꺼져."

테르니가 지껄이는 한심한 소리를 들어 주다가 에센이 무시했다.

"어째서! 왜! 날 배신하는 거냐!"

테르니가 더욱더 심하게 징징거렸지만 신경 쓰지 않았다.

'이 자식은 어째 날이 가면 갈수록 귀찮아지네.'

그나마 같이 테르니의 징징을 담당(?)해 주던 디아노가 마리에 공주와 꽁냥대기 시작한 게 원인인 듯했다.

그 이후 더더욱 에센에게 달라붙게 되었으니까.

'더럽고 치사해서 애인이라도 만들어야 하나?'

될 리가 없는 희망 사항을 떠올리다가 에센이 자조했다.

"아, 꺼져."

"에센~~~!"

달라붙는 테르니를 걷어차고 에센이 다시 제자리로 복귀했다.

아티는 곧 있을 건국제 기념 만찬의 초대장을 작성 중이었다.

"귀찮은 거 하고 있네."

제국의 수많은 봉신 가문 중 파티에 참여할 수 있는 가문의 수는 늘 한정적인 법.

일부 권세가들이야 늘 초대의 대상이지만, 불만이 나오지 않게 지역 명사를 선정하고 발송하는 일은 결코 만만치 않았다.

"아, 에센 님. 오셨어요."

"수호 기사가 자리에 없는데 너무 반겨 주는 거 아냐?"

"하지만 에센 님이 다른 이유로 자리를 비우시진 않았을 테니 기다렸어요. 황궁이라 위험하지도 않고."

"그건 그렇긴 한데."

잠깐 자리를 비웠다고 해도 어디 다녀왔냐 정도는 물어봐야 하는데 아티는 그저 '믿는다' 정도로 넘어갔다.

"진짜 무슨 일이 있었으면 에센 님이 제 옆을 24시간 밀착 호위하고 계셨을 테니까, 이렇게 자유롭게 계시는 편이 오히려 평화롭고 좋아요."

그 견고한 믿음이 때론 너무 무거워서, 에센은 그대로 깊은 심해로 침잠해 떨어지는 기분이 되고는 했다.

바로 지금처럼.

"……그래."

아티가 웃었다.

에센은 그 미소가 좋았지만, 함께 웃어 줄 수는 없었다.

그런 에센의 굳은 표정에 아티가 고개를 갸웃했지만, 하루 이틀 일이 아니었으므로 그러려니 하고 넘어갔다.

이젠 아티도 에센이 항상 웃는 사람이 아니라는 것 정도는 알고 있었다.

"아, 그러고 보니."

아티가 초대장 하나를 들었다.

황실부에서 발송하는 게 아니라, 황가에서 직접 초대 문구를 작성해 보내는 초대장 중 하나.

거기에 찍힌 아르벨로아 가문 문양에 흥미를 보였다.

"이번에는 아르벨로아 가문에도 초대장을 보내더라고요."

"흠. 그래?"

"네. 이번에는 참석하실 모양인가 봐요. 한동안 지병이 심해서 국혼도 못 올 정도였는데 최근 차도가 있어서 제법 건강해지셨대요. 에센 님 부친이시죠?"

본 지 너무 오래돼서 얼굴도 까먹은 아버지의 얼굴을 떠올려 보다가 에센이 고개를 끄덕였다.

"웬일이래, 영감."

다신 수도에 안 올라올 것처럼 내려가던 모습을 기억했기에 에센은 또 무슨 바람이 불었나 싶어 의아했다.

"아르벨로아는 어떤 가문이에요?"

아티가 호기심 가득한 시선으로 에센에게 물었다.

"어떤 가문이냐고?"

"네."

대대로 권세 높은 오비에도.

비록 지금은 권세가 꺾였지만 한때는 나는 새도 떨어뜨렸다는 네벨.

아르벨로아는 그 둘과 유일하게 견줄 수 있는 권세였다.

"남부에 커다란 곡창지대를 가진 유서 깊은 백작가. 원래는 영감이 재무 대신으로 일했었는데, 갑자기 노망이라도 났는지 어느 날 자리 다 반납하고 영지로 내려가서 칩거하기 시작하더라고."

"갑자기요? 왜요?"

"이유야 아무도 모르지."

에센은 그날을 회상해 보았다.

영지로 내려가겠다고 선언한 가주는 그날로 미련 없이 짐을 쌌다. 원래는 수도 저택까지 모조리 정리하려 했으나 그러지 않았다.

"영지로 내려가 봤자 할 것도 없고, 기사가 되고 싶었던지라, 나는 남겠다고 했더니, 영감이 '그럼 넌 남아라.' 하더라고."

그게 아르벨로아가 수도에 남긴 유일한 흔적이었다.

진행하던 모든 사업도 접고 홀연히 아르벨로아 영지로 내려가 칩거한 아르벨로아 가주.

다른 가문의 가주가 그러했다면 정치적인 소외로 크고 작은 문제라도 생겼을 텐데, 제국 남부는 전부 아르벨로아의 것이라 문제조차 없었다.

오히려 황제가 나서서 간혹 아르벨로아 가주의 안부를 챙겼을 뿐.

"신기하네요. 그럼 이번에 오랜만에 수도로 올라오시는 건가요?"

"그러게. 한 18년? 19년 만인가?"

"그 정도로 오래되었나요?"

에센이 생각했다.

"크라우차 반역 사건 이후로 처음이나 마찬가지니까."

"그래요?"

그러고 보니, 아티 친가인 엘라디스토가 멸문한 때가 그 때였나?

묘하게 시기가 맞물린다고 생각하며 에센이 고개를 갸웃했다.

뭐, 우연이겠지.

에센은 초대장을 열심히 작성하는 아티의 옆얼굴을 보았다.

간혹 이렇게 보면 묘하게 에센 자신을 닮았다고 하는 사람들의 말이 이해가 갈 것 같기도 했다.

"기대되네요. 처음 뵙는 건데, 벌써부터 떨려요!"

다 쓴 초대장을 밀봉하며 아티가 웃었다. 에센도 아티를 보며 픽 웃었다.

뭐, 별일 있으려고.

✦ ♛ ✦

건국제 기념 만찬 당일.

많은 귀족이 만찬장에 입장했다. 아티는 황태자비로서 가장 먼저 만찬장으로 나와 사람들과 담소를 나누고 있었다.

원래 황태자인 아드리안도 이런 사교 활동을 해야만 하지만, 현 황실에서 이런 살뜰한 배려를 하는 건 아티엔느

밖에 없었다.

그리고 이것이 현 황태자비의 인기가 하늘을 찌르는 이유였다.

"역시 황태자비 전하……!"

모두 감격하면서도 아티엔느 옆에 박혀 두 눈을 부라리는 황태자의 모습에 가볍게 인사만 하고 들어갈 수밖에 없었다.

그러던 어느 순간.

웅성웅성.

입구에서 순서를 지키며 서 있던 귀족들이 웅성거렸다. 아티가 고개를 갸웃했다.

아드리안은 관심이 없는 듯했지만, 저놈은 아티 외엔 늘 관심이 없는 인간이었으니 에센이 움직였다.

"무슨 일인지 알아보고 올게."

"네."

하지만 에센이 알아보기도 전에 웅성거림의 원인이 모습을 드러냈다.

"영감……?"

애쉬 브라운 머리를 올백으로 올리고, 조금 야위었지만 여전히 깐깐한 외양.

십여 년 만에 보는 아버지였거늘, 에센은 놀랄 수밖에 없었다.

그도 그럴 게, 아르벨로아의 가주 맥시밀리안의 시선이 오롯이 한 곳에 꽂혀 있었기 때문이었다.

"……?"

아무 말 없이 아티에게 다가가는 맥시밀리안. 일순 불쾌한 표정으로 아드리안이 막으려 했지만, 뭔가를 느낀 아티가 말렸다.

그리고…….

"다행이다. 정말, 다행이야."

갑자기 아르벨로아의 가주가 오열하기 시작했다.

기념 만찬이 시작하기도 전에 난리가 났다.

에센은 황급히 오열하는 아버지를 데리고 자리를 피했고 아티도 아드리안과 함께 마리에와 교대한 뒤 자리에서 빠져나왔다.

'도대체 뭐가 어떻게 된 건지 모르겠네.'

오랜만에 보는 아버지가 갑자기 울기 시작하다니. 에센은 이런 아버지의 모습을 처음 보았다.

에센의 기억 속에서 아버지는 뭐랄까, 언제나 깐깐하고 재수 없는 영감이었으니까.

"영감, 이제 다 울었어?"

"손수건 좀 내놓아라."

"여기."

언제 울었냐는 듯 눈물을 닦은 맥시밀리안은 늘 에센이 봐 왔던 피도 눈물도 나오지 않을 것 같은 깐깐한 대귀족의 가주로 돌아갔다.

'누가 이 양반이 울었다고 생각하겠어?'

에센도 직접 보지 않았다면 믿지 않았을 거다.

"대체 왜 운 거야?"

"알 거 없다."

"나, 당신 아들이거든?"

그제야 가주의 시선이 에센에게 가닿았다. 깐깐했던 눈빛이 조금 부드러워졌다.

"네가 그래도 그 아이의 수호 기사가 되어 있다니, 이것도 인연은 인연이로구나."

"대체 무슨 소리야?"

그때 방문이 열리고 아티와 아드리안이 들어왔다.

"황태자비 전하."

아티를 보자마자 맥시밀리안이 예를 갖춰 한쪽 무릎을 꿇었다.

"이 늙은이의 추태를 용서해 주시길."

"일어나세요, 저는 괜찮답니다."

가주가 고개를 가로저었다.

"지난 죄를 청합니다."

그로부터 이어진 아르벨로아 가주의 이야기는 꽤나 놀라운 것이었다.

크라우차 공작의 반역 사건이 있고, 엘라디스토 가문이 누명을 썼다는 걸 뒤늦게 알게 되었으나 너무 늦어 손도 쓸 수 없었다며 멸문당하는 걸 지켜볼 수밖에 없었다는 고해 성사.

"그 사건으로 모든 것에 염증을 느껴 다 정리하고 칩거에 들어갔는데, 이렇게 전하께서 버젓이 화마에서 벗어나 살아 계실 줄 알았다면 조금 더 찾아볼 걸 그랬습니다."

그때 기억이 다시 나는 건지 맥시밀리안 백작이 손수건으로 눈물을 훔쳤다.

"그럼 제 부모님을 아시는 건가요?"

"저는 잘 알지 못했지만, 제 부인이 자주 교류했습니다. 사촌 지간이었으니까요."

"네?"

난데없는 소리에 아티와 에센의 눈이 동그래졌다.

"그리고 보니, 둘은 6촌이 되겠군요."

"……!"

고요한 충격이 방 안을 강타했다.

✦ ♛ ✦

"말도 안 돼!"

테르니가 절규했다.

"아티와 가까운 핏줄은 오직 나뿐이어야만 해! 나뿐이어야만 한다고!"

"그래서 둘이 닮은 거였군."

반면 아드리안은 제법 침착하게 이 상황을 받아들였다.

아드리안은 둘이 친척이든 말든 일말의 관심도 없어 보

였다.

"어쩐지, 많이 닮았다 했죠."

디아노조차도 납득했다.

에센은 그냥…… 허탈했다.

"설마 친척이었다니."

아티의 가문인 엘라디스토는 복권도 되고 명예도 되찾았지만, 사라진 기록을 되살리는 일은 제법 요원했었다.

그런데 이번에 아르벨로아 가주가 나타나면서 이 부분이 쉽게 해결되었다.

심지어 아르벨로아 가주는 아티에게 엘라디스토를 돕지 못한 것이 마음의 짐이었다며 언제든 아티를 돕겠다고 선언까지 했다.

"그분께 잘해 주어라."

"영감이 그렇게 당부하지 않아도 잘해 주고 있었거든?"

"네 녀석이? 퍽이나?"

"…….."

영지에 남은 마지막 일을 해결하고 오겠다며 내려가는 길. 가주가 당부했다.

"돌아가신 네 어미의 마지막 한이었다."

"…….."

아르벨로아 두 남자가 영원히 사랑할 단 한 사람. 에센은 자신이 어머니를 닮았다는 사실을 새삼 상기했다.

그래서였군. 우리가 닮은 게.

피가 섞여 있다면, 이 마음을 단념할 수밖에.

"처음부터 이루어질 수 없는 사이였던 건가."

이렇게 되니 오히려 후련했다.

"가주님께선 잘 돌아가셨나요?"

아버지를 배웅하고 돌아오는 길. 에센은 자신을 맞이해 주는 아티를 보며 개운하게 웃었다.

"어. 금방 돌아오겠대."

"무리하지 않으셔도 되는데."

"뭐, 영감 마음이지."

무심하게 말하면서도 에센은 어째서 아버지가 빨리 돌아오고 싶어 하는지 알 것 같았다.

자신은 어머니를 닮았다. 아티는 자신과 비슷하게 생겼다. 그리고 아티가 풍기는 분위기는 어머니를 닮았다.

'좋아할 수밖에 없었던 건가.'

하긴, 그 영감. 늘 딸을 갖고 싶다고 노래를 불렀으니까.

"크흠."

에센이 괜히 헛기침했다. 친척이라는 걸 알고 나니 괜히 기분이 이상했다.

"뭐, 앞으로도 내가 지켜 줄게. 테르니 같은 '가짜' 가족이 아니라 너의 '진짜' 가족으로서."

아티가 놀란 듯 눈을 동그랗게 떴다가 웃었다.

"네, 잘 부탁드려요. 에센 오라버니!"

"……."

에센은 이 순간 왜 그렇게 테르니가 '오라버니' 소리에 집착하는지 이해해 버렸다. 제법, 듣기 좋잖아.

이게 가족의 마음인지 아니면 아직 남아 있는 마음 때문인지 에센은 고뇌에 빠졌다. 그런 에센에게 아티가 조심스럽게 물었다.

"그런 의미에서 저 궁금한 거 있는데."

"뭔데?"

"그때, 좋아하신다던 분은 잘 계시나요?"

아주 오래전의 이야기였다.

일순 멈칫했으나, 에센은 더 이상 그렇게까지 마음이 아프지 않다는 자각에 쓰게 웃었다.

그리고 아티를 지그시 응시하며 대답했다.

"행복해 보여."

"다행이네요."

잔잔하고 다정한 미소.

아마도, 평생 볼 수 있겠지.

비록 서고 싶었던 자리와는 다른 자리였지만, 그래도 에센은 썩 나쁘지 않다고 생각했다.

그렇게 오늘도 에센의 하루는 아티로 시작해서 아티로 끝났다.

외전 8. 버림받은 테르니

외전 8. 버림받은 테르니

테르니는 세상이 즐거웠다.

아주 어릴 때부터 세상은 자신의 놀이터였다. 세상엔 흥미로운 게 넘쳐났고, 테르니는 모든 것을 즐길 준비가 되어 있었다.

"어쩌다 이런 놈이 태어났지?"

그런 테르니를, 직접 낳은 카밀라도 이해할 수 없었다.

당연했다.

테르니의 세상은 보통 사람들이 보는 세상과 완전히 달랐으니까.

"아드리안이 황태자? 와, 아드리안이 나중에 황제 되면 재미있겠다! 다 죽이고 자기 맘대로 하는 거 아냐? 폭군? 하하하. 그럼 나 재상 할래! 시켜 줘!"

"저게 정신 나갔나, 폭군 될 것 같으면 말릴 생각부터 해야지.”

“하지만 재미있을 것 같은걸! 에센도 끼어. 한자리 차지
하자.”

“치워.”

재미있을 것 같으면 목숨을 걸어서라도 즐긴다!

단순하게 한 가지 재미만을 추구하던 테르니의 단조로운
삶에 광명이 깃든 것은 그때였다.

동생이 생겼다.

오비에도 5대 독자, 명문 오비에도가(家)의 외동아들이
던 그에게 생긴 여동생!

에센과는 달랐다. 진짜 동생은 재미있고 귀엽고 또, 알
수 없는 감동까지 선사해 주었다.

“이게 바로 우애……!”

그날부터였을 것이다.

테르니가 우애처돌이가 된 것은.

“흐흑, 아티!”

오늘도 빼앗기고 말았다. 간악한 아드리안, 하나뿐인 내
동생을 빼앗아 가니 그리도 좋더냐?!

이렇게 될 줄 알았으면 진즉 어릴 때부터 마리에 공주 편
에 붙어 황위 계승을 전복할 계획을 세웠을 텐데!

“뭐? 내가 황제? 귀찮을 것 같아서 싫어. 책 읽을 시간도
부족하다고.”

마리에가 단칼에 거절했다.

테르니는 사소한 복수로 디아노에게 약속 장소를 잘못

알려 주었다. 그날 두 사람은 엇갈렸다.

"하. 내가 전생에 무슨 죄를 지었기에……."

에센이 자신의 처지를 비관했다.

디아노가 결혼 이후 황궁에 출퇴근하게 되자, 자연스럽게 에센이 테르니를 전담하게 되었다.

이유는 하나였다.

이 황궁에 에센이 막지 않으면 테르니를 막을 사람이 없었다.

"아티랑 놀고 싶은데! 세상이 나를 방해해!"

"철없는 짓, 그만해. 네 나이가 몇인데 애처럼 징징거리냐?"

"에센도 아티와 놀고 싶잖아."

"……."

"아드리안, 용서 못 해."

"……정신 차려라."

"절대 용서 못 해!"

"정신 차리라고!"

"내 정신은 아주 또렷하고 멀쩡해! 나는 아주 제정신이라고!"

"이 자식이랑 내가 무슨 대화를 하겠다고. 아오, 야! 귀찮으니까 사고 치지 마."

"에센 너는 역시 내 진정한 친구구나."

"대체 아까 말에 어디가 진정한 친구를 느낄 요소가 있었지?"

"역시 넌 내 진정한 친구야!"

"……."

에센이 할 말을 잃었다. 더 이상 테르니를 상대하고 싶지 않았다.

하지만 테르니가 한발 빠르게 에센에게 권유했다.

"그러니 나와 함께 이혼 프로젝트, 하지 않겠나?"

"안 해, 인마."

"이 배신자!"

대체 자신이 언제 배신했는지 모르겠다. 에센은 테르니를 무시했다.

"에센 못난이, 대머리, 개구리."

"……갑자기 개구리는 왜 나오는 거야?"

정말 어딜 내놓아도 부끄러운 테르니였다.

에센은 지끈거리는 머리에 관자놀이를 누르며 진지하게 테르니에게 충고했다.

"너 그거, 아드리안한테 걸리면 진짜 죽으니까 좋게 말할 때 포기해."

"하지만 우리 아티가!"

"아티는 행복하게 잘 지내고 있잖아."

"아니? 아티는 오비에도로 돌아와서 우리와 함께하길 원하고 있어!"

"……."

이 자식, 그렇게까지 동생을 갖고 싶었던 걸까?

아티에 대한 광기를 이젠 에센도 이해할 수 없었다. 에센이 진지하게 권유했다.

"차라리 새로운 여동생을 입양해 달라고 하는 건?"

"하지만, 그건! 아티가 아닌걸⋯⋯!"

"아니, 아티여야만 하는 거냐고."

"아티가 내 첫 여동생이니까."

"⋯⋯."

그게 중요한가?

"그게 중요해?"

테르니가 거만하게 고개를 끄덕였다.

"오직 아티만이 내 여동생이 될 자질이 있다."

"⋯⋯."

테르니가 에센의 어깨에 손을 얹었다.

"그러니, 넌 포기해. 전 여동생."

"죽고 싶냐?"

"아하하."

테르니의 손을 쳐 낸 에센이 짜증을 냈다.

"귀찮은 새끼, 이젠 나도 모르겠다."

"아, 왜! 에센, 나와 함께하자고! 너도 아티가 이혼하길 원하잖아!"

"뭐래, 이젠 딱히 이혼 안 해도 상관없거든?"

그런 마음이 있었다는 걸 부정하지는 않았다. 하지만 에센은 당당하게 말할 수 있었다.

"난 너 같은 '가짜 가족'이 아니라, 진짜 피를 나눈 친척이니까."

"⋯⋯!"

말도 안 돼, 나도 피!

"당장 피를 전부 바꿔야만."

"그만둬, 미친놈아."

"아아, 어떻게 하면 피를 바꿀 수 있지? 내 피 다 빼내고 아티 피를……. 아니지, 아티를 아프게 할 수 없어. 에센, 협력해라. 네 피를 나에게 모두 줘!"

"그러면 내가 죽는다는 건 알고 있냐?"

"날 위한 숭고한 희생."

"숭고는 개뿔."

에센은 대꾸하면서도, 종잡을 수 없는 대화에 정신이 아득해졌다.

원래 또라이였는데, 테르니가 요즘은 더 심해졌다.

'이걸 진짜 어쩌지…….'

확 패 버릴 수도 없고.

문제는 팬다고 테르니가 바뀌지 않는다는 거다.

어떻게 아냐고?

해 봤다. 어릴 적에.

한 10살 즈음이었나.

맞아도 테르니는 테르니였다.

하긴 그러니까 목숨 걸고 아드리안을 놀리지.

"아무튼 아드리안한테 걸리지 않게 잘하라고. 그러다가 진짜 죽는다."

"걸려도 딱히 상관없는데."

테르니가 자신만만하게 웃었다.

"아드리안은 절대로 날 버릴 수 없거든. 아하하."

대체 불가능한 인재로서, 테르니가 거만하게 웃었다. 에센은 그냥 한심한 눈으로 테르니를 보았다.

'아무리 그래도 아티와 연관되면 무사하지 못할 텐데.'

적당히 하는 게 좋을 거라는 충고를 연달아 해 주어도 테르니는 정신을 못 차렸다.

'뭐, 모르면 당해야지.'

아드리안과 테르니.

둘의 인연은 아주 어릴 적부터 이어졌다. 에센과 함께 소꿉친구였고, 그래서 사실 못 볼 꼴 다 봐 가며 자라 왔다.

지긋지긋한 인연이라고 질색하면서도 내심 배신을 한다고 해도 이유 정도는 들어 보고 목을 칠 온정은 있는 사이라 여겼거늘…….

"아티, 이혼할래?"

"……."

"이혼하자. 응? 아드리안 따윈 버려! 오비에도로 돌아오는 거야! 진짜 가족의 품으로!"

테르니가 선을 넘었다.

"이 자식이, 진짜."

뭔가 또 이상한 걸 꾸민다는 건 알았지만 그게 듣기만 해도 이가 갈리는 '이혼'이라는 단어가 들어간 일일 줄은 몰랐다.

봐주는 것도 한계가 있었다.

"당장 죽여 버리겠어."

"아드리안, 안 돼요. 오라버니도 그냥 농담 삼아 하는 말이에요."

"농담? 그런 건 농담으로라도 입에 담으면 안 되지. 아티, 너는 아무렇지도 않은 건가?"

아드리안은 내심 아티의 반응에 서운했다. 자신은 '이혼'이라는 단어만 들어도 이렇게 가슴이 철렁하는데.

"아드리안, 서운해요? 하지만 오라버니가 헛소리하는 게 하루 이틀도 아니고. 오히려 아드리안이 그렇게 반응하면 좋다고 더 떠들어 댈걸요? 너무 휘둘리지 마세요."

아티의 말은 하나부터 열까지 구구절절 맞았다. 역시 아내의 말은 들어서 손해를 볼 게 없었다.

"그리고 우리가 진짜 이혼을 할 것도 아니구요."

"흠. 그렇지. 흠흠."

내심 마음속 깊은 곳에 피어올랐던 일말의 불안감을 묻어 버린 아드리안은 그제야 웃을 수 있었다.

물론 그렇다고 당당하게 이혼을 시키겠다 떠들어 대는 건방진 테르니를 봐주겠다는 말은 아니었다.

〈이혼 프로젝트〉

목적: 간악하고 악마 같은 아드리안의 손아귀에서 선량하고 착한 아티를 구해 내기.

방법: 두 사람의 이혼.

결과: 오비에도에서 행복한 일생을 보내는 아티.

서류 한구석엔 간단하게 그려진 '오비에도' 저택과 그 앞에서 웃고 있는 아티와 테르니의 모습이 졸라맨으로 그려져 있었다.

아드리안이 입꼬리를 올렸다. 테르니의 꿈을 박살 낼 아주 좋은 방법이 떠올랐다.

✦ ♛ ✦

테르니는 오늘 기분이 아주 좋았다. 그 이유는 바로! 아침부터 아티를 만날 수 있었기 때문이었다.

"아티 본다! 아싸~!"

운이 좋다고 낄낄 웃으며 테르니는 오늘 있는 행사에 참석했다.

신성 바렐국으로 떠날 사신 행렬이 준비된 채로 황태자 부부의 배웅을 기다리고 있었다.

사신단을 이끌 수장은 다름 아닌 요제프 후작이었다.

"이리 배웅하러 나오지 않아도 되는데 말이다."

"이번에 가시면 서너 달은 더 걸려서 돌아오실 예정이잖아요. 당연히 배웅하러 나와야죠."

"고맙구나."

벌써 아티와 요제프 후작은 인사를 나누고 있었다. 테르니는 냉큼 그 사이에 끼어들었다.

"아빠, 잘 다녀와!"

발랄한 테르니의 인사.

어서 아빠를 배웅하고 아티를 납치해서 놀 생각으로 가득 차 있었는데.

"무슨 소리야?"

"응?"

아드리안이 끼어든 순간, 뭔가 분위기가 바뀌었다.

"너도 가야지."

"……엥?"

내가 왜 가지……?

상황 파악을 못 한 테르니의 손아귀에 비밀 특사의 배지를 쥐여 주며 아드리안이 여유 만만한 미소를 지었다.

"신성 바렐국과 아펜니노 제국의 원만한 관계를 위해 네가 한 몸 희생해 줘야겠다."

"……!"

이 말은 즉!

관계 회복이 되기 전까진 돌아올 수 없다는 말이었다. 눈치챈 테르니가 재빨리 도망가려고 했지만!

턥!

그대로 붙잡혀 버렸다.

"잘 가라."

"아티! 도와줘!"

"다신 돌아오지 말고."

"아빠! 디아노! 에센—!"

테르니가 다급히 아는 이름들을 불러 보았지만, 같이 가는 요제프 후작을 제외하고 모두 웃는 얼굴로 테르니를 배웅할 뿐이었다.

테르니는 버림받았다.

"아티~~! 아티~~~~~!"

멀리서부터 들려오는 울부짖음.

"잘 다녀오세요."

"네가 어떻게 나를!"

테르니는 배신당한 것처럼 부르르 떨었다.

"내 너를 아꼈거늘!"

상처받은 것처럼 슬픈 표정을 짓던 테르니가 끌려가며 비련의 여주인공처럼 말했다.

"하지만 사랑해, 동생아!"

이 모든 광경을 지켜보던 에센은 어이가 없어서 말이 안 나왔다.

"진짜 저거 감당 안 되네."

✦ ♛ ✦

테르니가 사라진 황궁.

아드리안은 오랜만에 여유로운 아침을 보내고 있었다.

아침마다 '아티를 내놓아라!' 하는 불청객이 하나 없어졌을 뿐이거늘.

"아주 좋군. 매일이 오늘 같았으면 좋겠어."

하루의 만족도가 올라간 건 아드리안뿐만이 아니었다.

"……이래도 되나?"

얼떨떨하게 테르니 담당에서 풀려난 에센은 나흘간은 왠지 모를 불안에 떨다가 이어진 평화에 만족했다. 이런 고요함이라니.

"테르니가 평생 돌아오지 못했으면 좋겠군."

처음엔 모두가 아드리안이 너무하다고 생각했지만, 시간이 흐르자 생각이 바뀌었다.

너무한 건 테르니였다.

그저 모두가 테르니에게 적응한 것일 뿐. 역시 사람은 적응의 동물이었다.

디아노조차도 이 잠시간의 평화에 얼떨떨해하면서 질문했다.

"전하, 어떤 후속 조치를 해야 하는 것은 아닐까요?"

아드리안이 씩 웃었다.

"걱정 마라. 신성 바렐국은 강하니까. 쉽게 탈주할 수 없을 거다."

에센이 되물었다.

"……대체 그 녀석한테 무슨 특별 임무를 줘여 준 거야?"

"아마 평생 노력해도 이룰 수 없는 목표?"

아드리안이 제법 음흉하게 웃었다. 그 테르니가 평생 노력해도 이룰 수 없는 목표라니.

그런 게 대체 뭐가 있을까?

다들 저마다 나름대로 떠올려 보았지만 정답을 알아낸 사람은 없었다.

'아티가 죽이는 건 안 된다고 했으니까.'

멀리 보내 버릴 수밖에.

그저 불청객 하나가 사라졌을 뿐인데 아티와 보내는 시간이 질적으로 달라졌다.

어떻게든 끼어들려는 자도 없었고, 아티의 신경을 빼앗아 가는 놈도 없었으며, 아티도 한결 여유로운 하루하루를 보낼 수 있었다.

"오라버니는 정말 괜찮을까요?"

"걱정 마. 별일 없을 거야."

"하지만……."

상대는 테르니다. 방심할 수 없었다. 당연히 아티가 그런 의미로 말을 흐린 건 아니었으나, 아드리안은 이번에 한해서 아주 철두철미한 준비성을 발휘했다.

몇 년간 자신과 아티를 방해하다 못해 감히 '이혼'시키려 한 원한을 모두 담아서.

"걱정 마. 진짜 별일 없을 테니까."

아드리안이 의미심장하게 웃었다.

✦ ♛ ✦

테르니를 보내는 계획에 앞서 가장 경계해야 할 점은 '테르니의 도주'였다.

그래서 아드리안은 몇 가지 절차를 비밀리에 밟았다.

테르니에게 '비밀 임무'를 부여한다는 명목으로 출발 당일 특사가 되었다는 사실을 알렸고, 신성 바렐국으로 가는 도중 탈주할 것을 우려해 책임자를 오비에도의 요제프 후작에게 일임했다.

'일단 신성 바렐국으로 보내 놓기만 하면 되니까.'

사방이 높은 산으로 둘러싸인 천혜의 요새. 거기에 신성 장벽이라 불리는 강력한 방어 결계.

영토는 크지 않았으나, 제국과 비교하여 절대 지지 않는 국력을 지닌 신성 바렐국.

아무리 '테르니'라지만, 한 번 신성 장벽을 통과하면 혼자만의 힘으로는 아무리 용을 써도 탈출이 불가능했다.

'신성 바렐국의 내성에선 그 흔한 텔레포트 마법조차 발동되지 않는다고 하니까.'

너무나 흠잡을 데 없는 완벽한 계획. 아드리안은 만족했다.

정말 최고의 계획이었다.

단 한 가지.

"전하, 오늘 중으로 확인해 주셔야 하는 사안입니다."

점점 쌓이는 서류의 양이 아드리안의 예상을 웃돌았다는 점만 빼고.

"아, 쯧."

아드리안이 혀를 찼다.

"그 자식, 쓸데없이 유능했어."

잠깐 후회하려는 마음을 접고, 아드리안도 넘쳐 나는 서류 지옥에 갇혔다.

어서 다 처리하고 아티 보러 가야지.

신성 바렐국.

테르니는 비탄에 빠져 있었다.

사신단으로 끌려가는 와중에 여러 번 탈출을 시도해 봤지만 요제프 후작 손에 잡혀 번번이 실패하고, 정신을 차려 보니 이곳이었다.

"으흐흐흐흑."

세상 무너져라 우는 테르니를 보며 요제프 후작이 혀를 찼다.

"정신 차려라, 이 녀석아. 일은 이미 다 벌어졌다."

"아빠는 누구 편이야?!"

"아빠는 아티 편이다."

"……."

"아들은 누구 편?"

"나도 아티 편!"

그렇다면 이건 아티의 뜻이었던 걸까?

"아티가 나에게 이런 시련을 줬다고……?"

아니, 착하고 예쁘고 말 잘 듣고 완벽한 내 동생이 이런 시련을 줄 리가 없었다. 테르니는 확신했다.

처음부터 끝까지!

모조리 다! 아드리안의 짓일 게 틀림없었다.

"내가 당하다니! 용서 못 해, 간악한 아드리안!"

요제프 후작이 한숨을 내쉬었다.

"이미 벌어진 일인데 어쩌려고 그러느냐, 여기는 아펜니노가 아니다. 괜한 짓 하려 들지 말고 얌전히 명이나 받들거라, 아들아."

괜히 아들이 큰 사고라도 칠까 봐 요제프 후작이 저어했다.

어디로 튈지 모르는 아들.

부디 큰 사고만 치지 않길 바랄 뿐이었다.

"수습 가능한 사고만 치거라, 알았느냐."

이미 테르니를 포기해서 '사고를 치지 마라.'라는 말조차 하지 않는 요제프 후작이었다.

하지만 그런 요제프 후작조차 예상하지 못한 사실이 한 가지 있었으니.

'내가…… 아드리안의 계략에 당하다니!'

좌절 따윈 모르고 살아온 테르니(28세, 오비에도 후계자).

하나뿐인 여동생을 보지 못하게 되었다는 사실에 절망해 각성하다.

그 누구도 테르니의 각성으로 벌어질 일을 알 수 없었다.

심지어 요제프 후작조차도.

✦ ♛ ✦

아티는 주기적으로 테르니에게서 오는 편지를 받아 보았다. 첫 편지는 알아볼 수 없는 문장의 나열이었다.

아티는 암호 해독관까지 불러 해당 편지를 해석해 보려

고 했지만, 끝끝내 뭐라 적혀 있는지 알아낼 수 없었다.

그래서 우려와 걱정이 담긴 답장을 보냈다.

두 번째 편지부터는 정상적이었다.

[아티에게.

나는 오늘 나의 새로운 재능을 깨달았단다. 아티 보고 싶어, 내 동생! 꼭 돌아갈게! 내가 보고 싶어도 울지 말고 기다려야 해. 알았지?!

—최고의 오라버니가]

……과연 이걸 정상적이라고 부를 수 있을지는 의심스러웠지만.

아티에게 있어서 테르니가 보낸 편지가 이 정도라면 '정상'이나 다름없었다.

테르니는 척 보기에도 뭔가를 계획하고 있었다.

편지를 쓱 보기만 해도 누구나 알아차릴 수 있을 정도였는데, 문제는 대체 뭘 계획하는지 알 수 없다는 것이었다.

"아빠는 이게 뭔지 아시나요?"

"……잘 모르겠구나."

먼저 귀국한 요제프 후작에게 자문을 구해 보았으나, 요제프 후작도 잘 모르는 듯 고개를 가로저었다.

"괜찮아, 걱정 마. 테르니가 무슨 짓을 해도 신성 바렐국을 탈출할 수 없을 테니까."

"정말요?"

아드리안이 돌연 인상을 찌푸렸다.

"사실, 한 가지 방법이 있기는 한데……."

아드리안이 생각해도 말이 안 되는 방법이었다.

"불가능해. 그럴 일은 절대 일어나지 않을 거야."

아드리안이 단언했다.

이게 소설이라면 그 말이 플래그인지도 모른 채.

그리고 어느 날.

주기적으로 보내던 테르니의 편지가 더 이상 오지 않았다.

[기대해!]

이 마지막 편지를 끝으로.

해가 바뀌어 봄이 다가오는 어느 날. 아펜니노 제국이 왈칵 뒤집혔다.

[신성 바렐국에서 친교를 위한 사절단을 보냅니다.]

바로 신성 바렐국에서 보내온 외교 사절단 때문이었다.

심지어 사절단의 수장은 '성국의 주인'인 '성녀'였다.

"성녀가 직접 온다고?"

"그게 가능한 거야?"

"성녀라면? 신성 바렐국의 주인이잖아!"

"진짜 신성 바렐국과 아펜니노 제국의 국교가 이루어지는 건가?"

온 대륙을 통틀어 가장 폐쇄적인 나라에서 오는 사절. 새로운 시대가 열릴지도 모른다는 사실에 모두가 들떴다.

심지어 카를로만 황제마저도!

"짐이 살아생전에 성국의 주인을 보게 되다니, 허허허."

첩첩산중 성역이라 부르는 곳에 자리한 신성국은 대대로 폐쇄적이었고, 아펜니노의 기나긴 역사에도 교류가 있던 적은 손꼽혔다.

그럼에도 성국의 성녀가 직접 내리는 축성(祝聖)과 성국에서만 찾아볼 수 있는 성수(聖水)는 무척이나 희귀한 귀물이었으므로 온 대륙의 모든 나라에서 성국의 문을 두드렸다.

하지만 그중에서도 이렇다 할 성과를 거둔 나라는 단 한 군데도 없었거늘.

"성녀가 직접 오다니!"

"이런 성과를 이룩한 나라가 있었던가?"

"전 대륙 최초가 아니오?"

전례 없는 일에 모두가 떨리는 가슴을 짓누르며 성녀의 행렬을 기다리고 있을 때였다.

"예하, 이곳입니다!"

익숙한 목소리가 사신 행렬에서 들려왔다.

"……?"

왜 익숙하지?

어딘가 발랄하고, 사고를 불러올 것만 같은 목소리. 모두가 알 수 없는 불길함에 몸을 부르르 떨고 있을 때.

"이곳이 테르니 공이 말하던 추억이 어린 아펜니노 성이로군요."

"그렇습니다, 예하. 제가 나고 자란 수도이죠. 후후. 제법 재미있는 일이 많았답니다."

성국의 성녀 옆에 떡하나 테르니가 서 있었다.

'네가 왜 거기서 나와?!'

소리 없이 경악하는 사람들.

심지어 아드리안과 아티, 에센과 디아노마저 전혀 매치되지 않는 광경에 심장이 튀어나올 것처럼 놀랐다.

내가 지금 뭘 보고 있는 거지?

"공에게 듣기로는 매일 사건 사고가 끊이질 않는 곳 같았는데, 이렇게 보니 평화로워 보이네요."

"그건 다 제 동생이 있기 때문이죠! 제 동생이 천사거든요!"

"후후. 천사라. 기대됩니다."

성녀는 과연 성녀라 불리기에 부족함 없이 성스러웠다. 그러나.

"아티~!"

자리가 자리임에도 자각 없이 손을 흔드는 테르니를 보고 모두 아연해졌다.

경악한 아드리안과 테르니의 시선이 허공에서 부딪혔다. 테르니가 썩소를 지었다.

'내가 이겼다.'

✦ ♛ ✦

신성 바렐국에 버림받은 테르니는 혼자였다. 아무도 테르니의 편이 되어 주지 않았다.

하지만!

"이대로 여기에 있을 수 없어!"

이 순간에도 하나밖에 없는 여동생이 자신을 그리워하며 울고 있을지도 몰랐다. 자신은 반드시 돌아가야만 했다.

그리고 그러기 위해선 비밀 특사로서 임무를 해결해 내야만 했다.

바로.

〈아펜니노와 신성 바렐국의 국교 성사〉

이 말도 안 되는 임무를!

하지만 테르니가 누구인가?

테르니는 머리를 굴렸다. 아펜니노 쪽은 문제가 안 된다. 아드리안이 아무리 황태자라지만 아직 위에 카를로만 황제가 군림하고 있었다.

그렇다면? 문제는 신성 바렐국!

'어떻게 신성 바렐국을 움직이지?'

방법은 하나다. 성녀를 움직여야만 했다. 그렇다면 성녀를 어떻게 움직일 것인가?

'방법이 있지.'

테르니는 그날부터 신성 바렐국을 들쑤시고 다녔다. 점잖은 추기경과 주교들도, 신성 기사단도 손과 발을 들 정도로.

나라의 손님이라 대접해 주고 있지만 이쯤 되면 구금해야 한다는 주장도 나올 정도였다. 하지만 테르니는 호락호락하지 않았다.

눈치와 짬은 허투루 먹지 않았다.

일정 선을 넘지 않고 영리하게 휘젓고 다니는 건 아펜니노에서도 하고 다니던 짓. 테르니는 능수능란했다.

그리고 종교 수양으로 고요하던 신성 바렐국은 테르니라는 바이러스에 대처하지 못했다.

결국 이 이야기는 성녀의 귀에까지 들어갔다.

"왜 이런 짓을 하고 다니나요?"

"성녀 예하를 뵙기 위해서요."

"왜죠?"

테르니는 아주 솔직하게 말했다.

"예하를 공략할 거거든요!"

성녀를 재미있게 해 주는 대신, 약속한 기간이 끝나면 자신의 요청을 하나 들어 달라는 거래.

제 요구를 들어주면 대신 얌전히 있겠다는 테르니의 말에 고민하던 성녀가 수락했다. 그리고…….

"어찌 저런 자를 가까이하시는지!"

"능력 하나만큼은 출중하더군."

"신이시여, 대체 세상이 어찌 되려고…….""

테르니는 성국에 갇혀 세상을 모르는 성녀에게 온갖 도락을 알려 주었다. 자신이 쌓아 온 모든 내공을 녹여서.

"아펜니노에 가면 더 재미있는 게 많답니다, 예하."

"흐응."

"한번 같이 가시죠."

테르니의 재미 폭격과 잇따른 꼬임에 결국 넘어간 성녀

가 아펜니노에 오고 만 것이다.

그렇게 테르니는 귀국했다.

전후 사정이야 어떻게 되었든 신성 바렐국과의 관계에서 아펜니노 제국이 우위를 차지하게 되었고 이는 카를로만 황제를 크게 기쁘게 했다.

황제에게 치하를 받은 테르니가 의기양양해졌다.

"역시 내가 못 해내는 건 없다."

성녀도 꼬신 나다.

테르니는 다음 목표를 향해 의지를 불태웠다.

"이제 이혼뿐이야!"

그 이혼이 자신의 이혼이 아니라는 사실이 그저 웃길 뿐이었다.

"이혼해, 아티!"

오랜만에 귀국한 주제에 날뛰는 테르니를 지켜보며 성녀가 고개를 끄덕였다.

"버려질 만했네요."

아드리안이 요청했다.

"그럼 다시 데려가 주시는 게……."

"거절하겠습니다."

"……."

테르니는 반품당했다.

외전 9. 그리고 우리는 오늘도

외전 9. 그리고 우리는 오늘도

따뜻한 봄날이었다.

대형 오케스트라의 화려한 선율이 무도회장을 웅장하게 울렸다.

아펜니노 제국의 황실 주최 봄 사교계 파티가 한창 무르익었다. 사람들은 섬세하고 아름답게 꾸며진 홀을 즐겁게 감상하면서 무도회를 즐겼다.

그런 사람들의 반응에 어깨가 한껏 올라간 것은 바로 황후였다.

"역시 우리 아가의 안목은 훌륭하다니까. 이번에도 수고 많았다, 아티."

"모두 황후 폐하께서 도와주셔서 가능했던걸요. 칭찬해 주셔서 감사해요."

"호호, 겸손하기까지."

원래라면 얼굴만 살짝 내비치고 훌쩍 가 버리는 황제도 상석을 계속 지키고 있었다.

"아티, 네가 이리도 훌륭하게 도와주니 황후가 전보다 훨씬 편해졌단다."

"앞으로도 저한테 맡겨 주세요. 최선을 다할게요!"

"그래. 무리는 하면 안 된다, 아가."

사람들은 어떻게든 황실 사람들의 총애를 한 몸에 받는 황태자비와 말 한마디 섞어 보려 호시탐탐 기회를 노렸으나, 황제와 황후가 며느리를 놓아주지 않았다.

호시탐탐 기회를 노리는 이들 중에는 뜻밖의 인물도 한 명 있었다.

바로 황태자이자 아티의 남편인 아드리안.

아티에게 춤 신청을 하기도 전에 홀에 입장하자마자 황후에게 파트너를 홀랑 빼앗긴 비운의 남편 되시겠다.

아드리안은 근처 벽에 기댄 채 대화가 끝나기를 기다렸다. 그런 그의 곁으로 테르니가 싱글벙글 웃으며 다가왔다.

"혼자 쓸쓸하게 서서 뭐 해? 아무도 안 놀아 줘?"

"내가 넌 줄 아냐?"

"뭐? 난 친구 많거든?"

"퍽이나."

"진짜야. 참나. 딱 기다리고 있어. 증명할 테니까!"

친구가 없냐는 아드리안의 말에 발끈한 테르니가 먹잇감을 찾기 위해 주변을 물색하기 시작했다.

그 비운의 희생양이 된 것은 한 영식이었다. 파트너와 춤을 추고 댄스 플로어를 빠져나오던 그는 갑자기 테르니에게 붙들린 채 질질 끌려왔다.

영문도 모르고 어리둥절한 채 서 있는 영식을 당당하게 자랑하며 테르니가 고개를 치켜들었다.

"봤지?"

"저, 저, 갑자기 이게 무슨……."

영식이 당황해하며 아드리안과 테르니를 번갈아 보자 테르니가 그의 어깨를 팡팡 치며 웃었다.

"자네, 나랑 친하지? 우리 저번에 마주친 적 있잖아?"

"예, 마주친 적—."

"그거 봐. 친하다니까!"

테르니는 고작 한 번 마주친 것으로 친한 사이라는 놀라운 논리를 펼쳤다.

아드리안이 눈매를 좁히며 영식을 빤히 주시했다.

"이름 뭔데."

"이름? 음……."

종종 얼굴을 마주쳤을 뿐 대화를 나눈 적 없는 사이인데 이름을 알 리가.

그러나 테르니는 아랑곳하지 않고 당당하게 대답했다.

"루츠!"

"……!"

졸지에 말프레드 가문의 삼남 지그워드는 루츠가 되었다.

그는 루츠가 아니라고 항변하고 싶었지만 자신을 바라보는 테르니의 웃는 얼굴이 약간 돌아 있어서 아무 말도 할 수가 없었다.

눈빛이 제정신 아니었다.

"자. 아드리안 네가 증명하라고 했으니까 루츠랑 얘기 좀 해."

마음 같아선 테르니와 함께 내쫓고 싶었지만, 아드리안 은 대충 한마디 해 주었다.

"루츠라고 했던가. 아무 말이나 해 봐."

발언 기회를 얻은 지그워드는 갑자기 벌어진 상황에 당 황스러우면서도 은근히 속으로 기뻤다.

오히려 잘된 일이었다.

누구나 황태자와 대화하는 영광을 가지고 싶어 한다.

그들이 있는 곳을 흘끔흘끔 쳐다보는 다른 이들의 시선 에 괜히 어깨가 올라갔다.

"이, 이번에 아내가 임신했답니다."

"오, 축하해. 루츠."

테르니가 손뼉을 치며 진심으로 축하해 주었다.

그 반응에 용기를 얻은 지그워드는 없는 사교성을 모두 끌어모아 아드리안에게 넉살 좋게 말을 붙였다.

"그리고 보니 황태자 전하께서도 비전하와 국혼을 치르 신 지 제법 되셨는데, 자녀 계획은 아직 없으십니까?"

뜻밖의 질문에 건성으로 들어 넘기던 아드리안의 표정이 자못 심각해졌다.

'자녀 계획이라……'

사실 아이에 대해서는 진지하게 생각해 본 적이 없었다.

과거에 아티와 이야기한 적 있긴 한데, 아직 계획이 있는 건 아니었다.

아티와 단둘이 있을 시간도 부족한데, 아이까지 낳는다면 더 없어질지도 몰랐다.

하지만 그보다 큰 문제는 따로 있었다.

'너무 위험해.'

아이를 출산하는 건 산모에게 너무 위험한 일이었다.

한 생명을 품기 위해서 산모의 몸은 엄청난 변화를 겪게 될 테고, 그 대가는 돌이킬 수 없을 것이다.

아티에게 그런 고초를 치르게 하고 싶지 않았다.

이후의 일은 어찌 될지 모르겠지만, 적어도 지금은.

"아직."

"그, 그렇습니까?"

그때 마침 황후와 대화를 끝낸 아티가 아드리안에게 다가왔다.

"무슨 이야기를 그렇게 재미있게 해요?"

"아냐, 아무것도."

"그래요?"

"응. 안 피곤해?"

"괜찮아요."

언제 염세적인 얼굴을 했냐는 듯 아티를 응시하는 아드리안의 눈에 생기가 돌았다.

그 극명한 변화를 바로 눈앞에서 본 지그워드는 소리 없이 감탄했다.

'이게 바로 그 유명한 황태자 전하의 눈빛……!'

주변 사람들을 투명 인간으로 만들어 버린다는 전설의 눈빛이었다.

사실 그들의 대화를 중간쯤부터 들었던 아티는 속으로 생각했다.

'아드리안, 아이 싫어하는구나? 역시 날 닮은 딸이 갖고 싶다는 말은 그냥 달래려고 한 거였어.'

당연히 그럴 것 같아서 그렇게 놀랍지도 않았다.

✦ 👑 ✦

성대했던 황실 무도회가 끝나자, 태풍이 한바탕 지나간 것처럼 황궁의 분위기는 차분하게 가라앉았다.

큰 행사를 준비하느라 분주했던 아티에게도 오랜만에 자유 시간이 생겼다.

오늘만을 기다렸던 마리에는 서점에서 신간이란 신간은 싹 쓸어 와 아티의 침실에 쳐들어왔다.

"아티. 이거 다 읽고 나랑 합평해야 해!"

"이걸 다?"

"그래. 오늘 아니면 또 언제 읽겠어?"

그렇지 않아도 결혼하며 황성 밖으로 나가면서 아티와 함께 보낼 시간이 줄어들어 아쉬운 상황이었다.

아드리안이 공무 중이며 황후가 친인척과의 티타임을 가지고 있고, 나머지 잔챙이들도 각자 할 일이 있는 지금이

최적의 타이밍이었다.

활활 타오르는 마리에의 열정에 아티는 흔쾌히 고개를 끄덕였다.

"알았어. 부지런히 읽어야겠네."

"좋아. 시작하자."

아티는 안락의자에 앉아서, 마리에는 소파에 길게 엎드려서 책을 읽기 시작했다.

두 사람은 무서운 집중력으로 책을 읽기 시작했다.

그렇게 한동안 책장이 넘어가는 소리만 팔랑팔랑 울려 퍼지는 가운데, 두 번째 책을 다 읽은 마리에가 책을 덮었다.

"아티, 있잖아. 이번에 디아노가―."

"……"

"아티?"

아무 대답이 들려오지 않자 마리에가 고개를 들어 아티가 있는 곳을 보았다.

이내 아티의 얼굴을 확인한 마리에는 작게 미소 짓고 말았다.

"많이 피곤했나 보네."

아티는 펼쳐진 책을 품에 소중히 안은 채 곤히 잠들어 있었다.

창밖에서 들어온 햇빛이 아티의 얼굴 위에 내려앉았다.

아티가 깨지 않도록 살금살금 창가로 가 커튼을 반쯤 내린 마리에가 다시 소파로 돌아왔을 때, 예고 없이 침실 문이 벌컥 열렸다.

"아티—."

"쉿."

마리에는 불청객 아드리안을 보며 입가에 검지를 갖다 댔다.

새근새근 잠든 아티의 모습이 보였다. 아티에게 다가간 아드리안은 흠칫, 굳고 말았다.

〈마담 타티아나의 음란한 비밀 3권〉

"……."

아드리안은 남사스러운 책 제목을 의도적으로 무시하며 시선을 주지 않으려 노력했다.

"오라버니. 왜 왔어? 바쁘지 않아?"

"잠깐 시간 나서 보러 왔는데."

아티가 잠들어 있어 아쉽지 않다면 거짓말이지만, 그래도 얼굴을 볼 수 있으니 상관없었다.

마리에가 두 손으로 턱을 괴며 중얼거리듯 말했다.

"요새 봄 무도회 준비 때문에 한창 바빴잖아. 괜찮다더니 피곤하긴 했나 봐."

"그딴 건 그냥 집어치워도 될 텐데."

진심으로 집어치우길 바라는 아드리안의 말에 마리에가 비웃음을 흘렸다.

"우리 아티가 황태자비로서 열심히 일하는데, 따뜻한 눈으로 지켜보지는 못할망정 초 치는 거야?"

마리에의 비난. 그러나 아드리안이 꽂힌 부분은 다른 지점이었다.

"우리 아티? 왜 '내 아티'가 '우리 아티'지?"

"난 아티의 제일 친한 친구거든?"

"난 남편이다."

"남편이면 뭐 어쩌라고. 이혼하면 남인 거 몰라?"

"이혼? 이혼이라고 했냐?"

"그래. 이혼! 이혼, 이혼, 이혼!"

"……마리에."

"뭐. 저음으로 목소리 깔고 이름 부르면 무서울 줄 알고? 하나도 안 무섭거든?"

유치한 말싸움이 쉴 새 없이 이어지는 가운데, 결국 아티가 눈을 떴다.

도무지 깨어나지 않을 수 없는 수면 환경이었다.

"으음…… 아드리안, 언제 왔어요?"

아차, 이성을 되찾은 아드리안이 황급히 아티의 곁에 다가가 한쪽 무릎을 꿇고 앉았다.

"방금. 미안, 깨웠어?"

"괜찮아요. 나도 모르게 깜빡 잠들었네. 마리에, 미안. 심심했지?"

"아냐. 너 피곤한 거 아는데 내가 놀자고 한 거잖아."

잠깐 자긴 했지만 아티의 얼굴에는 졸음이 남아 있었다.

짧게 하품을 한 아티가 기지개를 쭉 켰다.

"산책 갔다 오면 잠 깰 것 같은데, 같이 산책 갈래?"

아티의 권유에 소파에서 일어나려던 마리에는 두 눈을 시퍼렇게 뜬 아드리안과 눈이 마주치자 못 말린다는 듯 고개를 저었다.

"둘이서 오붓하게 다녀오세요."

아무리 저 망할 오라버니가 거슬린다고 해도 부부가 단둘이 있을 시간을 빼앗을 정도로 양심 없진 않았다.

'모후라면 양심이 없으셨을 테지만.'

마리에를 침실에 두고 두 사람은 바로 앞 정원을 거닐었다.

"피곤하면 그냥 쉬지 그래?"

아드리안의 걱정스러운 물음에 아티가 웃으며 고개를 저었다.

"그렇게 피곤한 건 아니고…… 사실 요새 자주 졸음이 쏟아져요. 아무래도 봄이라 그런가 봐요."

"아티. 혹시 모르니까 황궁의한테 진찰받자."

"내일부터 일정이 많거든요. 시간 날 때 가서 받을게요."

"그래……."

마음 같아선 바로 황궁의를 데려오고 싶지만, 아드리안은 아티의 의견을 존중할 수밖에 없었다.

괜히 황궁의를 불렀다가 그 소식이 알려지는 날에는 황제와 황후가 행차하고 오비에도의 인간들이 모조리 입궁하는 불상사가 벌어질 테니까.

그리고 사건은 얼마 지나지 않아 벌어졌다.

✦ ♛ ✦

며칠 후 슈와츠 제국과의 외교 문제가 발발한 탓에 아드리안의 출국이 급히 결정되었다.

그러나 출발 시각이 한참 지나서도 도통 움직일 생각을 하지 않는 황태자의 행동에 동행하는 외교 사절단은 진땀을 흘리는 중이었다.

"조심히 다녀와요, 아드리안."

"……그래."

"그런데 왜 손을 안 놔요?"

"……."

외국으로 떠나는 아드리안을 배웅하러 황궁 내 마법진 앞까지 배웅 나온 아티.

그러나 아드리안은 그런 아티를 붙든 채 놓아주지 않았다.

놓아줄 생각도 없어 보였다.

아티가 난처하게 웃으며 손을 빼내려고 하자 아드리안의 표정이 급격히 어두워졌다.

"……내가 한시라도 빨리 꺼졌으면 좋겠어?"

"말을 왜 그렇게 해요."

"아티 네가 마치 내가 빨리 사라지길 바라는 것 같아서."

"에이. 그럴 리가 없잖아요."

아티가 아드리안을 달래기 위해 얼굴을 향해 손을 뻗자 그가 그 손에 제 얼굴을 기대며 눈을 감았다.

마치 상처받은 대형견처럼 애처로운 모습이었다.

협상이 언제까지 이어질지 확신할 수 없기에 외국에 체류하는 기간은 짧으면 하루, 길면 며칠까지도 소요될 수 있었다.

그 탓에 아드리안의 걸음이 더더욱 떨어지지 않았던 것이다.

하지만 벌써 시간이 많이 지났다. 아티는 다시금 아드리안의 등을 떠밀었다.

"다들 기다리니까 그렇죠."

"괜찮아."

그러나 한시바삐 떠나야 하는 사절단 입장에서는 하나도 안 괜찮았다.

'적당히 좀 하시지……!'

황태자의 황태자비 사랑에 고통스러운 것은 주변인들인 것을.

결국 참다못한 에셴이 한 발짝 앞으로 나섰다.

"좀 가시죠, 황태자 전하."

에셴은 주위 사람들을 의식해서 격식을 차리며 말했다. 그러나 아드리안은 싸늘한 시선으로 응수했다.

"무슨 상관이야. 끼어들지 마."

"황태자비 전하를 계속 세워 두실 생각입니까?"

아드리안에게 아티 핑계를 대는 것은 훌륭한 방법이었다.

붙들고 있는 동안 아티를 계속 세워 두었다는 것을 깨달은 아드리안이 한숨을 내쉬며 아티를 내려다보았다.

"오늘 오후에 황궁의가 들르기로 했으니까, 어디 가지 말고 진찰받아."

"네, 네. 걱정하지 마세요."

환하게 웃고 있었지만, 며칠 전과 비교했을 때 현저히 해

쓱해진 얼굴이라 걱정이 이만저만이 아니었다.

"입맛 없어도 식사 거르지 말고, 또 일한다고 밤새우지 말고—."

아드리안의 아내 걱정 2탄이 시작되려는 순간, 결국 인내심이 한계에 달한 에센이 폭발했다.

"야, 좀 가라고!"

"갈 거니까 좀 다물어."

"저 새끼가 진짜……!"

결국 아드리안이 마법진 위에 오른 건, 에센과 한바탕 싸우고 난 뒤였다.

✦ ♛ ✦

아드리안이 떠나고, 황태자비로서 아티의 하루는 순조롭게 이어졌다.

황후를 보좌하여 여러 안건을 함께 고민하고 결정했고, 알현하러 온 이들을 만나 이야기를 들었다.

제법 지루하게 이어지는 일정이었으나 아티는 지친 기색 없이 늘 생글생글 웃는 얼굴이었다.

하지만 바로 지척에서 호위하는 에센은 모를 수 없었다.

괜찮은 척하지만 사실 아티가 상당히 무리하고 있다는 걸.

대면 업무를 끝내고 황태자비의 집무실에 들어섰을 때였다.

"아티. 괜찮아?"

에센이 몸을 낮추며 아티에게 물었다.

"네? 뭐가요?"

"안색이 안 좋은데. 잠깐 가서 쉬는 게 어때."

아티가 깜짝 놀라며 양 뺨을 두 손으로 감쌌다.

"티 났어요?"

"어."

"티 안 날 줄 알았는데……."

주변 사람들이 걱정할까 봐 내색하지 않았지만, 몸 상태가 좋지만은 않았다.

최근 들어 졸음이 시도 때도 없이 쏟아지더니, 이제는 몸이 한없이 가라앉는 기분이 들었다.

아무래도 무도회 준비 때문에 무리해서 그런 거겠지?

"아직 식사도 안 했잖아. 식사부터 해."

에센의 권유에 아티는 잠깐 머뭇거렸다.

"입맛이 없긴 한데……."

그 순간 떠나기 전에 수도 없이 당부하던 아드리안의 목소리가 머릿속을 스쳐 지나갔다.

"입맛 없어도 식사 거르지 말고, 또 일한다고 밤새우지 말고—."

자신이 혹시 식사를 거를까 봐 걱정하는 아드리안의 모습이 떠오르자 아티에게는 선택권이 없었다.

아드리안과 약속했으니까, 지켜야 했다.

"식당으로 가요."

"그래."

식당에 도착한 아티는 주방장이 신경 써서 내온 음식들을 바라보았다. 아티는 저도 모르게 미간을 좁혔다.

'이상하다.'

아침까지만 해도 그러지 않았는데, 먹음직스러운 음식을 봐도 전혀 식욕이 돌지 않았다.

그래도 막상 먹으면 괜찮겠지. 포크로 주방장의 특제 아뮤즈 부쉬를 한 입 밀어 넣었을 때였다.

"……욱."

갑자기 속이 미친 듯이 메스꺼워졌다.

입을 틀어막은 아티는 자리를 박차고 일어나 화장실 쪽으로 급히 걸음을 떼었다.

하지만 몇 걸음 가지도 못하고 한순간 다리에 힘이 풀려 그 자리에 주저앉고 말았다.

'왜, 왜 이러지?'

속이 뒤집히고, 머리가 핑 돌았다.

아티의 이상한 행동에 근처에서 대기하던 에센과 주방 하인들이 황급히 달려왔다.

"아티!"

"비전하?!"

식당은 순식간에 아수라장이 되었다.

협상은 예상했던 것보다 더 지지부진했다.

슈와츠 제국은 좀처럼 물러설 기미가 없었다. 그 입장만큼은 아드리안도 마찬가지였기에 협상 타결은 요원한 듯했다.

"그 비율에는 동의할 수 없다는 것이 자국의 입장입니다."

"이 건에 관해서는 진작 논의가 끝난 걸로 알고 있는데."

"논의 단계였지 않습니까?"

슈와츠 제국은 이미 다 결정된 안건에 대해 말을 번복했다. 각국의 이권 문제다 보니 아드리안은 저들의 요구 조건을 받아들일 수 없었다.

그렇게 한나절이 훌쩍 지나도록 아무 진척 없는 협상이 이어지고 있을 때, 아펜니노의 사절단 중 한 명이 다급히 회의실 안으로 들어왔다.

아드리안은 자신을 향해 다가오는 남자를 보며 미간을 찌푸렸다.

"뭐지? 급한 일이 아니라면 협상이 끝나고 고하라."

그러나 남자의 다음 말에 아드리안의 표정이 돌변했다.

"황태자비 전하께서—."

"말해."

아티엔느. 그 이름만은 아드리안에게 유일한 예외였으므로.

이어지는 남자의 말에 아드리안은 순간 이성을 잃을 수밖에 없었다.

"쓰러지셨다고 합니다."

아티가, 쓰러졌다고?

콰당—!

바로 전까지 아드리안이 앉아 있던 의자가 거칠게 뒤로 넘어갔다.

현재 외교 협상 중이라는 중요한 사실은 아드리안에게 더 이상 중요한 문제가 아니었다.

"협상은 추후 재개하도록 하지."

"예? 전하!"

아드리안은 당황한 슈와츠의 관리를 내버려 두고 회의장을 박차고 나왔다.

그는 회의실 문 앞에서 대기하고 있던 디아노에게 명했다.

"디아노. 당장 아펜니노로 돌아간다."

"예?"

"준비해!"

아드리안답지 않게 이성을 잃은 모습을 본 디아노가 눈치껏 고개를 숙였다.

"예, 그럼 마차를 대기—."

"마차로 갈 시간 없어. 이동 마법진을 개방해."

타국의 이동 마법진을 개방하려면 여러 절차가 필요했다. 하물며 협상까지 내팽개치고 자국으로 돌아가겠다는 요구를 쉬이 들어줄 리 만무했다.

그러나 어쩌겠는가.

까라면 까야지.

"예, 알겠습니다."

디아노는 모든 방법을 총동원하여 슈와츠 황성 내 이동 마법진을 가동했다.

심지어 고작 한 시간 만에 마법진을 가동하는 기적 같은 일을 벌였으나……

"젠장, 늦어."

앞서간 아드리안이 빠르게 걸어 마법진 위로 섰다. 디아노가 뭔가 이상하다는 것을 깨달았을 때는 이미 모든 것이 끝난 후였다.

"전하? 저는 데리고 가셔야—!"

우웅—!

"……하지 않습니까……?"

눈 깜짝할 새 아드리안이 혼자 마법진을 통해 아펜니노로 사라지고 말았다.

그렇게 디아노는 버려졌다……

우웅—!

아펜니노의 마법진 관리인들은 예고도 없이 가동된 마법진에 화들짝 놀랐다.

이윽고 그 위로 나타난 것은 아침에 슈와츠로 떠났던 황태자였다.

"황태자 전하? 대체 무슨 일이십—."

"비켜!"

막아서는 관리인을 밀어낸 아드리안은 거침없이 걸음을 옮겼다.

빠른 걸음은 나중에는 거의 달리는 듯했다.

'아티.'

머릿속은 온통 아티 생각밖에 없었다.

그렇지 않아도 최근 들어 잠을 많이 자고, 도통 먹지를 않고, 피곤한 듯 늘어져 있더니 기어코 일이 벌어진 것이다.

'미련하긴. 아프면 아프다고 말했어야지.'

그렇지만 사실 가장 용서할 수 없는 건 그 자신이었다.

아티의 몸 상태가 심상치 않다는 걸 알고 있었으면서도 제대로 돌보지 못했다.

하물며 그런 아티를 두고 외국으로 가 버리기까지 했다.

'쓰레기 같군.'

그런 스스로를 한없이 저주하며 아티의 침실로 뛰어갔다.

"아티!"

드디어 복도에 진입했을 때.

아드리안은 눈앞에 펼쳐진 광경에 순간 얼굴을 구겼다.

황태자비의 침실 앞 복도에 대가족이 집합해 있었다.

"……?"

황제, 황후, 마리에, 오비에도 일가, 마담 루시, 에센, 심지어 위르겐 헬머까지.

"여기서 뭐 하십니까?"

아드리안의 서늘한 질문에 황후가 손수건으로 눈가를 찍으며 말문을 열었다.

"우리 새아가가……."

그러나 말을 제대로 시작하기도 전에 아드리안이 그 곁을 지나쳤다.

"됐습니다. 직접 확인하겠습니다."

누군가의 말을 듣고 있을 시간 따위 없었다.

'모후가 저렇게 눈물을 훔칠 정도라면 대체 얼마나 심각한 거지?'

퍼뜩 정신이 든 아드리안은 인간들을 헤치고 곧바로 침실에 들어섰다.

때마침 진찰을 마친 황궁의가 밖으로 나오다 아드리안과 마주쳤다.

"오, 황태자 전하. 축하드립니다!"

난데없는 축하 인사에 아드리안은 순간 멍청한 얼굴을 했다.

"……뭘 해?"

축하를?

"황궁의. ……미친 건가?"

진심으로 그렇게 생각할 수밖에 없었다.

미치지 않고서야 황태자비가 쓰러졌다는 소식을 듣고 달

려온 자신에게 '축하'를 운운할 수 있을 리가 없었으므로.

아드리안의 표정이 싸늘하게 변하자 흠칫 놀란 황궁의가 황급히 말을 덧붙였다.

"오, 오해입니다. 그런 불경한 뜻이 아닙니다!"

"하면?"

그의 스산한 기세에 황궁의는 더 우물쭈물할 것 없이 곧바로 사실을 고했다.

"황태자비 전하께서 회임하셨습니다!"

그 순간, 아드리안의 사고가 정지했다.

'회임? 임신? ……아티가?'

임신이라니, 전혀 생각지도 못한 말에 도무지 정신을 차릴 수가 없었다.

물론 결혼을 한 후로 시간이 흘렀고, 무릇 황태자이니 후계를 낳아야 한다는 말을 귀가 따갑도록 들었지만 제 일이라 생각한 적은 없었다.

그 정도로 현실감 없는 단어였다.

아드리안이 충격에 말을 잇지 못하는 사이에도 주변은 소란스러웠다.

문득 아드리안의 시선이 황후를 향했다.

그럼 모후가 눈물을 흘렸던 건…….

"손주가 생기다니. 언제 상상이나 했겠니, 저 성격 개차반인 아들이 결혼까지 해서 아이를 낳을 줄이야……."

하. 감격의 눈물이었던 건가.

아드리안이 달려오기 몇 시간 전.

갑자기 밀려온 어지럼증에 휘청거리던 것도 잠시, 기겁해서 달려온 에센이 아티를 번쩍 들어 안은 후 빠르게 걸음을 옮겼다.

그리고 잠시 후, 정신을 차리고 보니 아티의 앞에는 황궁의가 있었다.

"허업. 축하드립니다, 전하. 회임하셨습니다."

"회, 회임?"

생각지도 못한 진단에 아티의 두 눈이 휘둥그레졌다.

'내가 임신을 했다고?'

실감이 나지 않았다. 아직도 정신이 몽롱해서 그저 꿈을 꾸는 것만 같았다.

"아티."

"……."

"아티."

"아, 네!"

좀처럼 정신을 못 차리는 아티를 에센이 걱정스럽게 내려다보았다.

"이걸 축하해야 한다고 말해야 할지 잘 모르겠지만, 어쨌든…… 아티 너한테는 기쁜 소식이잖아. 그런데 표정이 왜 그래?"

에센 또한 아티의 임신 소식이 뜻밖인 건 마찬가지였다. 이 기분을 뭐라고 표현해야 할까.

하지만 그것보단 아티의 상태가 더 걱정이었다.

잠깐 머뭇거리던 아티가 입을 열었다.

"그냥, 한 번도 생각해 본 적 없어서요. 그리고 아드리안은 아이를 별로 안 좋아하니까…….."

"아아. 그 자식이 애를 안 좋아하긴 하지."

날 때부터 친구였던 에센마저 그렇게 평가할 정도로 아드리안의 호불호는 명확했다.

사실 아이를 안 좋아한다기보단 인간을 싫어한다는 게 맞는 말이겠지만.

아드리안의 예외는 아티만이 유일할 테지.

에센 또한 이 소식을 듣게 된다면 아드리안이 어떻게 반응할지 예상할 수 없었다.

아티는 평소와 다름없이 납작한 배를 가만히 내려다보았다.

'아드리안과 나의 아이.'

그래서 어떻냐고 물어본다면, 당연히 기뻤다.

상상도 못 한 존재였지만, 오히려 그래서 뜻밖의 선물 같았다.

하지만 과연 아드리안도 그렇게 생각할지 확신할 수가 없어서, 그게 무서웠다.

자식이 생긴다면 딸이었으면 좋겠다는 말을 한 적은 있지만, 아이가 있었으면 좋겠다는 말을 한 건 아니었으니까.

머지않아 아티가 쓰러졌다는 소식이 널리 퍼져 나갔는지 황궁 인간들이 몰려와 걱정을 내비치기 시작했다.

황후가 침대에서 내려오려는 아티를 만류하며 조심스레 물었다.

"새아가. 몸은 괜찮니? 쓰러졌다고 들었는데 너무 무리한 건 아닌지 걱정되는구나."

하지만 그들은 황궁의의 진단에 하나같이 똑같은 반응으로 놀랐다.

"비전하께서 회임하셨습니다."

"헉."

"맙소사."

"세상에……!"

쓰러졌다는 소식에 이어 황태자비의 회임 소식이 널리 널리 퍼져 나가는 건 순식간이었다.

그것이 바로 아티의 침실 앞에 온갖 인간들이 와글와글 몰려들게 된 경위였다.

그리고 마지막으로 아티의 임신 소식을 알게 된 아드리안은 침실 앞에 죽치고 있는 인간들을 하나하나 바라보며 미간을 찌푸렸다.

그들 딴엔 휴식을 취하고 있을 아티를 배려해서 밖에서 바글바글 모여 있는 거였지만, 아드리안에게는 눈엣가시였다.

"다들 비켜."

황제와 황후가 섞여 있건 말건 싸늘하게 뇌까린 아드리

안이 아티의 침실에 들어간 후 단호하게 문을 닫았다.

쾅.

문을 닫고 나서야 아티가 잠들어 있을지도 모른다는 생각에 아차 한 아드리안이 천천히 고개를 돌렸다.

그 순간 말간 푸른 눈동자와 눈이 마주쳤다.

침대에 상체를 기댄 채 앉아 있던 아티가 웃으며 인사를 건넸다.

"어서 와요, 아드리안. 협상은 잘 끝났어요?"

"……끝났겠지."

아티가 쓰러졌다는 소식에 눈이 돌아서 곧바로 달려왔기 때문에 이후 협상 상황에 대해서는 아는 바가 없었다.

하지만 괜한 말을 꺼냈다간 아티가 걱정할 게 분명했기에 아드리안은 화제를 돌렸다.

"쓰러졌다면서."

"피곤해서 그런 거예요. 그리고 또……."

"알아. 아이를 가졌다며."

침대맡에 앉은 아드리안이 늘 하던 습관대로 아티의 손을 잡아 손등에 짧게 입을 맞추었다.

생각했던 것보다 담담한 아드리안의 태도에 아티가 두 눈을 깜빡였다.

"괜찮아요?"

"뭐?"

"아드리안, 아이 싫어하는 거 아니었어요?"

"싫지."

조금의 고민도 없는 대답에 아티의 표정이 흐려졌다.

"역시 그렇죠……?"

시무룩한 아티의 얼굴을 본 아드리안은 갑자기 못마땅한 기분이 들었다.

"무슨 생각을 하는 거야?"

"네?"

"너랑 내 아이는 당연히 예외야."

아드리안이 못 박듯 단호하게 말했다.

저 귀여운 머리로 대체 무슨 생각을 했는지 알 만했다.

평소 아이를 좋아하지 않는 것처럼 굴던 자신이니, 그들의 아이도 싫어할 거라고 생각했던 모양이지.

아티에게 겨우 그 정도 남편밖에 되지 않는다는 사실에 못내 서운하다가도, 그런 모습만 보였을 자신의 행동이 머저리 같았다.

그런 오해를 할 법하게 만든 제 잘못이었다.

"아티 너를 닮은 아이면 누구보다 귀엽겠지. 나를 닮으면…… 뭐, 그런대로 봐 줄 만할 테고."

그런 말을 내뱉는 스스로가 멋쩍고 민망해서 아드리안은 눈을 피하며 헛기침했다.

부끄러워하는 아드리안의 모습에 안심이 된 아티가 밝게 웃었다. 아드리안이 넓은 품 안으로 그녀를 끌어당겨 안았다.

"그러니 이제 무리하는 일은 없도록 해. 걱정돼서 죽는 줄 알았으니까."

"알겠어요."

"대답만 잘하지."

"행동도 잘할게요."

그때였다.

"전하. 들어가도 되겠습니까."

황궁의가 임신부를 위한 약을 지어 올리기 위해 문을 두드렸다.

아직 마음껏 아티와의 시간을 보내지 못해 불만족스러운 아드리안이었으나 상대가 황궁의니 군말 없이 문을 열어 주었다.

쓴 약을 얼굴을 찌푸리면서도 열심히 마시는 아티를 지켜보던 아드리안이 황궁의를 돌아보았다.

"혹 조심해야 할 것이 있는가?"

"임신 초기에는 특히 조심해야 하는 것이 많습니다. 주의 사항에 대해서는 소상히 적어 올리겠습니다. 가려야 할 음식도 많으니 그 부분에 대해서는 황궁 주방장이 조심할 터이니 걱정하지 않으셔도 됩니다."

"그렇군. 당연히 조심해야지."

엄숙한 표정으로 아드리안이 고개를 끄덕이자 황궁의가 갑자기 얼굴을 붉히며 헛기침을 했다.

"크흠. 그리고 또, 다른 것도 조심해야 합니다. 특히 임신 초기에는 더더욱."

황궁의의 은밀한 어조에 아드리안은 그가 무엇을 말하는 건지 잠깐 고민했다.

"다른 것? ……아."

황궁의가 말하는 '다른 것'이 무엇인지 깨달은 아드리안의 표정이 미묘하게 굳었다.

"그게 뭐예요?"

이해를 못 한 아티가 고개를 갸웃하자 아드리안이 고개를 저으며 그녀에게 다정히 이불을 덮어 주었다.

"쉬어. 이건 전적으로 내 문제니까."

상상도 못 한 커다란 문제가 아드리안을 기다리고 있었다.

'큰일이군.'

앞으로의 밤이 꽤 괴로울 게 분명했다.

황궁의가 임신 진단을 내린 그날 이후로 아티는 발이 없어져 버렸다. 정확히는 발을 쓸 일이 없었다.

바쁜 일정도 내팽개치고 아티의 옆에 꼭 붙어 있는 아드리안은 마치 집 지키는 개 같았다.

아티가 조금이라도 움직이려고 하면 위험하니까 조심하라며 노심초사했고, 심지어는 욕실이나 식당까지 직접 들어 안아 옮겨 주기까지 했다.

극성도 그런 극성이 없었다.

민망한 아드리안의 팔불출 행동에 부끄러움은 모두 아티의 몫이었다.

물론 황궁 사용인들은 그 모습을 흐뭇하게 바라보곤 했

지만.

또한 황궁 식구들과 오비에도 가문 사람들이 가만있을 리가 없었다.

"새아가……?"

조심스럽게 문을 연 황제가 살금살금 들어와 한참이나 수다를 떨다가 갔다.

"아티이……."

마리에가 베개를 손수 챙겨 와서 아티 옆에서 함께 책을 읽다가 떠났고.

"딸……. 자니?"

오비에도 후작은 온갖 걱정을 늘어놓다가 뒤늦게 찾아온 카밀라에게 질질 끌려 나갔다.

그러나 단연 압권은 바로…….

"아티, 내 동생. 지금이라도 늦지 않았어. 이혼하자!"

테르니였다.

아드리안이 있든 말든 오늘도 활기차게 들어온 테르니는 이혼을 부르짖다가 경비병에게 붙들려 쫓겨 나갔다.

"저 자식이……."

분노하는 아드리안과 달리 아티는 별생각이 없었다.

"오라버니도 참. 이상한 입버릇이 들어서 큰일이네요."

여전히 진행 중인 테르니의 〈이혼 프로젝트〉를 입버릇이라고 치부할 뿐이었다.

그런 사람들의 관심 사이에서 아티에게는 큰 변화가 닥쳤다.

그건 바로, 입덧이었다.

그냥 입덧도 아닌 아주 끔찍한 입덧.

한 사람의 건강 상태가 한 나라의 황궁 분위기를 조질 수 있는가?

아펜니노는 가능했다.

음식 냄새를 맡기만 해도 곧바로 게워 내 버리는 아티의 입덧 탓에 황궁 분위기는 마치 살얼음판 같았다.

좀처럼 식사를 하지 못하는 아티를 위해서 사람들이 너나 할 것 없이 각국의 입덧에 좋다는 여러 음식을 가져다주었지만 아티가 먹을 수 있는 건 없었다.

아티를 만나러 온 황후가 혀를 쯧쯧 찼다.

"배 속의 아가가 꼭 제 아빠를 닮은 게 분명해. 입맛이 이렇게 까탈스럽다니."

"아드리안 2세답네."

마리에가 피식 웃으며 어깨를 으쓱였다.

황후가 과거를 회상하며 제 경험을 이야기해 주었다.

"그래. 아드리안을 가졌을 때 나도 입덧 때문에 고생깨나 했었지. 결국 시간이 답이니 조금만 참거라, 아가."

"네, 걱정해 주셔서 감사해요."

초췌한 가운데에서도 아티는 밝게 웃으며 고개를 끄덕였다.

그사이 눈치 없는 테르니와 디아노가 끼어들었다.

"그렇다면 미래의 폭군……?!"

"훌륭한 폭군이 되실 거다."

두 사람이 속닥거리는 대화를 들은 아드리안이 그들을 싸늘하게 노려보았다.

하지만 테르니와 디아노는 옛날처럼 도망치지 않았다. 믿는 구석이 있었기 때문에.

바로 태교!

아드리안이 폭력을 쓰거나 폭언을 내뱉을 때마다 '아가에게 좋지 않아!'라고 외치면 놀랍도록 그 즉시 행동을 멈췄다.

그 덕에 엄청난 무기를 손에 얻은 테르니는 살판이 났다.

"하하. 입맛까지 아드리안 너 닮다니, 아들인가? 분명 아들일 거야! 성격은 너 닮으면 안 될 텐데. 하하하!"

"……."

하지만 테르니는 몰랐다. 세상에는 폭력과 폭언 외에도 아드리안이 사용할 수 있는 방법이 있다는 것을.

"나가."

"엉?"

"끌어내."

아드리안이 고개를 까딱하자 황태자비의 침실을 지키는 병사들이 척척, 걸어 들어와 테르니의 팔을 한 쪽씩 붙들었다.

"어엉?"

"테르니 공자. 나가시지요."

그들은 손쉽게 테르니를 침실 밖으로 운반하기 시작했다. 테르니는 문짝에 달라붙어 쫓겨나지 않으려 버텼다.

"왜? 난 우리 아티의 오라버니라고! 여기 있을 자격이 충분하단 말이다! 아티, 아티! 이 오라버니를 구해 줘!"

"내일 봐요, 오라버니."

아티가 힘없이 웃으며 손을 흔들었다.

쾅.

단호하게 문이 닫혔다. 테르니만 나갔을 뿐인데 순식간에 침실이 고요해졌다.

"우리도 이만 가자꾸나, 마리에. 그렇지 않아도 힘들 텐데 편히 쉬어야 하지 않겠니?"

"알겠어요, 모후. 그럼 쉬어, 아티. 나중에 또 보러 올게. 가자, 디아노!"

"넵."

나머지 사람들까지 모두 돌아가자 침실에는 아티와 아드리안 단둘만 남았다.

사람들과 대화하느라 분명 피곤할 텐데도 아티는 여전히 생글생글 웃는 얼굴이었다.

'바보같이 착해 빠져서는.'

며칠 동안 제대로 식사도 못 한 아티를 위해 아드리안은 미리 준비를 명했던 레모네이드를 손수 따라 그녀에게 건넸다.

그나마 마실 수 있는 게 있어서 다행이었다.

"자, 마셔."

"고마워요."

두 손으로 컵을 쥔 아티가 레모네이드를 홀짝거렸다. 그런 아티를 보는 아드리안의 마음은 편하지 않았다.

며칠 동안 음식 근처에도 가지 못한 탓에 아티의 얼굴은 정말이지 해쓱했다.

'그놈의 입덧.'

대체 배 속의 아기는 뭐가 문제라서 제 엄마 밥도 못 먹게 한단 말인가.

인정하고 싶지는 않지만 성질머리 하나는 엄마가 아닌 아빠인 자신을 닮은 게 분명했다.

"내일이면 괜찮아질까? 젠장, 그놈의 입덧은 대체 언제 끝나는 거야?"

"아드리안. 욕은 안 돼요."

"……미안."

"시간이 답이라고 하셨으니까 점점 괜찮아질 거예요."

"그래, 그래야지."

어느새 아티가 마신 컵을 자연스럽게 받아 든 아드리안이 반대편 손으로 이불을 끌어 올려 덮어 주었다.

졸린 듯 작게 하품한 아티가 문득 아드리안에게 물었다.

"임신하면 갑자기 먹고 싶은 게 떠오른다고 하잖아요. 나중에 제가 구하기 힘들고 말도 안 되는 걸 먹고 싶다고 조르면 어떡해요?"

"어떡하긴 뭘 어떡해."

아드리안이 자신만만하게 미소 지었다.

"대륙 전역을 다 뒤져서라도 네 앞에 갖다 바쳐야지."

그 계절에 나지 않는 과일이라도, 혹은 대륙 끝에만 난다는 귀한 향신료라도 다 구해다 바칠 준비가 되어 있었다.

"그러니까 너만 생각해. 다른 건 다 내가 할 테니까."

"고, 고마워요."

부끄러운지 얼굴을 붉힌 아티가 이불을 눈 밑까지 끌어
올려 가렸다.

'귀엽다.'

아드리안은 과하게 귀여운 아내를 보며 와락 끌어안고
싶은 충동을 억눌렀다.

그는 아티의 머리칼을 쓸어 넘겨 주며 한숨처럼 중얼거
렸다.

"빌어먹을. 차라리 내가 대신 입덧하면 좋을 텐데."

"말만이라도 고마워요. 그리고 아드리안, 욕."

"……미안."

그렇게 오늘도 평화로운 하루가 지나갔다.

✦ ♕ ✦

다음 날 아침, 주방장은 조마조마한 마음으로 황태자비
전하를 위한 특제 아침 식사를 준비했다.

'오늘은 부디 한 스푼이라도 드셔야 할 텐데!'

아무리 열과 성을 다해 온갖 좋은 재료를 넣은 음식을
만들어도 황태자비 전하께서 드시지 못한다면 의미가 없
었다.

간절한 마음을 담아 조리한 음식들이 황태자비의 침실로

운반되었다.

함께 식사하는 황태자를 위한 식사와 황태자비를 위한 식사 두 가지였다. 물론 황태자의 식사에는 냄새가 많이 나는 재료는 하나도 들어가지 않았다.

혹시나 황태자 전하의 식사가 감히 비전하의 입맛을 떨어트리면 안 되니까.

주방장과 주방 사용인들은 주방 구석에 모여 앉아 식사 후기가 들려오기만을 기다렸다.

그리고 시간이 얼마 지나지 않아 막내 주방 보조가 헐레벌떡 달려왔다.

"어찌 되었어?"

당연히 오늘도 식사를 물리셨을 거라 생각하면서도 기대를 완전히 버릴 수는 없었다.

그런 주방장의 물음에 막내는 두 손을 맞잡으며 잔뜩 흥분해서 외쳤다.

"드셨습니다!"

"드셨어?!"

"네, 드셨습니다!"

황실 주방은 순식간에 축제 분위기가 되었다. 그러나 그것도 잠시 막내가 짝, 손뼉을 쳐 시선을 집중시켰다.

"그런데, 문제가 있습니다."

"문제?"

"예. 그게 말이죠……."

이어진 막내의 말에 주방 사용인들의 입이 떡 벌어졌다.

시간을 조금 거슬러 올라가 아침 식사 직전.

입덧 때문에 식사를 제대로 할 수 없다고 한들 아예 시도조차 하지 않을 수는 없는 일.

아티는 반쯤 포기한 심정으로 식사를 들여보냈다.

그런데 뭔가 낌새가 심상치 않았다.

그녀는 고개를 갸웃하며 접시를 가만히 내려다보았다. 메뉴는 김이 모락모락 피어오르는 묽은 수프와 새콤달콤한 드레싱을 뿌린 샐러드였다.

입맛이 없는 그녀를 배려하여 최대한 가볍게 준비한 식사였다.

하지만 문제는 메뉴가 아니었다.

어라.

'왜 냄새가 아무렇지 않게 느껴지지?'

조금이라도 음식 냄새를 맡으면 바로 매스껍곤 했는데, 오늘따라 아무렇지도 않았다. 이상한 일이었다.

"먹기 싫은 마음은 알지만, 조금이라도 먹어 봐."

아드리안이 전전긍긍하며 아티의 손에 스푼을 쥐여 주었다.

혹시 몰라 심호흡을 한 아티는 수프를 한 스푼 떠서 입에 넣었다.

그런데.

"……!"

아무렇지 않았다. 고소한 수프의 맛이 고스란히 느껴졌다.

내내 비어 있던 속에 따뜻한 음식이 들어가자 살 것만 같았다.

너무 감격한 나머지 아티가 굳어 버리자 조마조마해하며 지켜보고 있던 아드리안의 표정이 점차 굳어 갔다.

"자, 못 먹겠으면 뱉어."

거침없이 제 손을 펴서 내미는 아드리안을, 아티가 천천히 고개를 돌려 쳐다보았다.

"아드리안."

"왜……?"

"저 입덧 끝났나 봐요!"

아티가 활짝 웃으며 외치자 아드리안의 눈이 동시에 커졌다.

"괜찮아? 울렁거리진 않고?"

"네!"

내친김에 샐러드도 포크로 찍어 입에 넣은 아티는 정말로 감격하고 말았다.

지독한 입덧이 끝났다……!

'이게 끝이 나는 거였구나.'

감격한 건 아티뿐만이 아니었다. 그녀가 제대로 식사하지 못하는 동안 함께 말라 갔던 아드리안은 이제야 마음이 푹 놓였다.

그가 안도의 한숨을 내쉬며 허탈하게 웃자 아티가 걱정스레 권했다.

"그러지 말고 아드리안도 어서 먹어요. 저 때문에 요새 식사도 제대로 못 했잖아요……."

"그래, 먹을게."

아티의 입덧이 드디어 끝났다는 생각에 가벼운 마음으로 아드리안은 스푼을 들었다.

그것도 잠시—.

"욱……."

갑자기 입을 틀어막더니 스푼을 거칠게 내려놓는 게 아닌가.

아티가 깜짝 놀라며 물었다.

"아드리안? 괜찮아요?"

"괜찮—."

대답을 하다 말고 아드리안은 입을 틀어막은 후 밖으로 뛰쳐나갔다.

"……아드리안!"

마침 들어오던 테르니가 어리둥절한 얼굴로 아티를 보았다.

"쟤 왜 저래?"

영문 모를 상황에 아티는 그저 고개를 저을 뿐이었다. 그러다 그녀는 문득 귀부인들과 대화하면서 들었던 이야기 하나를 떠올렸다.

'이건 설마 말로만 듣던…… 남편 입덧?'

간혹 그런 경우도 있다고 했다. 원인은 알 수 없지만 남편이 입덧하는 경우가 있다고.

"에이, 아드리안이 입덧이라니."

설마 그럴 리가 있겠어?

그리고, 설마가 사람을 잡았다.

✦ ♛ ✦

"푸학, 푸하하하하하!!"

테르니는 배를 잡고 황성이 떠나가라 웃어 젖혔다. 도무지 비웃지 않고서는 배길 수 없었다.

입덧이라니.

천하의 아드리안이, 입덧이라니!

"와, 진짜 가지가지 한다. 하다 하다 입덧까지 하냐? 푸하하하!"

"……."

"나 혼자만 알 수는 없지. 이 엄청난 사실을 널리 널리 퍼뜨려야겠어!"

아티의 입덧이 드디어 끝났다 싶었더니 이제는 아드리안이 대신 입덧을 하기 시작했다.

테르니는 오래간만에 찾은 놀림거리에 살판났다.

"아티, 저런 놈이랑 계속 살아야겠어? 이혼하자! 아기는 내가 잘 키울게!"

"닥, 아니, 입 다물어."

그 와중에도 아드리안은 언어 순화를 하며 테르니를 싸늘하게 노려보았다.

문득 어제 아티에게 했던 말이 떠올랐다.

"빌어먹을. 차라리 내가 대신 입덧하면 좋을 텐데."

그랬었지. 말이 씨가 된 것일까.

아드리안이 과거를 상기하며 심각한 표정을 짓고 있자 아티가 그를 조심스레 곁눈질했다.

"아드리안. 괜찮아요?"

"내 걱정은 할 필요 없어."

그래. 지금 중요한 건 자신이 아니었다. 아티와 우리의 아이일 뿐.

아드리안은 아티의 손에 손수 간 귤을 쥐여 주며 그녀를 안심시켰다.

'뭐, 하루 이틀이면 끝나겠지.'

사실 그렇게 가볍게 생각한 것도 없지 않아 있었다.

그러나 그건 엄청난 착각이었다.

벌써 일주일이 지났지만, 망할 입덧은 사라질 기미가 보이지 않았다.

원래는 아드리안이 어떤 상태이든 관심도 없던 디아노마저 초췌한 주군의 안색이 심상치 않게 느껴졌다.

아드리안을 빤히 쳐다보던 디아노가 불쑥 물었다.

"괜찮으십니까, 전하?"

그렇지 않아도 사나운 인상이던 아드리안의 얼굴은 한층 살이 내려 더 예리한 이미지로 변했다.

특히 날카로워진 턱선이 시선을 잡아끌었다.

"……말 걸지 마."

아드리안은 까칠하게 대답하며 얼굴을 쓸었다.

딱 죽을 맛이었다.

일주일 동안 아드리안은 아티가 그랬던 것처럼 레모네이드만 겨우 마시며 금식 아닌 금식을 해야만 했다.

그러나 고통스러운 만큼 아티도 이렇게 힘들었을 거라고 생각하니 어떻게든 버틸 수 있었다.

'그래, 아티가 힘들 바엔 내가 대신 힘든 게 낫지.'

그나마 위안이 되는 건 제대로 먹지 못하던 아티가 지금은 먹고 싶은 음식들을 마음껏 먹을 수 있다는 사실이었다.

그 말은 즉, 음식 냄새 때문에 아티의 침실에 가는 게 고역이라는 뜻이기도 했다.

그렇지만 아드리안은 욕지기를 불사하고 아티를 만나러 갔다.

하루가 다르게 생기를 되찾는 아티의 얼굴을 보면 자신의 고통 따위는 너무나도 사소해졌다.

"아드리안. 이것 봐요. 어머님께서 선물해 주셨어요!"

아티가 자그마한 아기 신발을 손바닥 위에 올려놓고는 환하게 웃었다.

아드리안은 아티가 내미는 신발을 무심코 건네받고는 곧 당혹스러움에 빠졌다.

"너무…… 작은데."

"원래 아기는 작은 거예요."

신발이 너무 작았다. 장난감이 아닌가 싶을 정도로.

그의 한 손바닥에 신발 한 켤레를 온전히 올려놓아도 남은 손바닥이 훤히 보일 정도로.

문득 아이의 아버지가 된다는 것이 아주 조금, 실감 났다.

그전까지도 자각이 없는 건 아니었으나, 불쑥 밀려드는 감각은 어쩐지 낯설고 두려웠다.

그런 감정에 동화된 것일까. 아기 신발을 가만히 바라보던 아티의 얼굴이 수심에 잠겼다.

"아드리안."

"응."

"사실…… 걱정돼요. 제가 과연 좋은 엄마가 될 수 있을까요?"

아드리안은 아티의 얼굴을 가만히 바라보았다.

그동안 남들에게 걱정 끼치지 않기 위해 씩씩하게 웃으며 밝게 지내고 있었지만 사실 속으로는 걱정이 가득했다.

아티가 괜찮은 척할 뿐이라는 걸 알고 있었지만, 아드리안은 그런 그녀를 내버려 두었다.

'내게 조금 더 기대 주었으면 좋겠는데.'

속내를 스스럼없이 터놓을 만큼 믿음직한 남편이 되지 못한다는 생각에 자괴감이 들었지만, 입 밖으로 꺼낼 수 없었다.

내게 기대라고 말하는 게 아티에게는 오히려 부담될 테니까.

아드리안이 할 수 있는 건 기다리는 것밖에 없었다.

그래서일까, 아주 조금 드러낸 아티의 불안한 감정이 기쁘면서도 안타까웠다.

침대에 걸터앉은 아드리안은 아티를 제 품에 끌어안았다.

"아드리안?"

"나도 사실 걱정이야. 내가 과연 좋은 아빠가 될 수 있을지."

그 말에 아티가 깜짝 놀라 아드리안을 올려다보았다.

"아니에요. 아드리안은 좋은 아빠가 될 수 있어요!"

정말로 그렇게 믿어 의심치 않는다는 듯 단호한 외침이었다. 일말의 망설임도 없었다.

아드리안은 사랑스러운 아내의 눈가에 입 맞추며 말했다.

"그래. 아티, 너도 마찬가지야."

정말 쓸모없는 걱정이었다.

걱정된다고 말하는 아티는, 이미 엄마의 얼굴을 하고 있었으니까.

아드리안의 그 말은, 확신이 없던 아티에게는 큰 위로가 되었다.

당신도 나도 같아. 그러니까 우리는 잘 해낼 수 있어.

그런 확신을 주는 무한한 믿음이었다.

아티는 아드리안을 마주 안으며 숨을 크게 들이마셨다.

잠깐 눈을 감았다 뜨는 순간, 불안함과 두려움으로 물들어 있던 아티의 눈동자에는 결연한 의지가 떠올랐다.

"잘할 수 있을 것 같아요."

"당연하지. 누구 아내인데."

아드리안은 환하게 웃는 아티를 보며 옅게 미소 지었다.

그러다 문득 아티가 움찔거리며 배를 내려다보았다.

"……!"

"왜 그래. 아파?"

"아니, 그게 아니라……."

"황궁의, 황궁의를—."

"진정해요, 아드리안. 그냥 태동이 느껴져서."

"태동?"

"네. 요새 종종 느껴지곤 하거든요."

아드리안이 새삼스럽게 아티의 배를 내려다보았다. 이제 어느 정도 육안으로 알아볼 수 있을 만큼 배가 조금 불러 온 상태였다.

누가 봐도 태동을 직접 겪어 보고 싶어 하는 모양새라 아티가 배를 쓰다듬으며 상냥하게 말했다.

"아가야. 아빠야. 인사해."

"……아빠다."

참을 수 없는 어색함에 아드리안이 무뚝뚝하게 말했지만, 배 속의 아가는 아무 대답도 들려주지 않았다.

아드리안이 눈가를 찌푸리며 아티를 바라보자 그녀가 진지하게 조언했다.

"좀 더 다정하게 말해 보는 건 어때요?"

"다정하게? 금방 다정했던 것 같은데."

"……."

아니군.

어색하게 웃는 아티의 얼굴에 아드리안은 재빠르게 제 생각을 정정했다.

"알겠어. 해 볼게."

괜히 헛기침한 아드리안이 아티의 배에 큰 손을 올렸다.

"엄마 고생시키지 말고 무사히 태어나라."

"그게…… 다정……?"

아티가 황당하다는 듯 아드리안을 쳐다보았으나 그는 당당했다.

이보다 얼마나 더 다정할 수 있단 말인가.

그리고 바로 그때.

톡.

마치 화답하듯 두드리는 가벼운 태동에 두 사람이 눈을 마주쳤다.

"거봐. 내 새끼가 대답했잖아."

아드리안은 순식간에 의기양양해졌다.

✦ ♛ ✦

아펜니노의 황궁은 초긴장 상태에 접어들었다.

바로 오늘이 황태자비의 출산일이었기 때문에.

아티의 분만을 위해 산파가 들어간 지도 벌써 시간이 한참 흘렀지만 어떤 소식도 들려오지 않았다.

황제를 비롯한 황실 사람들과 오비에도 가족 등 모든 사람이 복도에 모여 부디 산모와 아기가 무사하기만을 비는 가운데, 마침내 고대하던 울음이 방 안에서 울려 퍼졌다.

으앙!

으아아앙!

얼마나 우렁찬지 울음소리가 분만실을 뚫고 나올 정도였다. 그와 동시에 초조하게 복도를 서성이던 아드리안이 침실로 거침없이 걸음을 옮겼다.

"아티, 아티는……!"

아드리안이 안으로 들어가기도 전에 먼저 산파가 밖으로 나왔다.

"진정하시지요. 비전하께서는 무사하십니다."

그 말에 아드리안이 안도하기 무섭게 산파가 황손의 출산 소식을 알렸다.

"경하드립니다, 전하. 튼튼한 황손 두 분께서 탄생하셨습니다!"

그 말에 오늘만큼은 두 손을 모으고 입을 꾹 다물고 있던 테르니가 곧바로 튀어나왔다.

"두 분?!"

"예. 쌍둥이 황손 저하십니다."

무려 쌍둥이라니!

복도에 모인 이들이 두 눈을 휘둥그레 뜨게 만들기 충분한 소식이었다.

"어쩐지 울음소리가 한 녀석 것이 아니더라니!"

황제가 껄껄 웃으며 기뻐하자 요제프 후작이 식은땀을

닦으며 한숨을 내쉬었다.

"그래서 우리 딸이 그렇게 고생한 거겠지요……."

그간 아티가 했던 고생들이 스쳐 지나가자 절로 눈물이 나오는 요제프 후작이었다.

그에 참지 못하고 나머지 사람들이 분만실 안으로 밀고 들어가려 하자 산파가 황급히 제지했다.

"모든 분께서 들어가실 순 없습니다. 한 분씩 들어가시지요."

"그럼 내가 들어가야지!"

테르니가 방방 뛰며 당연하다는 듯 안으로 들어서려는 순간, 아드리안이 그의 뒷덜미를 잡아채 뒤로 휙 떠밀었다.

"꺼져."

아드리안은 서로 자기가 들어가야 한다며 주장하는 이들을 무시하고, 가장 먼저 들어갔다.

그가 곧바로 아티를 향해 다가가려는데, 산파가 그의 앞을 가로막았다.

"정말 사랑스러운 저하들입니다. 어서 안아 보세요, 전하."

"어? 어."

아티의 상태를 확인해 볼 생각에 가득 찼던 아드리안은 예기치 못하게 양팔에 아기를 각각 안아 버렸다. 처음 아기를 안아 보는 자세는 어설프기 그지없었다.

그 와중에도 아기들은 세상이 떠나가라 울었다.

아드리안은 미처 준비하지 못한 마음가짐으로 아기들을 번갈아 보았다.

"두 분 전하를 쏙 빼닮으셨습니다."

"……그래?"

보송보송하게 자라 있는 두 아이의 머리칼 색은 아드리안과 같은 백금발이었다.

아직 눈을 뜨지 않아 눈 색을 볼 수는 없었지만, 그런데도 한눈에 제 자식이라는 걸 알아볼 수 있었다.

황가의 핏줄을 물려받았으니 당연히 두 아이 모두 붉은 눈일 테지.

"그래. 닮은 것도 같군."

그 순간 말로 표현하기 힘든 감정이 물밀 듯 밀려들었다.

작은 생명에 대한 두려움, 놀라움, 그리고 이 아이들을 지켜야만 한다는 책임감. 그 밖의 감정들이.

아티를 사랑한 이후로 그만큼의 큰 감정 변화를 느낄 수 있을 거라 생각한 적 없었던 그였건만, 아직도 처음 느껴 보는 감정이 있다니 정말로 신기한 일이었다.

그때 침대에서 아드리안이 애타게 그리워했던 음성이 들려왔다.

"아기는, 아기는 건강해요?"

"그래. 쌍둥이야."

"쌍둥이였구나. 어쩐지 발길질을 많이 한다 했어."

땀투성이인 아티가 힘없이 푸스스 웃었다. 만삭 때 힘찬 태동으로 고생했던 게 떠오른 탓이었다.

그러자 산파가 매섭게 눈치를 주었다.

"전하. 비전하께도 황손 저하들을 보여 주셔야죠."

"아."

아드리안이 뻣뻣하게 굳은 채로 몸을 숙여 아티의 품에 두 아이를 안겨 주었다.

아티가 눈물을 글썽이며 두 아기를 바라보았다.

"아드리안. 우리의 아가예요."

"그래, ……우리 아이들이지."

이런 말은 낯간지러워서 좋아하지 않지만, 아드리안도 오늘만큼은 거침없이 내뱉을 수 있었다.

아티가 두 아기를 사랑스러운 눈으로 바라보다 고개를 들었다.

"우리 아기들, 이름은 어떻게 해요? 이름으로 부르고 싶은데……."

"첫째는 프리드리히, 둘째는 카란베르크."

아드리안의 대답은 거침없었다.

언젠가 아티와 함께 아이의 이름을 고민했을 때, 남자아이라면 어떤 이름이 좋을지 두 후보 사이에서 갈팡질팡했었다.

그때 후보 두 가지를 놓고 고민했던 건, 바로 쌍둥이를 낳을 이 미래 때문이었을지도 모른다.

아티는 이름이 생긴 두 아가의 손가락을 소중히 쥐며 다정하게 속삭였다.

"잘 부탁해. 프리드리히, 카란베르크."

엄마의 인사에 아기들이 동시에 화답했다.

"으아앙!"

"으아아아앙!"

바로 우렁찬 울음으로.

그렇게 아펜니노 제국에는 두 명의 황손이 탄생했다.

✦ ♛ ✦

그리고 4년 후.

"부황은 거짓말쟁이야!"

낭랑한 꼬맹이의 외침이 정원을 쩌렁쩌렁 울렸다. 아이는 엄마에게로 와다다 뛰어가 와락 안겼다.

"내가 뭘."

뒤에 서 있는 남자가 무심한 표정으로 아이를 내려다보며 퉁명스럽게 말했다.

"거짓말쟁이. 약속도 안 지키고······!"

아이는 아빠를 힘껏 노려보며 엄마를 꼭 껴안았다. 엄마가 아이를 토닥여 주자 용기를 얻은 건지 폭행 사주를 시도했다.

"엄마, 부황 혼내 줘요. 때찌때찌!"

"때찌때찌, 할까?"

"응!"

모자의 대화를 잠자코 듣고 있던 남자가 짐짓 심각하게 말했다.

"응석 받아 주지 마. 애들 버릇 나빠져."

"버릇 나빠지게 하는 게 누군데요."

"……크흠."

찔리는 게 있는지 남자는 헛기침하며 시선을 피했다. 아내의 말에 차마 반박할 수가 없었기 때문이다.

오냐오냐가 도를 지나쳐 황실의 정원 하나를 통째로 아이들의 놀이터로 만들어 버린 전적이 있는 그였다.

그뿐인가. 둘째 아들과 싸웠다는 영식의 저택에 당장 찾아가려는 걸 아내가 뜯어말리기까지 했다.

만약 그녀가 만나지 않았다면 그 가문은 갑작스러운 황제의 행차로 한바탕 뒤집혔을 것이다.

남자, 아드리안은 둘째 아들 카란베르크를 번쩍 들어 올려 안았다.

"말은 바로 해야지, 카란. 내가 언제 너랑 약속을 했지?"

"했는데……."

"몇 시 몇 분 몇 초."

"배, 백 시?"

아직 숫자를 잘 못 세는 카란베르크는 손가락으로 숫자를 세어 보다가 자신이 알고 있는 가장 큰 숫자를 자신 없이 내뱉었다.

흘긋 아빠의 눈치를 살폈지만 워낙 무표정한 얼굴이라 정답인지 아닌지 알 수 없었다.

역시 정답이 아닌 모양이었다.

'힝. 진검, 갖고 싶은데.'

카란베르크가 이렇게 안달 난 이유는 아빠가 진검을 휘두를 수 없게 금지해서였다.

말을 잘 들으면 진검을 쓰게 해 준다고 말한 적 있지만, 말을 잘 듣는다는 기준이 모호하지 않은가.

카란베르크가 입술을 삐쭉이자 아드리안이 타이르듯 말했다.

"다친다."

"애들은 원래 다치면서 크는 거라고 고모부가 그랬어요!"

"진검, 진검 노래를 부르더니 역시 스승이 문제였군. 하, 디아노 녀석."

두 아들의 검술 스승인 디아노가 또 어떤 바람을 불어넣었을지 안 봐도 훤했다.

'혼자 연무장에서 온갖 폼이란 폼은 다 잡으면서 헛바람 들게 했겠지.'

카란베르크를 바닥에 내려 준 아드리안이 아들의 머리를 거칠게 쓰다듬었다.

"좀 더 크면. 넌 아직 어려."

"약속했잖아요, 진검!"

"했지. 말 잘 들으면 허락해 준다고."

"말 잘 들었는데!"

"말을 잘 들어?"

찔리는 게 있는지 잠깐 멈칫한 카란베르크는 이내 당당하게 고개를 끄덕였다.

어처구니가 없는 나머지 아드리안이 헛웃음을 터트렸다.

'이래서 어린애들이랑 함부로 약속하는 거 아니라니까.'

계약 조항을 이렇게도 자의적으로 해석해 버리다니.

아무래도 제 자식이 천재인 게 분명했다.

"좋아. 진검 선물해 주지. 단, 조건이 있다."

"조건?"

"그래. 네가 이 아빠를 이기면."

검술 스승인 디아노마저 이기는 아드리안을 상대로 꼬꼬마 카란베르크가 이길 수 없으니 말도 안 되는 조건이었다.

하지만 꼬마 카란베르크는 용감했다.

"싸우자!"

"반역이냐?"

"응!"

아티는 비슷한 수준으로 대화하는 부자를 흥미진진하게 지켜보았다.

'유치해라.'

서로가 서로의 수준에 맞춰 준다고 생각하는 게 아주 재미있는 지점이었다.

부자가 한창 열을 올리며 유치한 말다툼을 이어 가던 바로 그때였다.

"빠—!"

어눌하고 낭랑한 음성이 정원 입구에서 들려왔다.

막내딸 스테이시아가 아빠를 부르며 아장아장 걷는 중이었다. 금방이라도 넘어질 듯 위태한 모습에 아드리안이 얼른 다가가 휘청이는 아이를 낚아챘다.

아티와 똑같은 은색의 머리칼, 그리고 아펜니노 황실의 상징인 적안을 물려받은 아기는 두 사람의 사랑스러운 막내였다.

특히 터질 듯 통통한 뺨이 깨물어 주고 싶을 정도로 귀여운 아기였다.

막내를 데려온 건 첫째 아들인 프리드리히였다.

"시아가 아빠 보고 싶다고 우는 바람에 데리고 나왔습니다."

"그래. 잘했다, 아들."

아드리안이 프리드리히의 머리를 쓰다듬자 프리드리히가 한 발짝 뒤로 물러났다.

"저도 이제 다 컸으니 어린아이 취급하지 않으셔도 됩니다, 부황."

"……."

쌍둥이면서 첫째와 둘째의 성격은 정반대였다.

얼음과 불 같은 두 아이는 외모만 같을 뿐 하는 짓은 영 딴판이었다. 한날한시에 태어난 것이 믿기지 않을 정도로.

주로 독서와 사색을 즐기고 유망한 학자를 초빙해 토론을 벌이며 그들을 괴롭히는 걸 즐기는 학구열 변태 첫째와 달리, 둘째는 검술에 재능을 가지고 두각을 드러내는 육체 파였다.

너무나 다른 아이들이었지만, 아드리안과 아티의 사랑스러운 아들들이었다.

아들과 말다툼하는 아드리안을 좀 더 보고 싶었지만, 아티는 두 사람을 중재했다.

그냥 내버려 뒀다간 한도 끝도 없었다.

"자, 이제 점심 식사 시간도 다 됐는데 그만하고 들어가자. 여보, 같이 식사할 거죠?"

"당연하지."

식사라는 말에 카란베르크의 눈이 반짝 빛났다.

"디저트!"

조금 전까지 진검 이야기를 하며 조르고 있었다는 사실도 잊은 채 카란베르크가 신나서 황성으로 달려갔다.

아드리안이 황제로 등극한 지도 일 년이 지났다.

아직 정정한 상황제는 요양을 핑계로 황좌에서 물러났고, 아드리안은 그토록 바라던 황위에 오를 수 있었다.

그러나 막상 황제가 되었지만 아드리안은 그렇게 만족스럽지 못했다.

'아티랑 있을 시간이 없잖아.'

애초에 제멋대로 자신을 휘두르려는 부황과 모후 때문에 권력을 바랐던 건데, 아티와 결혼한 시점에서 모두 부질없는 것이 되어 버리지 않았나.

어쨌든 황제가 되었으니 아드리안을 가로막는 자들은 없었다.

하지만 권력은 달콤해도 그에 대한 대가가 따르는 법.

아드리안은 망할 과로에 시달리는 중이었다.

그래도 온종일 집무와 국정 회의에 시달리고 나면 가족과 시간을 보낼 수 있는 여유가 생겼다.

그리고 오늘은 아이들을 모두 데리고 황성 내 별궁에서 지내고 있는 상황과 상황후를 만나는 날이었다.

그 소식을 들은 마리에가 자신도 오겠다며 나섰고, 그러다 보니 남편인 디아노가 자연스럽게 동행했다.

또 그 소식을 접한 테르니가 가족들을 전부 끌어들였고, 어쩌다 보니 작은 연회 홀을 개방한 작은 파티가 열리고 말았다.

작은 일이 눈덩이가 불어나듯 커지는 건 늘 있는 소동이라 이상한 일도 아니었다.

"아티! 보고 싶었어! 너도 보고 싶었다고? 알지, 알지!"

아드리안은 홀에 들어서자마자 아티를 껴안으려는 테르니를 한 손으로 떨어트렸다.

"꺼져."

"성격 더러운 것 좀 봐. 아티, 저런 놈 옆에 있으면 평생 불행할 거야. 오비에도로 돌아와……!"

"오랜만이에요, 오라버니."

"아티……!"

한결같은 테르니의 이혼 타령을 한 귀로 듣고 한 귀로 흘리며 두 사람은 오늘 작은 파티에 참석한 사람들과 인사를 나누었다.

가장 먼저 아드리안을 반긴 건 기사단장이 된 디아노였다.

"폐하. 대체 저랑 대련 언제 해 주실 겁니까?"

"바빠. 너도 꺼져."

"헉, 오랜만에 듣는 꺼지라는 말……. 아직 늦지 않았습니다, 폐하. 훌륭한 폭군이 되실 겁니다!"

"죽고 싶냐?"

"폐하의 손에 유명을 달리한다면, 얼마든지……!"

감격한 디아노의 반응에 아드리안은 대화를 포기했다.

곁에 있던 마리에가 디아노를 확 끌어당기며 아드리안을 노려보았다.

"내 남편 괴롭히지 마라?"

"괴롭히긴. 즐기던데."

"그건 그렇긴 한데……."

아드리안이 디아노에게 붙들려 있을 동안, 아티는 상황후 루드밀라 그리고 후작 부인 카밀라, 마지막으로 마담 루시 세 사람에게 붙들렸다.

"무슨 말씀이신가요. 황후 폐하께는 이 색깔이 더 잘 어울린다구요?"

"아니, 루시. 내 의견은 좀 달라."

"흐음. 상황후 폐하께서는 어찌 생각하십니까?"

"두 사람 말 모두 일리가 있지만, 역시 나는……."

주제는 아티였지만, 아티의 의사는 전혀 반영되지 않는 대화였다.

"하하……."

그 사이에서 아티는 어색하게 웃을 뿐이었다.

부모가 모두 부재한 가운데 스테이시아를 돌보는 건 아

티의 호위이자 졸지에 보모가 된 에센의 몫이었다.

"으, 잠깐. 왜 그러는데. 배고파?"

"아이!"

"아이? 아이가 뭐냐고……."

"빠따빠따!"

"잠깐, 머리카락 잡아당기지 마! 너도 있잖아!"

안타깝게도 육아에는 서툰 에센이었다.

카란베르크는 연회 홀을 마당처럼 뛰어다녔고, 프리드리히는 외할아버지인 오비에도 후작과 열띤 토론을 벌이며 심도 있는 대화를 나누었다.

상황제는 의자에 앉아 와자지껄한 식구들의 한때를 흐뭇하게 지켜보았다.

그들은 서로 대화를 나누고, 접시에 음식을 가져와 먹으면서 자유롭게 근황을 주고받았다.

그런 제멋대로인 평화는 스테이시아의 울음소리로 와장창 깨졌다.

"으앙! 으아아앙!"

그 소리에 모든 사람이 하던 대화를 멈추고 스테이시아가 있는 곳을 향해 달려왔다.

가장 먼저 달려온 건 상황제였다.

"아이구, 우리 손녀딸이 뭐가 그렇게 마음에 안 들까?"

에센에게서 스테이시아를 건네받은 상황제가 익숙하게 손녀를 어르고 달랬다.

"저한테 주시죠."

"크흠."

아드리안이 손을 뻗었지만 상황제는 못 본 척 아이를 둥개둥개 얼렀다.

홀이 떠나가라 울던 아기는 몇 분이 지나자 까르르 웃더니 이내 할아버지 품에서 새근새근 잠들었다.

손녀를 내려다보는 상황제의 눈에서 애정이 꿀처럼 뚝뚝 흘러넘쳤다.

"우리 시아가 잠들었으니 다들 조용히 하거라."

상황제의 엄포에 떠들썩한 홀이 삽시간에 고요해졌다.

그 순간 디아노는 생각했다.

'사실 진짜 폭군은 공주 전하일지도……'

날고 기는 황족들과 귀족들의 입을 다물게 하다니.

어쩌면 공주 전하가 두 오빠를 제치고 미래의 폭군이 될지도 몰랐다.

✦ ♛ ✦

저녁 만찬이 끝나고, 그레이스 궁으로 돌아가는 길.

아드리안은 잠든 스테이시아를 한쪽 팔로 안고, 다른 손으로 아티의 손을 붙잡았다.

아티의 나머지 한 손은 두 아들이 경쟁한 끝에 카란베르크의 차지가 되었다.

"애들아, 형제끼리 싸우면 못 써. 자, 두 사람도 손잡고 가자."

아티의 말에 카란베르크와 프리드리히가 질색하며 서로의 얼굴을 보았다.

"으이······."

"······알겠습니다."

하지만 엄마의 말만큼은 잘 듣는 두 아들은 인상을 찌푸리며 서로 손을 잡았다.

서로서로 손을 맞잡은 가족이 고즈넉한 황궁 정원을 거닐었다.

폴짝폴짝 걸어가던 카란베르크가 부모님을 번갈아 바라보며 물었다.

"엄마, 부황. 내일 소풍 가면 안 돼요?"

"부황께선 집무를 보시느라 바쁘셔. 무리한 부탁은 자제하는 게 좋겠다, 카란."

프리드리히의 핀잔에 카란베르크가 진지하게 물었다.

"뭐? 너 소풍 싫어? 그럼 넌 안 가면 되지."

"싫다고 말한 기억은 없어."

"뭐야. 그럼 갈 거지? 엄마, 같이 소풍 가요!"

카란베르크의 초롱초롱한 눈빛이 아티에게 향했다. 프리드리히도 아닌 척하면서 슬그머니 엄마의 눈치를 보았다.

아티는 웃으며 눈짓으로 아드리안을 가리켰다.

"아빠가 허락해 주시면?"

그러자 두 아이의 시선이 아드리안에게로 고스란히 옮겨갔다.

'내일 처리해야 할 일이······.'

잠깐 고민하는 듯 뜸 들이던 아드리안이 이내 고개를 끄덕였다.

"그래, 소풍 가자."

"와—!"

아드리안의 허락에 두 아들이 큰 소리를 내려다 황급히 입을 틀어막았다.

"합!"

"흡!"

혹시 새근새근 잠든 귀여운 동생이 깨 버릴지도 모르니까.

다행히 동생이 깨지 않고 곤히 잠들었다는 사실을 깨닫자 두 아이는 안도하며 다시 밤의 황궁을 자박자박 걷기 시작했다.

여느 때와 다름없는 화목한 가족의 일상이었다.

—完

황태자의 약혼녀 4

초판 인쇄 2022년 11월 8일
초판 발행 2022년 12월 15일

지은이 윤슬, 이흰
펴낸이 신현호
편집장 예숙영
편집 최은지
편집디자인 한방울
영업 김민원
물류 이순우 박찬수

펴낸곳 ㈜디앤씨미디어
출판등록 2002년 5월 1일 제117-90-51792호
주소 서울시 구로구 디지털로 26길 111 JnK디지털타워 503호
대표전화 (02)333-2513 팩스 (02)333-2514
전자우편 dncbooks@dncmedia.co.kr
디앤씨북스 블로그 http://blog.naver.com/dncbooks

ISBN 979-11-264-6266-7 (04810)
ISBN 979-11-264-6262-9 (세트)